直接、探してみる韓国文化

직접, 알아보는 한국문화

金 永鍾 · 張 眞英

HAKUEISHA

머리말

우리 인류는 언어, 문화, 예술, 사상, 종교, 과학 등 다양한 영역에서 교류하며 역사를 만들어왔고 언어와 문화의 다양성 속에서 인종, 성, 계층, 지역 간의 갈등과 문화적 충돌, 정치적 도전 속에서 성장해 왔다.

전 세계는 코로나로 인한 위기를 경험하며 삶의 근본적인 변화에 직면하고 있다. 기후변화는 인간의 삶과 지구 생물 다양성을 예측할 수 없는 방향으로 흔들며, 자연재해와 전염병은 사회의 취약성을 드러내며 증가하고 있다. 그러나 동시에 새로운 기술은 협력, 교류, 대화의 기회를 확장하고 있다. 네트워크와 기술의 진보로 국경이 허물어지면서 문화의 이동과 공유가 자유로워짐에 따라 K-POP 스타들도 무대뿐 아니라 다양한 방식의 네트워크를 통해 활동하며 전 세계 팬들과 소통하고 공유하고 있다. 문화의 우월성 보다는 세계인들이 서로 이해하고 공감하며 문화를 공유하는 시대로 빠르게 변화하고 있다.

문화의 우월성이 사라지고, 다문화 사회로 나아가면서 세계인들은 서로를 이해하고 공감하며 문화를 공유하는 시대가 도래하고 있다. 이런 변화를 주도하고 있는 글로벌 MZ세대들로 인하여 한국은 2022년 세계 문화 영향력 순위 (http://index. goodcountry.org)에서 6위를 차지했다. 스페인 신문 엘 컨피덴셜 (El Confidencial)에서 “혼족” (혼자 활동을 즐기는 MZ세대의 특징)이라는 표현을 사용하는가 하면, 영국 옥스퍼드 사전에서 “대박” (Daebak) (https://www.oed.com/search/dictionary/?scope=Entries&daebak)이라는 한국 단어가 공식 등재되는 등 영향력을 확대하고 있다.

그러나 다양성을 인정하고 교류하는 과정을 통해 국경을 넘어 다양한 플랫폼에서 콘텐츠로 대화하고 있는 현재, 해외 한류 소비자들의 콘텐츠에 대한 세계의 관심이 증대되면서 한국어와 한국문화에 대한 깊이 있는 정보를 원하는 외국인들이 크게 늘고 있지만 이들을 위한 한국학이나 한국문화 교재는 크게 부족한 것이 현실이다. 특히 세계에서 가장 많은 한국어 교재가 만들어지는 일본에서도 한국의 20대들 조차 알지 못하는 예전 키워드들이 그대로 전달되고 있는 현실을 보면서 현재의 한국에 대해 보다 정확 하게, 쉼 없이 변화하는 한국 그대로를 전달할 방법을 고민하는 과정에서 이 책의 기획이 시작되었다.

그래서 학습 대상자들이 한국에 대해 궁금한 것이 어떤 것인지, 그리고 어떤 방법으로 정보를 찾고 취득하는지 알기 위해 수강생 300여 명 대상으로 설문조사를 진행하였다. 조사 결과에서도 전통문화나 사회 시스템보다는 현재 경험하고 느낄 수 있는 부분에 관해 관심을 보이는 만큼 정보 제공만이 아닌 체험 정보 및 정보 탐색을 위한 여러 가지 방법을 제시할 필요가 있다고 판단하였다. 다양한 IT Infra를 활용하여 정보를 취득하고 활용하는 세대임을 고려하여 그들의 눈높이와 생활패턴을 고려한 정보 제공을 위해 만들어졌다. 일방적인 정보 제공보다는 관심과 호기심을 자극하여 직접 생각하게 하는 것이야말로 진정한 교류를 위한 첫걸음이 될 수 있다고 생각하였다.

본 교재의 특징은 다음과 같다.

1. 직접, 알고 싶은 것을 알아보게 하자.

이 교재는 가르치는 사람 중심이 아닌, 공부하고 싶은 사람들의 궁금증과 관심을 중심으로 구성되었다. 현재의 학습자가 궁금해하는 주제들을 중심으로 전체 책을 구성하고 주제들의 이해를 위해 필요한 기본적인 정보를 담아 균형 있는 정보를 제공하도록 하였다. 그리고 본문의 내용을 읽고 이해하고, 자신이 자료 조사를 하여 더 생각해 보고, 다른 학생들과 토론할 수 있는 과제를 통해 직접 생각하고 교류하는 능력을 향상하도록 하였다.

2. 한국어 학습자 대상의 문화 교재

이 교재는 대학 내 한국 문화 수업뿐만 아니라, 고급 레벨의 한국어 학습자의 수업에서도 활용할 수 있도록 구성되어 있다. 한국어와 일본어를 병기하여 표기하여 본문을 통해 "읽기" 능력을, 과제를 통해 "쓰기" 능력을, 그리고 토론하는 과정을 통해 "말하기" 능력을 향상할 수 있도록 구성하였다.

3. IT Infra를 활용하여 지금도 변하고 있는 한국을 알아보자.

모든 주제에 관련된 정보를 바로 확인할 수 있는 QR코드 및 URL을 표기하여 직접 정보를 찾아보고 확인할 수 있도록 구성하였다. 그뿐만 아니라 디지털 환경을 활용하여 본인이 직접 찾아서 공부할 수 있도록 Tip Book을 구성하여 제공하였다. 한국의 다양한 IT 인프라 및 Google, Naver 등에서 제공하는 다양한 Application으로 직접 찾고 공부할 수 있는 IT Tip을 수록하였다. IT Tip Book의 콘텐츠는 학생뿐만 아니라 한국의 콘텐츠를 통해 문화 수업을 진행하고 계시는 선생님들에게도 수업자료를 만들고 준비하는데 좋은 팁이 될 수 있다.

이 책의 목차 구성은 모두 7과, 21개의 주제와 IT Tip Book으로 구성되었다.

1. 숫자로 알아보는 한국 : 역사, 사회적으로 의미 있는 숫자를 중심으로 한국에 대한 개괄적인 학습 주제로 구성
2. 읽으면서 알아보자 : 한국 문화의 근간이 되는 한국어와 관련된 주제
3. 먹으면서 알아보자 : 학습 대상자들이 식문화 등에 가장 높은 관심을 나타낸 설문 조사 결과를 기반으로 식문화를 통해 자연스럽게 한국의 사회 문화 소개
4. 입으면서 알아보자 : 전통 복장뿐만 아니라 최근 유행하고 있는 K-Style에 대한 소개
5. 즐기면서 알아보자 : K-Contents의 대표주자인 K-POP, K-DRAMA, K-WEBTOON을 즐겨보자.
6. 걸으면서 알아보자 : 직접 찾아가서 만져보고 경험할 수 있는 세계문화유산, 주거문화, 그리고 여행지 등에 대한 소개
7. 함께 만드는 문화 : 무엇이든 한국 스타일로 만들어내는 축제, 다양한 인종과 사람들이 만들어내는 문화 이야기

그리고 + IT Tip Book : 한국의 IT Infra와 여러 IT 프로그램을 활용하여 직접 정보를 찾고, 한국 문화 콘텐츠를 즐길 수 있도록 도와주는 Guide Book

※대학 문화 수업의 경우 각 항목별로 2시간 수업을 할 수 있도록 구성하여 총 14과로 구성하였으며 읽기 후 토론 주제를 제시하여 이해하고 찾아보고, 학습자들의 생각을 교류할 수 있도록 준비하여 수업 차수에 따라 교사가 조정하여 사용할 수 있도록 구성하였다.

마지막으로, 이 책을 집필하는 데에 많은 도움을 주신 박영사의 한국 본사와 일본 지사의 나카지마 케이타 대표, 그리고 편집에 힘써 주신 분들께 감사드린다. 그리고 감수에 참여하여 주신 가나자와 공업대학의 히라이즈미 다카후사 교수님, 사전 조사에 참여해 주신 한국어 및 한국문화 수강생 여러분께 깊은 감사의 말씀을 전하고 싶다.

이 책이 많은 일본 학생과 교수님들에게 도움이 되길 기대하며…
자~ 그럼 함께 "직접, 알아보는 한국 문화"와 함께 한국 문화 탐험을 시작해 봅시다.

2023년 12월
저자 일동

まえがき

人類は言語、文化、芸術、思想、宗教、科学など多様な領域で交流して歴史を作ってきたし、言語と文化の多様性の中で人種、性、階層、地域間の葛藤と文化的衝突、政治的挑戦の中で成長してきた。

全世界はコロナによる危機を経験し、生活の根本的な変化に直面している。気候変化は人間の暮らしと地球生物多様性を予測できない方向に進み、自然災害と伝染病は社会の脆弱性を表わして増加している。しかし同時に、新しいテクノロジーは協力、交流、対話の機会を拡大させている。ネットワークと技術の進歩で国境が崩れ、文化の移動と共有が自由になるにつれ、K-POP スターたちも舞台だけでなく多様な方式のネットワークを通じて活動し、全世界のファンと疎通し共有している。文化の優越性が消え、多文化社会に進むにつれ、世界の人々はお互いを理解し共感し文化を共有する時代が到来している。

このような変化を主導しているグローバル MZ 世代によって、韓国は 2022 年世界文化影響力ランキング (http://index.goodcountry.org) で 6 位を占めた。スペインの新聞エルコンフィデンシャル (EI Confidencial) で「ホンジョク」(一人で活動を楽しむ MZ 世代の特徴) という表現を使うほか、イギリスのオックスフォード辞書で「大ヒット Daebak!」(https://www.oed.com/search/dictionary/ ?scope=Entries&q=daebak) という韓国語が公式登録されるなど影響力を拡大している。

しかし、多様性を認めて交流する過程を通じて国境を越えて多様なプラットフォームのコンテンツで対話している現在、海外韓流消費者のコンテンツに対する世界の関心が高まり、韓国語と韓国文化に対する深みのある情報を望む外国人が大きく増えているが、彼らのための韓国学や韓国文化教材は大きく不足しているのが現実である。特に、世界で最も多くの韓国語教材が作られる日本でも、韓国の 20 代すら知らない昔のキーワードがそのまま伝わっている現実を見ながら、現在の韓国についてより正確に、絶えず変化する韓国のそのままを伝える方法を考える過程で、この本の企画が始まった。

そこで学習対象者が韓国について知りたいことがどんなことなのか、そしてどんな方法で情報を探して取得するのかを知るために受講生 300 人余りを対象にアンケート調査を行った。調査結果でも伝統文化や社会システムよりは現在経験して感じられる部分に関して関心を示すだけに、情報提供だけでなく体験情報および情報探索のための色々な方法を提示する必要があると判断した。多様な IT Infra を活用して情報を取得・活用する世代であることを考慮し、彼らの目線や生活パターンを考慮した情報提供のために作られた。一方的な情報提供よりは関心と好奇心を刺激して直接考えさせることこそ真の交流のための第一歩になりうると考えた。

本教材の特徴は次のとおりである。

1. 直接、知りたいことを調べてみよう。

本教材は教える人中心ではなく、勉強したい人たちの好奇心と関心を中心に構成された。現在の学習者が気になるテーマを中心に全体の本を構成し、テーマの理解のために必要な基本的な情報を盛り込んでバランスの取れた情報を提供するようにした。そして本文の内容を読んで理解し、さらに自身が資料調査をしてさらに考えてみて、他の学生たちと討論できる課題を通じて直接考えて交流する能力を向上させるようにした。

2. 韓国語学習者向けの文化教材

この教材は大学内の韓国文化の授業だけでなく、上級レベルの韓国語学習者の授業でも活用できるように構成されている。韓国語と日本語を併記して表記し、本文を通じて「読む」能力を、課題を通じて「書く」能力を、そして討論する過程を通じて「話す」能力を向上させることができるように構成した。

3. IT Infra を活用して、今も変わりつつある韓国を調べてみよう。

すべてのテーマに関する情報をすぐに確認できる QR コードおよび URL を表記し、直接情報を探して確認できるように構成した。それだけでなく、デジタル環境を活用して本人が直接探して勉強できるように Tip Book を構成して提供した。韓国の多様な IT インフラおよび Google、Naver などで提供する多様なアプリケーションで直接探して勉強できる IT Tip を収録した。IT Tip Book のコンテンツは、学生だけでなく、韓国のコンテンツを通じて文化授業を行っている先生たちにも授業資料を作って準備するのに良いチップになる。

本書の目次構成は全部で 7 課、21 のテーマと IT Tip Book で構成されている。

1. 数字で調べる韓国 : 歴史、社会的に意味のある数字を中心に韓国に対する概括的な学習テーマで構成
2. 読みながら知ろう : 韓国文化の根幹となる韓国語に関するテーマ
3. 食べながら調べてみよう : 学習対象者が食文化などに最も高い関心を示したアンケート調査結果を基に食文化を通じて自然に韓国の社会文化を紹介
4. 着ながら調べてみよう : 伝統衣装だけでなく、最近流行っている K-Style の紹介
5. 楽しみながら調べてみよう : K-Contents の代表走者である K-POP, K-DRAMA, K-WEB-TOON を楽しんでみよう。
6. 歩きながら調べよう : 直接訪ねて触って経験できる世界文化遺産、住居文化、そして旅行先などについて紹介

7. 一緒に作る文化 : 何でも韓国スタイルで作り出す祭り、多様な人種と人々が作り出す文化の話

そして +IT Tip Book: 韓国の IT Infra と様々な IT プログラムを活用して直接情報を探し、韓国文化コンテンツを楽しめるようサポートする Guide Book

※大学文化授業の場合、各項目別に２時間授業ができるように構成し、計 14 課で構成し、読書後討論主題を提示して理解して探し、学習者の考えを交流できるよう準備し、授業順序によって教師が調整して使えるように構成した。

最後に、本書の執筆に多大なご協力をいただいた博英社の韓国本社と日本支社の中島啓太代表、そして編集に力を入れてくださった方々に感謝したい。そして監修に参加くださった金沢工業大学の平泉貴房教授、事前調査に参加してくださった韓国語および韓国文化受講生の皆様に深く感謝申し上げます。

この本が多くの日本の学生たちと先生方に役に立つことを期待して …
それでは一緒に「直接、知る韓国文化」と共に韓国文化探検を始めてみましょう。

2023 年 12 月
著者一同

추천사

TV를 켜면 한류 드라마가 하루 종일 방영되고 전 세계 어디에서나 K-POP을 듣는다. 늘 옆에 있어 끊임없이 영향을 미쳐온 한국. 그 한국과의 오랜 협상 역사에는 수많은 변천이 있었다.

이 책은 한글문화와 한국의 식문화, 주거문화, 교육, 역사 등의 기본적인 내용뿐 아니라 그것을 기반으로 만들어진 K-Contents, K-Style까지 현재의 한국을 쉽게 이해할 수 있도록 도와주는 책이다. 각 주제에 대한 기본적인 정보제공과 많은 참고 사이트와 문헌, 그리고 QR코드 등을 통해 직접 정보를 탐색하고 생각할 수 있도록 구성한 점이 흥미로웠다.

한글이 가진 유연성에 대한 특징을 이해하며 일본의 가타카나와 히라가나의 역사를 생각하면서 비교해 보거나, 포장마차와 회식문화의 소개 내용을 보면서 일식 문화는 어떤 특징이 있나 생각하여 보게 된다. 이 책은 이런 비교의 과정을 통해 새로운 생각과 깨달음을 얻고, 그러한 과정의 즐거움을 느끼게 해주는 책이다.

이 책을 통해 가깝고도 먼 나라라는 말을 듣기도 했던 한국에 대한 이해가 진전되기를 바란다. 그리고 국경과 나라를 넘어 다양성을 인정하고 공감하며, 더욱 적극적인 교류를 시작하는 방법을 만들어 가길 바란다.

가나자와공업대학 교수 히라이즈미 다카후사

推薦の辞

テレビをつけると韓流ドラマが一日中放映され、世界中どこでもK-POPを聴く。いつもそばにいて絶えず影響を及ぼしてきた韓国。その韓国との長い交渉の歴史には数多くの変遷があった。

この本はハングル文化と韓国の食文化、住居文化、教育、歴史などの基本的な内容だけでなく、それを基盤に作られたK-Contents、K-Styleまで現在の韓国を理解しやすくする本である。各テーマに対する基本的な情報提供と多くの参考サイトと文献、そしてQRコードなどを通じて直接情報を探索し考えることができるように構成した点が興味深かった。

ハングルが持つ柔軟性に対する特徴を理解し、日本のカタカナとひらがなの歴史を考えながら比較したり、屋台と飲み会文化の紹介内容を見ながら和食文化はどんな特徴があるのか考えてみることになる。この本はこのような比較の過程を通じて新しい考えと悟りを得て、そのような過程の楽しさを感じさせる本である。

この本を通じて、「近くて遠い国」と言われたこともある韓国に対する理解が進展することを願う。そして国境と国を越えて多様性を認めて共感し、より積極的な交流を始める方法を作っていくことを願う。

金沢工業大学教授 平泉隆房

목차
目次

1

숫자로 알아보는 한국
数字で調べる韓国

01 숫자로 알아보는 한국

1 국토 면적과 인구 및 출산율

남북한 국토 면적은 2021년 현재 223,646㎢이며, 2023년 3월 말 기준 주민등록 인구는 대한민국 총 51,414,281명이며 이 중에 남자는 25,621,573명, 여자는 25,792,708명이고, 세대수는 23,795,469세대이다.

2022년 기준 세계 인구의 대륙별 구성비를 살펴보면, '아시아'가 59%로 압도적으로 많고, 다음으로 '아프리카' 18%, '유럽' 9%, '중남미' 8%, '북미' 5% 등의 순이다.

2070년이 되면 아시아가 51%로 8%포인트 줄어들고, 대신 아프리카가 31%로 많이 증가할 것으로 예상된다. 또 유럽과 미대륙은 약간 감소할 것으로 전망된다.

연령별 생존확률은 70세의 생존확률 86%, 75세의 생존확률 54%, 80세의 생존확률 30%, 85세의 생존확률 15%, 90세의 생존확률 5%이다. 즉 90세가 되면 100명 중, 95명은 사망하며 5명만 생존한다는 통계이고, 통계적으로 80세가 되면 100명 중, 70명은 사망하며, 30명만 생존한다는 결론이다. 확률적으로 건강하게 살 수 있는 평균 나이는 76세~78세이다. 2021년 기준 기대 수명은 83.6세이다.

작년도 합계 출산율은 0.788로 통계청이 발표한 2023년 6월 인구 동향에 따르면 올 2분기 합계출산율은 0.7명으로, 1년 전보다 0.05명 또 줄었다. 합계출산율은 여성 1명이 평생 낳을 것으로 예상되는 평균 출생아 수를 의미한다. 이는 관련 통계작성이 시작된 2009년 이래 전 분기 통틀어 가장 낮은 수준이다.

경제 순위

대한민국은 세계에서 경제적으로 중요한 위치를 차지하고 있으며 다양한 산업 분야에서 선두 역할을 담당하고 있다. 특히 IT산업, 자동차 산업, 조선업 등에서 우수한 기업들이 세계시장에서 경쟁력을 유지하고 있으며 첨단기술 및 연구개발에 대한 투자도 활발하게 이루어지고 있다. 대한민국의 경제발전은 정부의 지원과 국민들의 노력 산물이기도 하다. 또한 높은 교육 수준과 창의력 등, 새로운 비즈니스 아이디어를 창출하여 경제발전에 기여하고 있다.

01 数字で調べる韓国

1 国土面積と人口及び出生率

南北国土面積は2021年現在223,646㎢であり、2023年3月末基準の住民登録人口は大韓民国総5141万4,281人であり、この中で男性は2562万1,573人、女性は2579万2,708人であり、世帯数は2379万5,469世帯である。

2022年基準の世界人口の大陸別構成比を調べれば、「アジア」が59%で圧倒的に多く、次に「アフリカ」18%、「ヨーロッパ」9%、「中南米」8%、「北米」5%などの順である。

2070年になると、アジアが51%で8ポイント減り、代わりにアフリカが31%で大きく増加するものと予想される。また、欧州と米大陸は若干減少する見通しである。

年齢別生存確率は70歳の生存確率86%、75歳の生存確率54%、80歳の生存確率30%、85歳の生存確率15%、90歳の生存確率5%だ。つまり、90歳になると100人中95人は死亡し、5人だけが生存するという統計であり、統計的に80歳になると100人中70人は死亡し、30人だけが生存するという結論だ。確率的に健康に暮らせる平均年齢は76歳~78歳だ。2021年基準の平均寿命は83.6歳である。

昨年度の合計出生率は0.788で、統計庁が発表した2023年6月の人口動向によると、今年第2四半期の合計出生率は0.7人で、1年前より0.05人がまた減少した。合計出生率は、女性1人が一生産むと予想される平均出生児数を意味する。これは関連統計作成が始まった2009年以来、全四半期を通じて最も低い水準である。

2 経済順位

韓国は世界で経済的に重要な位置を占めており、多様な産業分野で先頭の役割を担っている。特にIT産業、自動車産業、造船業などで優秀な企業が世界市場で競争力を維持しており、先端技術や研究開発への投資も活発に行われている。

韓国の経済発展は、政府の支援と国民の努力の産物でもある。また、高い教育水準や創造力など、新たなビジネスアイデアを生み出し、経済発展に貢献している。

한국은행 자료에 의하면 2020, 2021년 2년 연속 10위에 올랐지만 3년 만에 10위권 밖으로 밀려나게 됐다. 지난해 환율 상승으로 달러 표시 가격이 하락한 데다 반도체 등 주요 품목의 수출이 줄어든 데 따른 것이다.

지난해 미국이 25조 4,627억 달러로 1위를 차지했고 중국(17조 8,760억 달러), 일본(4조 2,256억 달러), 독일(4조 752억 달러), 영국(3조 798억 달러) 등이 뒤를 이었다. 대한민국은 9위 러시아(2조 503억 달러), 10위 이탈리아(2조 105억 달러), 브라질(1조 8,747억 달러), 호주(1조 7,023억 달러)에 이은 13위를 기록했다.

3 자연환경

1) 한반도의 위치와 지형

(1) 위치

대한민국은 유라시아 대륙의 동쪽에 자리 잡고 있는 반도이다. 한반도의 면적은 약 22만 ㎢이고 남한의 면적은 약 10만 ㎢이며, 그 중앙을 지나는 위도는 38°N 선이고 경도는 약 127°E 선이다. 우리나라는 위도상으로 북반구의 중위도에 자리 잡고 있어서 기후가 온난하고 계절변화가 뚜렷하여 사람이 살기에 매우 좋다.

(2) 지형

대한민국은 지형은 산맥 분포에 의하여 특정 지워지며 동쪽이 높고 서쪽이 낮은 지형이기 때문에 대부분의 큰 하천은 서쪽으로 흐른다. 대한민국은 산 중에서는 화산 활동으로 탄생한 산도 있다. 백두산, 한라산, 울릉도 등이 그 대표적인 예이다.

2) 한반도의 기후

(1) 기후 특성

기후는 위도에 따라 열대, 온대, 한대로 크게 나누거나 기온과 식생(vegetation)을 기초로 하여 나눈다. 평균기온은 8℃~14℃이고 최난월인 8월의 평균기온이 20℃~26℃이므로 온대에 속한다. 한반도의 기후는 대륙성 기후이며 대륙성기후의 특징은 여름에 몹시 덥고 겨울에 추운 데 여름(8월)의 평균기온이 25℃ 내외이고 일 최고기온이 30℃ 이상으로 열대 못지않게 더운 날이 계속된다. 그리고 겨울(1월)의 평균기온은 - 20℃~0℃로 한대와같이 몹시 추운 날이 계속된다.

한반도는 계절에 따라 바람 부는 방향이 바뀌는 계절풍기후이며, 겨울에는 대체로 북서풍이, 여름에는 남풍이 불어 계절에 따라 풍향이 달라진다.

韓国銀行の資料によると、2020、2021 年の 2 年連続で 10 位に上がったが、3 年ぶりに 10 位圏外に押し出されることになった。昨年のウォン高でドル建て価格が下落したうえ、半導体など主要品目の輸出が減ったことによるものだ。

昨年米国が 25 兆 4627 億ドルで 1 位を占め、中国(17 兆 8760 億ドル)、日本(4 兆 2256 億ドル)、ドイツ(4 兆 752 億ドル)、英国(3 兆 798 億ドル)などが後に続いた。韓国は 9 位ロシア(2 兆 503 億ドル)、10 位イタリア(2 兆 105 億ドル)、ブラジル(1 兆 8747 億ドル)、オーストラリア(1 兆 7023 億ドル)に次ぐ 13 位を記録した。

3 自然環境

1) 韓半島の位置と地形

(1) 位置

韓国はユーラシア大陸の東側に位置している半島である。韓半島の面積は約 22 万㎢で、韓国の面積は約 10 万㎢であり、その中央を通る緯線は 38° N 線で、経線は約 127° E 線である。我が国は緯度上に北半球の中位度に位置しており、気候が温暖で季節変化が明確で人が暮らすのに非常に良い。

(2) 地形

韓国の地形は山脈分布によって特定され、我が国は東が高く西が低い地形であるため、大部分の大きな河川は西に流れる。韓国の山の中には火山活動で誕生した山もある。白頭山、漢拏山、鬱陵島などがその代表的な例である。

2) 韓半島の気候

(1) 気候特性

気候は緯度によって熱帯、温帯、寒帯に大きく分けたり、気温と植生 (vegetation) を基礎にして分ける。 平均気温は 8℃ ~14℃で、最暖月である 8 月の平均気温が 20℃ ~26℃なので温帯に属する。

韓半島の気候は大陸性気候であり、大陸性気候の特徴は夏にひどく暑く冬に寒いが、夏 (8 月) の平均気温が 25℃前後で、日最高気温が 30℃以上で熱帯に劣らず暑い日が続く。 そして冬 (1 月) の平均気温は -20℃ ~0℃で、寒帯のように非常に寒い日が続く。

韓半島は季節によって風の吹く方向が変わる季節風気候地帯であり、冬には概して北西風が、夏には南風が吹いて季節によって風向きが変わる。

(2) 기온

한반도의 연평균 기온은 지형에 따라 차이가 있지만 대체로 남부가 높고 북부가 낮다. 제주도는 15℃로 가장 높고 표고 1,386m인 삼지연은 0.2℃로 가장 낮다.

(3) 강수량

한반도는 지구상에서 강수량이 비교적 많은 습윤 지역이며. 연 강수량은 500~1,700㎜이고 전 국토의 평균치는 1,190㎜이다. 한반도는 강수량의 계절적 편차가 매우 커서 6~9월의 여름철 강수량이 연 강수량의 60% 이상이며 때로는 일 강수량이 수백 ㎜의 집중호우가 내릴 때도 있다.

(4) 기후변화에 대한 대응

겨울에 시베리아 고기압과 알류샨 열도 저기압으로 인해 생성된 북서 계절풍은 대륙에서 냉각된 찬 공기를 운반함으로써 한국의 기온은 유럽 동 위도의 다른 나라보다 매우 낮게 나타난다. 이와는 반대로 여름엔 북태평양고기압이 형성되어 남동 계절풍이 해양으로부터 다습한 공기를 운반함으로써 유럽 각지의 기온에 비해 한국이 훨씬 더 높다.

"지구온난화 원인이 인간의 욕심과 활동으로 인한 것으로 생각한다. 지구 평균 온도 상승을 1.5℃ 아래로 억제하기 위해 온실가스 배출량을 2030년까지, 2010년 대비 최소 45% 이상 감축해야 하고, 2050년까지 전 지구적으로 탄소 순 배출량이 '0'이 되는 탄소중립 실현이라는 목표가 아닌, 반드시 이루어야 할 목표가 되었다.

이집트 샤름 엘 셰이크에서 제27차 기후변화협약 당사국총회(COP27)가 진행 중인 2022년 11월 14일 저먼워치, 뉴클라이밋연구소, 기후행동네트워크(CAN)는 '2023 기후변화대응 지수(Climate Change Performance Index)' 발표에 의하면 한국의 '2023 기후변화대응 지수'는 총 60개 평가 대상 국가(59개국 및 유럽연합) 중 60위로, 지난해와 같은 순위를 나타냈다.

파리협정이 발효된 지 7년이 지났지만, 각국의 기후 위기 대응 노력은 전반적으로 매우 부족한 상황이다. 이번 기후변화대응 지수 평가 결과, 1~3위가 없이 4위(덴마크)부터 순위를 매긴 이유다. 한국(60위)을 비롯해 일본(50위), 미국(52위), 호주(55위), 러시아(59위), 이란(63위) 등 국가들의 기후변화대응 지수가 "매우 미흡"으로 평가됐다.

CCPI는 전 세계 온실가스 배출량의 90% 이상을 발생시키는 63개 국가와 유럽 연합을 평가했다.

CCPI는 표준화된 기준을 사용하여 온실가스 배출(전체 점수의 40%), 재생 에너지(20%), 에너지 사용(20%), 기후 정책(20%) 등 14개 지표가 포함된 4가지 범주를 조사했다.

CCPI의 고유한 기후 정책 섹션에서는 파리 협정 목표 달성을 위한 정책 구현에 있어 국가의 진행 상황을 평가했다.

(2) 気温

韓半島の年平均気温は地形によって差があるが、概して南部が高く北部が低い。済州道は15℃で最も高く、標高 1,386m の三池淵は 0.2℃で最も低い。

(3) 降水量

韓半島は地球上で降水量が比較的多い湿潤地域であり、年間降水量は 500~1700 ㎜であり、全国土の平均値は 1190 ㎜である。韓半島は降水量の季節的偏差が非常に大きく、6~9 月の夏場の降水量が年降水量の 60% 以上であり、時には日降水量が数百㎜の集中豪雨が降る時もある。

(4) 気候変動への対応

冬にシベリア高気圧とアリューシャン列島低気圧によって生成された北西季節風は大陸で冷却された冷たい空気を運搬することで、韓国の気温は欧州同位島の他の国より非常に低く現れる。これとは逆に夏には北太平洋高気圧が形成され、南東季節風が海洋から多湿な空気を運ぶことで、欧州各地の気温に比べて韓国がはるかに高い。

「地球温暖化の原因は人間の欲と活動によるものだと思う。地球の平均温度上昇を 1.5℃以下に抑えるため、温室効果ガス排出量を 2030 年までに、2010 年比少なくとも 45% 以上削減する必要があり、2050 年までに世界全体で炭素純排出量が「0」となる炭素中立の実現という目標ではなく、必ず達成すべき目標となった。

CCPI は、世界の温室効果ガス排出量の 90% 以上を発生させる 63 カ国と欧州連合を評価する。

CCPI は標準化された基準を使用して温室効果ガス排出 (全体点数の 40%)、再生可能エネルギー (20%)、エネルギー使用 (20%)、気候政策 (20%) の 14 の指標が含まれた 4 つのカテゴリーを調査する。

CCPI 固有の気候政策セクションでは、パリ協定目標達成のための政策実装における国の進捗状況を評価する。

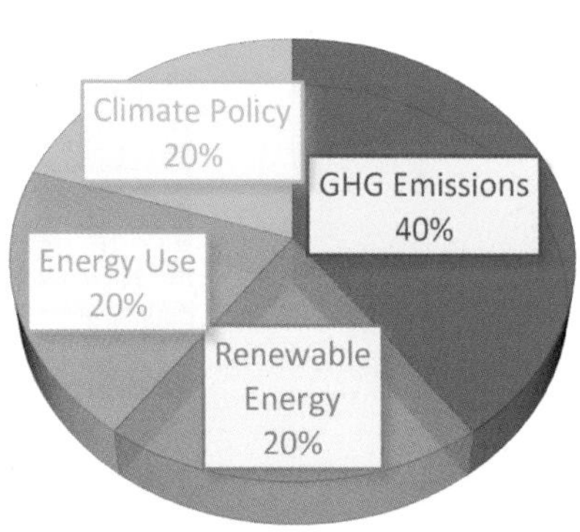

CCPI の標準化された基準

エジプトのシャルムエルシェイクで第 27 回気候変動協約当事国総会 (COP27) が進行中の 2022 年 11 月 14 日、ジャーマンウォッチ、ニュークライミット研究所、気候行動ネットワーク (CAN) は「2023 気候変化対応指数 (Climate Change Performance Index)」を発表によると韓国の「2023 気候変動対応指数」は計 60 カ国（59 カ国および欧州連合）のうち 60 位で、昨年と同じ順位を記録した。昨年、国際社会に提示した 2030 年温室効果ガス削減の上方修正案に対しては肯定的に評価された。

미국 퓨리서치 센터에서 최근 19개 선진국 시민 24,525명을 대상으로 국내외 현안 5가지 <기후 변화, 온라인 가짜 뉴스, 국가 사이버 공격, 세계 경제 상태, 감염병>에 대해 위협 정도를 조사에 의하면 대부분의 국가에서 '기후 변화(75%)'를 가장 큰 위협이라고 답했고, 그 뒤를 이어 '인터넷 가짜 뉴스의 확산(70%)'이 2위를 차지해 '가짜 뉴스'를 '기후 변화'만큼 심각한 위협으로 인식하는 것으로 나타났다. 한국의 경우 기후 변화(82%), 인터넷 가짜 뉴스(82%), 다른 국가의 사이버 공격(84%), 세계 경제 상태(80%) 등 5가지 요인 모두 '위협 인식'이 평균 이상으로 높게 응답한 점이 눈에 띈다.

CCPI 2024: RANKING

4	Denmark
5	Estonia
6	Philippines
7	India
8	Netherlands
9	Morocco
10	Sweden
58	Japan
64	Republic Korea

パリ協定が発効して 7 年が過ぎたが、各国の気候危機対応努力は全般的に非常に不足している。今回の気候変動対応指数評価結果、1~3 位がなく 4 位 (デンマーク) から順位を付けた理由でもある。 韓国(60 位)をはじめとする日本(50 位)、米国(52 位)、オーストラリア(55 位)、ロシア (59 位)、イラン (63 位) など国家の気候変動対応指数が「非常に不十分」と評価された。

[国連気候変動枠組み条約第 27 回締約国会議] 韓国、2018 年 57 位、2019 年 58 位、2020 年 53 位、2021 年 60 位に対して CCPI 専門家「再生可能エネルギー 30% に引き上げなければならない」としている。

米国ピューリサーチセンターで最近 19 の先進国市民 24,525 人を対象に国内外懸案 5 つの < 気候変動、オンライン偽ニュース、国家サイバー攻撃、世界経済状態、感染症 > に対する脅威程度を調査によると大部分の国で「気候変化 (75%)」を最も大きな脅威と答え、その後に続いて「インターネット偽ニュースの拡散 (70%)」が 2 位を占め「偽ニュース」を「気候変化」ほど深刻な脅威と認識していることが分かった。韓国の場合、気候変化 (82%)、インターネット偽ニュース (82%)、他国のサイバー攻撃 (84%)、世界経済状態 (80%) など 5 つの要因すべて「脅威認識」が平均以上に高く回答された点が目につく。

考えて話してみましょう。
생각하고 이야기해 봅시다.

1. 世界人口の大陸別構成比を見て、期待寿命を比較してみよう。
   세계 인구의 대륙별 구성비를 살펴보고 기대수명을 비교해 보자.

2. 一国の総所得を把握できる国内総生産（GDP）、国民総所得（GNI）の概念について調べてみよう。
   한나라의 총소득을 파악할 수 있는 국내총생산(GDP), 국민총소득(GNI)의 개념에 대해 알아보자.

3. 韓国が世界で経済的に重要な位置を占めている産業分野を調査して議論してみよう。
   한국이 세계에서 경제적으로 중요한 위치를 차지하고 있는 산업 분야를 조사하여 논의해 보자.

4. 韓国気候の特色は何であり、地球温暖化の原因に対する対策を議論してみよう。
   한국 기후의 특색은 무엇이며 지구 온난화 원인에 대한 대책을 논의해 보자.

参考サイトおよび参考文献
참고 사이트 및 참고 문헌

住民登録人口統計行政安全部 주민등록 인구통계 행정안전부 (mois.go.kr)	統計庁 통계청 (kostat.go.kr)	2021年将来人口推計を反映した世界と韓国の人口現況および展望 2021년 장래인구추계를 반영한 세계와 한국의 인구 현황 및 전망 https://kostat.go.kr/unifSearch/search.es

国家指標体系 국가지표체계 https://www.index.go.kr/unity/potal/indicator/IndexInfo.do?cdNo=210&clasCd=2&idxCd=4221&upCd=4	韓国気候政策点数：環境：社会：ニュース：ハンギョレ 한국 기후정책 점수 : 환경 : 사회 : 뉴스 : 한겨레 (hani.co.kr)	気候変化対応指数 기후변화 대응지수 https://www.germanwatch.org/en/19686

参考サイトおよび参考文献
참고 사이트 및 참고 문헌

★ 동아일보: 2023-07-13

https://www.donga.com/news/article/all/20230713/120208512/1

★【国際】58ヶ国・地域の気候変動対策ランキング、日本は48番目。ジャーマンウォッチCCPI2021年版 58 개국 · 지역 기후변화 대책 랭킹 , 일본은 48 번째 .German Watch CCPI 2021 년판

https://sustainablejapan.jp/2020/12/16/ccpi-2021/56916

★ 韓国の気候政策の点数、世界で「下から４番目」……日本語版

한국 기후정책 점수 세계에서 밑에서 네 번째

https://news.yahoo.co.jp/articles/a51a8a885d664fa8ce08441a1667936359ade873

★ IMF（International Monetary Fund）

https://www.imf.org/ja/home

02 8개도와 행정구역

1 조선시대에 만들어진 조선팔도 [朝鮮八道]

한국에서는 “조선 8도에서 제일 유명합니다.”, “조선팔도에서 그 사람 모르는 사람이 없어요” 등의 표현을 많이 한다. 여기에서 “조선 8도”라는 의미는 조선시대에 정해진 행정구역을 구분하는 단어이기도 하지만 실제로는 “전국의 어느 곳에서 봐도”라는 은유적인 표현으로 많이 쓰이기 때문이다. 이처럼 조선시대 전국을 8도(경기·충청·전라·경상·강원·서해·평안·함경도)로 나누고 그 밑에 목(牧)·부(府)·군(郡)·현(縣)을 두었다. 도에는 관찰사가 장관으로서 행정·군사 및 사법권을 행사하며 수령을 지휘·감독하고 민생을 보살폈다.

2 1-6-1-6-3 현재의 행정구역

시·도별 \ 구분		시·군·구				행정시·자치구가 아닌구		읍·면·동				출장소			
		계	시	군	구	시	구	계	읍	면	동	계	시도	시군구	읍면
계(17)		**226**	**75**	**82**	**69**	**2**	**32**	**3,515**	**234**	**1,178**	**2,103**	**85**	**7**	**13**	**65**
특별시	서울	25			25			426			426				
광역시	부산	16		1	15			205	3	2	200	1		1	
	대구	8		1	7			142	6	3	133	2			2
	인천	10		2	8			155	1	19	135	6	1	1	4
	광주	5			5			97			97				
	대전	5			5			81			81				
	울산	5		1	4			56	6	6	44				
특별자치시	세종							22	1	9	12				
도	경기	31	28	3			17	559	38	102	419	7	1	4	2
	강원	18	7	11				193	24	95	74	8	2		6
	충북	11	3	8			4	153	16	86	51	5	3		2
	충남	15	8	7			2	208	25	136	47	4		1	3
	전북	14	6	8			2	243	15	144	84	1		1	
	전남	22	5	17				297	33	196	68	30		1	29
	경북	23	10	13			2	330	38	200	92	14		1	13
	경남	18	8	10			5	305	21	175	109	7		3	4
특별자치도	제주					2		43	7	5	31				

2022년 지방자치단체 행정구역 및 인구현황 (21,12,31) 행정안전부 자료
2022年地方自治体行政区域および人口現況(21,12,31)
行政安全部資料

현재의 대한민국의 지방 행정 체계는 크게 기초지방단체와 광역지방자치단체로 구분되어 있다.

● 기초 지방 단체

- 시(市, 특별시, 광역시, 특별자치시) 8개
- 도(道, 도, 특별자치도) 78개
  * 2023,4년 2개의 특별 자치도가 추가됨
- 군(郡) 82개
- 구(자치구) 69개- 동(행정동)·읍·면 3,515개로 구성되어 있다.

● 광역지방 자치 단체 17개

대한민국의 지방행정 체계는 광역지방자치단체란 한 국가 아래서 보다 넓은 구역과 많은 주민으로 구성된 것으로 지방자치단체, 기초지방단체와 대비되는 개념이다.

02 8道と行政区域

1 八つの道

朝鮮の地方行政区域。 京畿・忠清・全羅・慶尚・江原・黄海・平安・咸鏡道のこと。1413年(太宗13)確定し、1896年に13道に改編されるまで朝鮮のほぼ全時期を通じて地方行政の最上位単位として存続し、長官として観察使が派遣され各道の政事を主管した。

[ネイバー知識百科] 8道 [八道] (韓国高中世史辞典、2007年3月30日、韓国史辞典編纂会)

朝鮮の地方行政組織は全国を8つの道に分け、その下に牧・府・郡・県を置いた。 道には観察使が長官として行政・軍事および司法権を行使し、首領を指揮・監督し民生を世話した。

8개의 도(八道)

2 1-6-1-6-3 現在の行政区域

行政機関の権限が及ぶ範囲の一定の区域を行政区域といい、大韓民国の地方行政体系は市(特別市、広域市、特別自治市)・道(道、特別自治道)- 市(自治市)・郡・区(自治区)- 洞(行政洞)・邑・面の3段階で構成されている。

1特別市、6広域市、1特別自治市、6道、3特別自治道が広域地方自治体を構成しており、74市84郡69区が基礎地方自治体を構成しており、全て合わせると計17ヶ所の広域地方自治体に区分されている。

☞ 1 특별시 : 서울특별시 지방자치단체 또는 대도시로서 성격과 수도 행정의 특수성을 바탕으로 특별한 지위를 가지는 광역자치단체

☞ 6 광역시 : 보통 인구가 100만 명 이상이 되면 광역시로 승격
부산광역시, 대구광역시, 인천광역시
광주광역시, 대전광역시, 울산광역시

☞ 1 특별자치시 : 세종특별자치시(2012)

☞ 6 도 : 지방자치단체 중에 가장 그 구역이 넓은 광역 지방자치단체
경기도, 충청북도, 충청남도, 전라남도, 경상북도, 경상남도

☞ 3 특별자치도 : 제주특별자치도(2006), 강원특별자치도(2023), 전북특별자치도(2024)로 승격되었다.

특별 • 광역시 중에서 어느 도시의 면적이 가장 큰지 순위별로 보면 다음과 같다.

표1 광역시 개편 연도

명칭	직할시승격년도	광역시 개편년도	인구	자치구	자치군	이전 행정구역	면적	인구 비율
부산광역시	1963년	1995년	3,331,444명	15	1	경상남도	770.1km^2	50.4%
대구광역시	1981년		2,371,936명	7	1	경상북도	883.5km^2	47.08%
인천광역시			2,963,117명	8	2	경기도	1065.2km^2	18.3%
광주광역시	1986년		1,434,397명	5	0	전라남도	501.1km^2	43.90%
대전광역시	1989년		1,448,240명	5	0	충청남도	539.7km^2	41.0%
울산광역시	1997년		1,113,458명	4	1	경상남도	1062.1km^2	25.5%

● 대한민국 전체 면적

한반도 총면적은 223,404 km^{2}이며, 전 세계 253개 국가와 비교할 때 85위에 해당한다.

8도 + 제주특별자치도 면적

- 경상북도 19,029.0 km^2 (1위)
- 강원도 16,829.7 km^2 (2위)
- 경상남도 15,041.9 km^2 (3위)
- 전라남도 12,309.0 km^2 (4위)
- 경기도 10,196.7 km^2 (5위)
- 충청남도 8,245.5 km^2 (6위)
- 충청북도 7,407.7 km^2 (7위)
- 전라북도 8,072.1 km^2 (8위)
- 제주특별자치도 1,850.3 km^2 (9위)

特別市は区を下位行政機構として置くことができ、広域市は郡も置くことができる。 道は市と郡を置くことができる。 最近は3段体系の非効率を強調し、2段階に減らそうとする動きもある。

広域地方自治団体とは？

☞ 一国の下でより広い区域と多くの住民で構成された地方自治体、基礎地方団体と対比される概念。
☞ 1特別市 : ソウル特別市
☞ 6広域市 : 釜山広域市、大邱広域市、仁川広域市、光州広域市、大田広域市、蔚山広域市本来は直轄市という名前を使用したが、1995年広域市に名称を変えた。 法的な根拠があるわけではないが、普通人口が100万人以上になれば広域市への昇格を推進することになる。
☞ 1特別自治市 : 世宗特別自治市 (セジョンとくべつじちし)
☞ 6道 : 京畿道、忠清北道、忠清南道、全羅南道、慶尚北道、慶尚南道
☞ 3特別自治道 : 済州特別自治道 (2006)、江原特別自治道 (2023)、全北道特別自治道 (2024) に昇格

- ソウル特別市 : 地方自治体または大都市としての性格と首都行政の特殊性をもとに特別な地位を持つ。
- 広域市 : 人口100万人以上の大都市のうち、特別法により道路から分離され、道と同等の地位を持つ。
- 道 : 地方自治体の中で最もその区域が広い。

1つの特別市	ソウル特別市	6つの道	京畿道
			忠清南道
6つの広域市	釜山広域市		忠清北道
	大邱広域市		全羅南道
	光州広域市		慶尚南道
	大田広域市		慶尚北道
	蔚山広域市	3つの特別自治道	江原特別自治道
1つの特別自治市	世宗特別自治市		済州特別自治道
			全北特別自治道

1위 인천광역시 仁川広域市 | 2위 울산광역시 蔚山広域市 | 3위 대구광역시 大田広域市

인천광역시는특별・광역시 중에서 가장 큰 도시이며, 몇 년 전만 해도 울산광역시가 가장 큰 면적이었으며 2016년 이후 공유 수면 매립 등을 통해 면적이 넓어져 가장 큰 도시가 되었다.

4위 부산광역시 釜山広域市 | 5위 서울특별시 ソウル特別市 | 6위 대전광역시 大田広域市

3 한국의 수도는 서울 (Seoul)

대한민국의 수도는 서울특별시이며 시의 중앙에는 큰 강이 흐르는데, 그 강의 이름이 한강이다. 한강을 중심으로 북쪽은 강북, 남쪽은 강남이라고 부른다.

서울시는 25개 구(강남, 송파, 노원, 강서, 은평, 성북, 관악, 구로, 강동, 중랑, 영등포, 양천, 서초, 동대문, 동작, 도봉, 강북, 서대문, 금천, 광진, 마포, 성동, 용산, 중구, 종로)와 424개의 동으로 나뉘어져 있다.

4 스마트 시티 (Smart City)

스마트 시티란 발전된 정보 통신 기술을 이용하여 도시의 주요 기능을 지능형으로 네트워크화한 첨단 도시를 말한다.

사물 인터넷(IoT : Internet of Things), 사이버 물리 시스템(CPS : Cyber Physical Systems), 빅데이터 설루션 등 최신 정보통신기술(ICT)을 적용한 스마트 플랫폼을 구축하여 도시의 자산을 효율적으로 운영하고 시민에게 안전하고 윤택한 삶을 제공하는 도시이며 도로, 항만, 수도, 전기, 학교 등 도시의 인프라를 효율적으로 관리하고 공공 데이터를 수집·활용하여 교통, 에너지 등 다양한 도시 문제를 해결하고 새로운 가치를 창출하는 데 목적이 있다. 스마트 시티는 기존 유-시티(u-city)와 유사하지만, 사물 인터넷(IoT)과 인공 지능(AI) 기술이 결합한 차세대 개념이다.

3 韓国の首都はソウル

大韓民国の首都はソウル特別市であり、市の中央には大きな川が流れているが、その川の名前が漢江だ。漢江を中心に北は江北、南は江南と呼ぶ。

ソウル市は25の区(江南(カンナム)、松坡(ソンパ)、蘆原(ノウォン)、江西(カンソ)、恩平(ウンピョン)、城北(ソンブク)、冠岳(クァンアク)、九老(クロ)、江東(カンドン)、中浪(チュンラン)、永登浦(ヨンドゥンポ)、陽川(ヤンチョン)、瑞草(ソチョ)、東大門(トンデムン)、銅雀(トンジャク)、道峰(ドボン)、江北(カンブク)、西大門(ソデムン)、衿川(クムチョン)、広津(クァンジン)、麻浦(マポ)、城東(ソンドン)、龍山(ヨンサン)、中(チュン)、鍾路(チョンロ))と424の洞になっている。

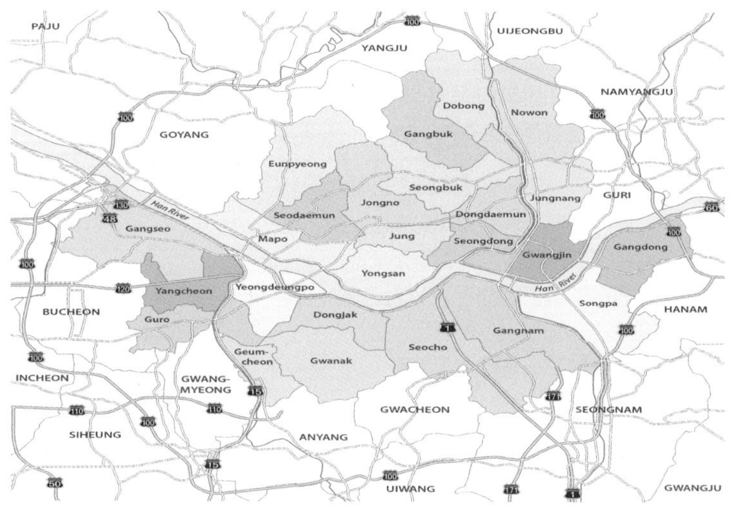

ソウル市 25 区 서울시 25 구

4 スマートシティ(Smart City)

スマートシティとは、発展した情報通信技術を利用して都市の主要機能を知能型にネットワーク化した先端都市をいう。

アイオーティーのインターネット(IoT:Internet of Things)、サイバー物理システム(CPS:-Cyber Physical Systems)、ビッグデータソリューションなど最新情報通信技術(ICT)を適用したスマートプラットフォームを構築し、都市の資産を効率的に運営し市民に安全で潤沢な生活を提供する都市であり、道路、港湾、水道、電気、学校など都市のインフラを効率的に管理し公共データを収集・活用して交通、エネルギーなど多様な都市問題を解決し新しい価値を創出することに目的がある。スマートシティは既存のU-Cityと類似しているが、アイオーティーのインターネット(IoT)と人工知能(AI)技術が結合された次世代概念である。

未来学者たちが予測した21世紀の新しい都市タイプとしてコンピューター技術の発達で都

미래학자들이 예측한 21세기의 새로운 도시 유형으로서 컴퓨터 기술의 발달로 도시 구성원들 간 네트워크가 완벽하게 갖춰져 있고 교통망이 거미줄처럼 효율적으로 짜인 것이 특징이다. 학자들은 현재 미국의 실리콘 밸리를 모델로 삼아 앞으로 다가올 스마트 시티의 모습을 그려 나가고 있다. (시사 경제 용어사전)

표1 최신기술동향

기술	내용
사물인터넷	사람, 사물, 공간, 데이터 등 모든 것이 인터넷으로 상호 연결되어 정보가 생성·수집·공유·활용
빅데이터	민간 및 공공의 정보를 실시간 수집하고 분석하여 예측, 의사결정, 시뮬레이션, 상황인지 등 지원
클라우드	인터넷 기반의 대용량 데이터 저장소로 시간과 장소에 구애받지 않고 하드웨어의 자료를 효율적으로 저장, 관리, 유통 등의 작업을 할 수 있는 시스템
무인비행기	카메라, 센서, 통신시스템 등이 탑재되어 있어 사람이 직접 모니터링하기 어려운 부분을 무인비행기로 통하여 대신 모니터링
로봇	인간의 접근이 힘든 재난환경에서 상황 파악 긴급 조치 등 인명과 재산 피해를 최소화
증강현실	고위험·고비용의 현장훈련 대신 실제와 유사한 가상 체감 환경에서 안전하게 교육 및 훈련
인공지능	빅데이터를 입력하여 많은 정보를 습득하게 함으로써 어떠한 사건에 대한 의사결정을 도움

출처 : 이석민, 윤형미(2020)서울시 스마트 안전도시 구축방안 p.15

● 대한민국의 수도 서울특별시

서울시 스마트 안전 도시 구축 방안에 따르면 재난 및 안전 관련 도시문제 해결을 위하여 정보통신 기술을 접목한 스마트 안전 도시 구축에 대한 인식 및 필요성이 최근 증대되고 있으며, 유럽, 미국, 일본, 싱가포르 등 많은 나라에서도 스마트 안전 도시를 구축하고 있다. 스마트 안전 도시 개념은 기존에 안전 도시를 구축하고자 수행하여 왔던 다양한 활동에 정보통 신기술 기반의 플랫폼 및 정보 서비스를 접목하여, 시민들이 체감할 수 있고 예방적인 위험관리가 가능하도록 변화된 도시로 정의할 수 있다.

市構成員間ネットワークが完璧に備わっており、交通網がクモの巣のように効率的に組まれたのが特徴である。学者たちは現在、米国のシリコンバレーをモデルに、これから訪れるスマートシティの姿を描いている。(時事経済用語辞典)

技術	内容
IoT の インターネット	人、物、空間、データなどすべてがインターネットで相互接続され、情報が生成・収集・共有・活用
ビッグデータ	民間や公共の情報をリアルタイムで収集・分析し、予測、意思決定、シミュレーション、状況認知などの支援を行う
クラウド	インターネットベースの大容量データストレージで、時間と場所に関係なくハードウェアの資料を効率的に保存、管理、流通などの作業ができるシステム
無人飛行機	カメラ、センサー、通信システムなどが搭載されているため、人が直接モニタリングしにくい部分を無人飛行機で代わりにモニタリング 人間の接近が困難な災害環境で状況把握、緊急措置など人命と財産被害を最小化
ロボット	人間の接近が困難な災害環境で状況把握、緊急措置など人命と財産被害を最小化
増強現実	高リスク・高コストの現場訓練の代わりに、実際と類似した仮想体感環境で安全に教育および訓練
人工知能	ビッグデータを入力して多くの情報を習得させることで、起こる事件に対する意思決定を助ける

出典 : 未来成長動力総合実践計画 (2015)

● ソウル特別市

ソウル市スマート安全都市構築方案によると、災難および安全関連都市問題解決のために情報通信技術を融合したスマート安全都市構築に対する認識および必要性が最近増大しており、ヨーロッパ、米国、日本、シンガポールなど多くの国でもスマート安全都市を構築している。スマート安全都市概念は、既存に安全都市を構築するために遂行してきた多様な活動に情報通信技術基盤のプラットフォームおよび情報サービスを融合させ、市民が体感でき予防的な危険管理ができるよう変化した都市と定義できる。

● ソウル市、未来型中央バス停「スマートシェルター」開通

スマートシェルターは市内バス中央車線乗り換えセンターに設置される施設で、道路の真ん

● 서울시, 미래형 중앙버스 정류소 '스마트쉘터' 개통

스마트쉘터는 시내버스 중앙차로 환승센터에 설치되는 시설로 도로 가운데 위치해 자동차가 일으키는 초미세먼지에 취약한 중앙차로 버스정류장을 공기정화장치가 마련된 길이 65m의 대기 시설로 탈바꿈한다. 현재 시범사업으로 일부 구간, 일부 시간에 운영하고 있다.

世宗路スマートシェルター 세종로 스마트쉘터

● 사물인터넷(IoT)에 기반을 둔 건물용 공기 정화 장치

건물용 공기정화장치는 내·외부 공기 질을 센서가 자동으로 평가해 내부에 맑은 공기가 유입되도록 건물의 공기조화(공조) 시스템을 실시간으로 작동시키며 이때 인체에 무해한 자외선 A(UVA)를 활용해 공기 내 바이러스 등을 살균하게 된다.

中に位置し、自動車が起こすPM2.5に脆弱な中央車線バス停を空気浄化装置が設けられた長さ65mの待機施設に変貌する。現在、モデル事業として一部区間、一部時間に運営中である。建物用空気浄化装置はアイオーティーのインターネット(IoT)に基盤を置いており、具体的に内・外部空気質をセンサーが自動的に評価し内部に澄んだ空気が流入するよう建物の空気調和(空調)システムをリアルタイムで作動させ、この時人体に無害な紫外線A(UVA)を活用して空気内ウイルスなどを殺菌することになる。

考えて話してみましょう。
생각하고 이야기해 봅시다.

1. 日本の行政区域と韓国の行政区域を分類してみよう。
   일본의 행정구역과 한국의 행정구역을 분류해 보자.

2. 日本の都市と韓国の都市順位を比較してみよう。
   일본의 도시와 한국의 도시 순위를 비교해 보자.

3. 世界で一番大きい都市はどこでしょうか?
   세계에서 가장 큰 도시는 어디일까요?

4. スマートシティについて話し合ってみよう。
   현재 지역에 도입해 보고 싶은 스마트 시티 시스템에 대해 논의해 보자.

韓国の行政区域情報とスマートシティのコンテンツをお楽しみください。
한국의 행정구역 정보와 스마트 시티의 콘텐츠를 즐겨 봅시다.

スマートソウルポータル 스마트서울 포털 http://smart.seoul.go.kr	世界スマートシティ機構 세계스마트시티기구 (WeGO) http://we-gov.org/ 위고 (WeGO) 네트워크	国土交通部スマートシティ総合ポータル 국토교통부 스마트 시티 종합포털 https://smartcity.go.kr/

参考サイトおよび参考文献
참고 사이트 및 참고 문헌

★ 스마트서울 포털 http://smart.seoul.go.kr

ソウル市が推進するスマートシティ関連主要事業、政策および技術動向、企業ソリューション現況、カチオン(ソウル市無料公共Wi-Fi)、デジタル学習場などスマート都市ソウルの情報を一目で見ることができるオンラインハブプラットフォーム

서울시에서 추진하는 스마트 시티 관련 주요사업, 정책 및 기술 동향, 기업 설루션 현황, 까치온(서울시 무료 공공와이파이), 디지털 배움터 등 스마트 도시 서울의 정보를 한눈에 볼 수 있는 온라인 허브 플랫폼

★ [네이버 지식백과] 스마트 도시 [smart city] (IT용어사전, 한국정보통신기술협회)

03 한국사의 시작

 선사 시대의 생활과 문화

(1) 민족의 기원

어느 나라 어느 민족에게나 자기 민족의 기원과 형성을 밝히는 것은 매우 중요한 일이다. 우리 조상들은 선사시대부터 동아시아의 한반도・만주・발해만 일대에 널리 퍼져 살면서 동방 문화권을 이룩하였다.

선사시대는 석기시대와 청동기시대와 같이 문헌 사료가 전혀 존재하지 않는 시대이다. 세계 각지에서 문헌 기록의 등장은 다르고, 기록된 역사도 약 5천 전부터 시작해 지역에 따라 차이가 있다. 흔히 문자의 유무를 기준으로 선사시대를 나누지만, 문자가 있어도 정확한 해독이 불가능하면 선사시대나 다름이 없으며, 이용할 수 있는 문헌 기록이 드물다. 이 경우 원초적 역사시대라는 뜻을 지닌 원사(proto-history)시대라는 개념을 쓰기도 한다.

(2) 고고학적으로 본 문화계통

구석기시대를 전기, 중기, 후기로 나누나 북한과 남한의 학자들 사이에 전기 구석기시대의 상한에 대해서는 이견이 많다. 전기 구석기시대에 속하는 유적들은 평양 상원 검은 모루 동굴, 경기도 연천 전곡리와 충북 단양 금굴 등이며 그 상한은 약 70~20만 년 전으로 진폭이 크다.

- 신석기시대(기원전 8000~10000년~기원전 2000~1500년)
- 청동기시대(기원전 1500년~기원전 300년 : 남한도 북한과 같이 상한이 기원전 1500년으로 올라감)
- 철기시대 전기(기원전 300년~기원전 1년) : 종래의 초기 철기시대
- 철기시대 후기(서기 1년~서기 300년) : 삼국 시대전기(종래의 원삼국시대/삼한시대)로 구분할 수 있다.

(3) 고조선 시대 고조선(기원전 2333년~기원전 108년)

고조선(기원전 2333년~기원전 108년)은 우리나라 최초의 국가이며 고조선의 건국 이야기는 일연이 쓴 『삼국유사』(1206-1289)에 처음 기록되어 있다. 일연은 고려 시대 승려이며. 일연은 당시 평양을 중심으로 사람들 사이에 전해져 내려오는 이야기를 기록했다. 그리고 민족에 대한 자부심을 심어주기 위해 고조선을 세운 단군왕검의 이야기를 기록해 놓았다.

03 韓国史の始まり

1 先史時代の生活と文化

(1) 民族の起源

どの国のどの民族にとっても、自分の民族の起源と形成を明らかにすることは極めて重要なことである。我々の祖先は先史時代から東アジアの韓半島・満州・渤海湾一帯に広がり、東方文化圏を築いた。

先史時代は石器時代と青銅器時代のように文献史料が全く存在しない時代である。世界各地で文献記録の登場は異なり、記録された歴史も約 5 千前から始まり、地域によって差がある。よく文字の有無を基準に先史時代を分けるが、文字があっても正確な解読が不可能であれば先史時代と変わりなく、利用できる文献記録が珍しい。この場合、「原初的歴史時代」という意味を持つ原史（proto-history）時代という概念を使うこともある。

(2) 考古学的に見た文化系

旧石器時代 (旧石器時代を前期、中期、後期に分けるが、北朝鮮と韓国の学者たちの間で旧石器時代の上限については異見が多い。 前期旧石器時代に属する遺跡は平壌上院黒いアンビルの洞窟、京畿道漣川全谷里と忠北丹陽金窟などであり、その上限は約 70~20 万年前で振幅が大きい。

- 新石器時代 (紀元前 8000~10000 年 ~ 紀元前 2000~1500 年)
- 青銅器時代 (紀元前 1500 年 ~ 紀元前 300 年 : 韓国も北朝鮮と同様に上限が紀元前 1500 年に上がる)
- 鉄器時代前期 (紀元前 300 年 ~ 紀元前 1 年): 従来の初期鉄器時代
- 鉄器時代後期 (西暦 1 年 ~ 西暦 300 年): 三国時代前期 (従来の元三国時代 / 三韓時代）に区分できる。

(3) 古朝鮮時代の古朝鮮 (紀元前 2333 年 ~ 紀元前 108 年)

古朝鮮 (紀元前 2333 年 ~ 紀元前 108 年) は韓国初の国家であり、古朝鮮の建国物語は一然

2 삼국 시대 (고구려 · 백제 · 신라, ~668)

1) 고구려 (서기전37 ~ 668)

고구려는 서기전 1세기부터 668년까지 존속한 고대 왕국이다. 압록강 중류 지역에서 초기 성읍국가로 출발하여 주변의 예·맥 족은 물론 옥저·동예·부여·조선 등 여러 종족을 융합하여 보다 확대된 고구려인을 형성하면서 강대한 국가로 발전했다. 중국 한나라의 침입을 받아 한의 군현이 설치되는 등 위축된 시기도 있었으나 이들을 몰아내는 과정에서 국력이 더욱 강해졌고 중국의 통일 왕조인 수와 당의 침략도 물리치며 동아시아의 강대국으로 존재했다. 그러나 후기에 성립한 귀족 연립정권의 내부 분열로 국력이 약화하여, 당나라와 연합한 신라의 공격으로 멸망했다.

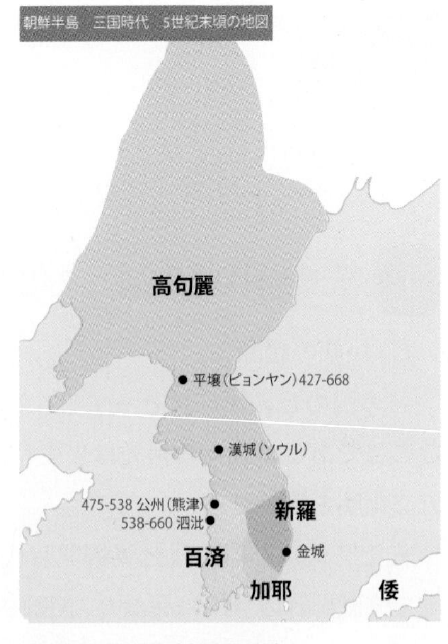

三国時代（朝鮮半島）삼국시대

2) 백제 (서기전18 ~ 660)

백제는 삼국의 하나로서 한반도 중서부에 위치했으며 660년에 멸망한 고대국가이다. 서기전 18년에 부여족 계통인 온조 집단에 의해 현재의 서울 지역을 중심으로 건국되었다. 한인·예인 등의 토착민을 부여족이 지배하는 형식이었다. 건국 후 고구려·신라와 동맹과 공방을 되풀이하면서 영역을 영산강·섬진강 유역까지 확장하여 강력한 국가로 성장했다. 지정학적인 이점을 최대한 이용해 중국의 새로운 문물을 받아들여 백제화하고, 다시 일본이나 가야에 전수해 고대 동아시아 문화권을 형성하는 데 중심적인 역할을 하였으나 신라와 군사동맹을 맺은 당에 의해 멸망했다.

3) 신라 (서기전57 ~ 668)

신라는 서기전 57년(혁거세거서간 1)부터 935년(경순왕 9)까지 56대 992년간 존속했던 고대 왕조이다. 경주평야에 자리하던 여섯 씨족이 연합한 성읍국가로 건국했다. 가야를 합병하고 중국과의 교통로인 한강 유역을 점령하여 강성해졌다. 7세기 중엽 당을 끌어들여 백제와 고구려를 평정하고 발해와 함께 남북국시대를 열었다. 하대에 들어 왕위 계승을 둘러싼 내분이 반복되고 호족 세력이 대두하면서 왕권이 약해져 중앙집권적 국가로서 존립하기 어려워졌다. 결국 후삼국으로 나뉘었다가 경순왕이 고려의 왕건에게 스스로 항복함으로써 신라왕조는 멸망했다.

が書いた『三国遺事』(1206-1289) に初めて記録されている。一然は高麗時代の僧侶で。一然は当時、平壌を中心に人々の間に伝わる話を記録した。

そして民族に対する自負心を植え付けるために古朝鮮を建てた檀君王剣の話を記録している。

2 三国時代 (高句麗・百済・新羅 ,~668)

1) 高句麗 (前 37~668)

高句麗は紀元前 1 世紀から 668 年まで存続した古代王国である。鴨緑江中流地域から初期城邑国家として出発し、周辺の濊・貊族はもちろん、沃沮・東濊・扶余・朝鮮など様々な種族を融合させ、より拡大した高句麗人を形成しながら強大な国家に発展した。中国の漢の侵入を受けて漢の郡県が設置されるなど萎縮した時期もあったが、彼らを追い出す過程で国力がさらに強くなり、中国の統一王朝である隋と唐の侵略も退け、東アジアの強国として存在した。しかし後期に成立した貴族連立政権の内部分裂で国力が弱まり、唐と連合した新羅の攻撃で滅亡した。

2) 百済 (前 18~660)

百済は三国の一つとして韓半島中西部に位置し、660 年に滅亡した古代国家である。紀元前 18 年に扶余族系統の温祚集団によって現在のソウル地域を中心に建国された。漢人・濊人などの土着民を扶余族が支配する形式だった。建国後、高句麗・新羅との同盟と攻防を繰り返しながら領域を栄山江・蟾津江流域まで拡張し強力な国家に成長した。地政学的な利点を最大限利用して中国の新しい文物を受け入れて百済化し、再び日本や伽耶に伝授して古代東アジア文化圏を形成するのに中心的な役割を果たしたが、新羅と軍事同盟を結んだ唐によって滅亡した。

3) 新羅 (前 57~668)

新羅は紀元前 57 年 (赫居世居書簡 1) から 935 年 (景順王 9) までの 56 代 992 年間存続した古代王朝である。慶州平野に位置していた 6 人の氏族が連合した城邑国家として建国した。伽耶を合併し、中国との交通路である漢江流域を占領して強盛になった。7 世紀中頃、唐を引き入れて百済と高句麗を平定し、渤海とともに南北国時代を切り開いた。下代に入って王位継承をめぐる内紛が繰り返され、豪族勢力が台頭して王権が弱まり、中央集権的国家として存立しにくくなった。結局、後三国に分かれ、景順王が高麗の王建に自ら降伏したことで新羅王朝は滅亡した。

3 가야 (42~562)

가야는 서기전 1세기~서기 6세기, 경상남도와 경상북도 일부에서 형성된 작은 나라들의 연합이다. 삼국시대에 고구려, 백제, 신라와 함께 존속하였다. 근래에는 전라북도 동남부 일부 지역 혹은 전라남도 동부 일부까지 가야의 범주에 넣는 견해도 제기되며, 고대 한반도의 삼국에 이은 제4의 나라로 사국시대론이 주장되기도 한다. 가야의 기원은 삼한시대 변한 혹은 변진 12국 중 구야국이다. 해로 상의 요충지로서 대방군에서 한반도 남부, 나아가 일본 열도에 이르기까지 중요한 해상 교통의 요충지였다.

4 통일신라 시대 (668~935)

삼국통일은 7세기 중엽 신라가 백제 · 고구려를 멸하고 통일 정부를 수립한 일이다. 고구려 · 백제 · 신라 3국은 국가 체제를 정비한 후 세력 확장을 꾀하는 과정에서 서로 충돌하게 되었다. 고구려의 남진정책과 백제의 북진정책이 대립했고, 후발국 신라는 그 틈새에서 한강 유역을 차지하여 중국과의 교통로를 확보하려 했다. 당과 고구려가 충돌하면서 야기된 대치 국면은 고구려와 백제가 연합하고 신라가 고립되는 국면을 초래했다. 이에 신라는 대당 외교에 치중하여 나당연합군으로 백제·고구려를 무너뜨리고 삼국을 통일했다. 이후 발해와 신라의 남북국 시대가 시작되었다.

1) 발해 (698~926)

발해는 한반도 북부에서 중국 동북 랴오닝성 · 지린성 · 헤이룽장성과 러시아 연해주 지역에 걸쳐 존속하며 통일신라와 함께 남북국을 이루었던 고대국가이다. 대조영이 698년에 건국하였고, 초기 국명은 진국이다. 건국 초에는 신라와 교류하며 대아찬직(17 관등 중 제5 등 관계)을 받았고, 이후 신라조를 설치하였다. 713년에 당나라에서 발해 지역을 다스리도록한 뒤 국명을 발해로 변경하였다. 제3대 문왕 대에 황제국 체제를 갖추었고, 9세기에는 해동성국으로 불렸다. 925년 12월에 거란의 대대적인 침공을 받고 926년 초에 멸망하였다.

3 伽耶(カヤ、42~562)

伽耶は紀元前1世紀~6世紀、慶尚南道と慶尚北道の一部で形成された小さな国の連合である。三国時代に高句麗、百済、新羅とともに存続した。最近では全羅北道東南部の一部地域あるいは全羅南道東部の一部まで伽耶の範疇に入れる見解も提起され、古代韓半島の三国に続く第4の国として四国時代論が主張されたりもする。伽耶の起源は三韓時代の弁韓あるいは弁辰12国のうち狗邪国である。 海路上の要衝地として、帯方郡から韓半島南部、ひいては日本列島に至るまで重要な海上交通の要衝だった。

4 統一新羅時代(668~935)

三国統一は7世紀中頃、新羅が百済・高句麗を滅ぼし統一政府を樹立したことだ。高句麗・百済・新羅の3国は国家体制を整備した後、勢力拡大を図る過程で衝突することになった。高句麗の南進政策と百済の北進政策が対立し、後発国新羅はその隙間から漢江流域を占め、中国との交通路を確保しようとした。唐と高句麗が衝突して引き起こされた対峙局面は、高句麗と百済が連合し、新羅が孤立する局面を招いた。これに対し新羅は対唐外交に重点を置き、羅唐連合軍として百済・高句麗を倒し三国を統一した。その後、渤海と新羅の南北国時代が始まった。

統一新羅時代の地図 통일신라시대 지도

1) 渤海(698~926)

渤海は韓半島北部から中国東北遼寧省吉林省黒竜江省とロシア沿海州地域にかけて存続し、統一新羅とともに南北国を形成した古代国家である。大祚栄が698年に建国し、初期の国名は辰国であった。建国当初は新羅と交流し、대아찬(大阿湌)の職を受け、その後新羅條を設置した。713年に唐から渤海地域を治めた後、国名を渤海に変更した。第3代文王の代に皇帝国体制を整え、9世紀には海東聖国と呼ばれた。925年12月に契丹の大々的な侵攻を受け、926年初めに滅亡した。

5 고려 시대 (918~1392)

고려는 918년 개성 출신 왕건이 건국하여 936년 후삼국을 통합한 뒤 1392년 멸망 때까지 34명의 왕씨 출신 국왕이 474년 동안 통치한 왕조이다. 고려 초에 광종의 과거제 시행, 성종의 체제 정비를 거쳐 문종 때 전성기에 도달하였다. 고려 중기에는 이자겸과 묘청 난, 무신정변, 하층민의 봉기, 대몽항쟁 등으로 기존 질서가 크게 변동되었다. 고려 후기에는 원 간섭기, 성리학 수용, 위화도 회군과 사전 개혁 등의 진통을 겪은 끝에 조선이 건국되었다.

6 조선 시대 (1392~1910)

태조(이성계, 1335-1408)는 고려를 멸망시키고 새로운 왕조를 열었다. 조선은 1392년부터 1910년까지 518년간 한반도에 존재한 왕조(27대) 국가이다. 국왕의 밑에서 양반 관료들이 강력한 중앙집권체제를 갖추어 정치를 행하였다. 농업경제를 중심으로 하는 자연 경제체계가 강하였고, 양반 중심 세습 신분제 사회였으나, 상품화폐 경제의 발달 속에 신분제는 차츰 이완되어 갔다. 유교 문화의 위세가 계속 강해지는 가운데 서민과 여성들은 고유성을 강인하게 지켜 나갔다. 조선은 불교를 배척하고 성리학을 정치적 문화적 규범으로 기반으로 삼았다. 이성계는 명나라와 긴밀한 관계를 맺었고, 조선은 북방 유목민족 및 남쪽 일본에 대해 문화적 의미에서 소중화 체제를 형성했다.

15세기에는 한글(1446년, 훈민정음)이 창제되어 조선의 문화적 발달에 새로운 자극을 주었다. 1403년 정부에서 만든 동활자로 인쇄한 책을 출판하기 위해 주자소가 설립되었다. 조선은 자국 예술로도 유명하지만, 특히 분청사기, 백자, 청화백자가 유명하다. 그러나 16세기 도요토미 히데요시의 침략(임진왜란=문록·경란) 및 17세기, 초 만주족의 침략(병자호란)으로 문화적으로 큰 손실을 보았다.

조선 후기에는 자연 과학에도 커다란 진전이 있었다. 이는 조선 전기의 과학적 성과를 토대로 하여 새로이 서양의 과학 기술을 받아들여 발전시켰기 때문이었다. 외세가 동아시아 여러 나라를 개항시키려고 안간힘을 쓰던 19세기 조선은 작은 은자의 나라로 존재했다. 조선 후기는 16세기 말부터 1897년 멸망할 때까지 계속된 조선 왕조의 마지막 시기이며 이 시대는 우리 사회에 큰 영향을 미친 정치, 사회 경제적 변화가 두드려졌다. 조선 후기의 경제는 농업과 수공업이 주를 이루었으며, 대규모 농장이 생겨났고 쌀 생산량이 많이 늘어났다.

5 高麗時代 (918～1392)

高麗は918年に開城出身の王建が建国し、936年に後三国を統合した後、1392年滅亡まで34人の王氏出身の国王が474年間統治した王朝である。高麗初期に広宗の科挙制施行、成宗の体制整備を経て文宗の時に全盛期に到達した。高麗中期には李資謙(仁宗4年 1126) イ·ジャギョムと妙清乱、武臣政変、下層民の蜂起、大夢抗争などで既存秩序が大きく変動した。高麗後期には元干渉期、性理学受容、위화도(威化島) 회군(回軍)と事前改革などの陣痛を経験した末に朝鮮が建国された。

6 朝鮮時代 (1392～1910)

太祖 (イ・ソンゲ、1335-1408) は高麗を滅ぼし、新しい王朝を開いた。朝鮮は 1392 年から 1910 年までの 518 年間、韓半島に存在した王朝（27 代）国家であった。国王の下で両班官僚が強力な中央集権体制を整えて政治を行った。農業経済を中心とする自然経済体系が強く、両班中心世襲身分制社会だったが、商品貨幣経済の発達の中で身分制は次第に緩んでいった。儒教文化の威勢が強まる中、庶民と女性たちは固有性を強く守っていった。

朝鮮は仏教を排斥し、性理学を政治的・文化的規範として基盤にした。李成桂は明と緊密な関係を結び、朝鮮は北方遊牧民族および南方日本に対して文化的意味で小中化体制を形成した。

15 世紀にはハングル（1446 年 , 訓民正音）が創製され、朝鮮の文化的発達に新たな刺激を与えた。1403 年、政府が作った同活字で印刷した本を出版するために朱子所が設立された。朝鮮は自国の芸術でも有名だが、特に粉青沙器、白磁、青華白磁が有名である。しかし、16 世紀の豊臣秀吉の侵略（壬辰戦争 = 文禄・経乱）及び 17 世紀初頭の満州族の侵略（丙子胡乱）により文化的に大きな損失を被った。

朝鮮後期には自然科学にも大きな進展があった。これは朝鮮前期の科学的成果を基に、新たに西洋の科学技術を受け入れ発展させたためである。

外国勢力が東アジア諸国を開港させようと躍起になっていた 19 世紀の朝鮮は、小さな隠者の国として存在した。

朝鮮後期は 16 世紀末から 1897 年滅亡するまで続いた朝鮮王朝最後の時期であり、この時代は韓国社会に大きな影響を及ぼした政治、社会経済的変化が叩かれた。朝鮮後期の経済は農業と手工業が主であり、大規模農場ができ、米生産量が大幅に増えた。

7 대한제국 (1897~1910)

대한제국은 1897년 10월 12일부터 1910년 8월 29일까지 존속하였던 한국 근대 국가이다. 갑오개혁으로 조선 왕조 체제가 해체된 후 1897년 10월 12일, 고종이 새롭게 황제국을 선포하고 국호를 '대한(大韓)'으로 고쳤다. 중국에 대한 오랜 사대 외교에서 벗어나 완전한 자주 독립국으로서 근대 주권 국가를 지향하면서 부국강병 정책을 추진하였지만, 1910년 일본에 의해 병합되었다.

8 일제 강점기 (1910~1945)

1910년 대한제국은 한국합병에 관한 조약에 의해 일본 통치하에 들어갔다. 이 시대는 일본 제국주의에 의하여 식민 통치를 당한 35년간(1910~1945)의 시대이다. 합병 직후 대한제국은 조선으로 하고 조선총독부가 설치되었다.

일본은 식민지를 대상으로 토지조사사업과 회사령 등의 시행, 그리고 언론・결사의 자유 제한, 공립학교를 중심으로 한 동화정책, 황민화 교육, 일본식 성명 강요 등의 정책을 통해 자국과 동화시키는 정책을 실시하였다.

1) 3·1운동 (1919.3.1)

3·1운동은 1919년 3월 1일을 기해 일어난 거족적인 독립 만세 운동이다. 전국적인 범위에서 각계각층을 망라하여 전개된 3·1운동은 세계의 이목을 집중시켜 한국민에 대한 인식을 새롭게 하였고, 중국 상하이에서의 대한민국 임시 정부 수립으로 이어졌다. 민족에 대해 끈질기고 강렬한 독립 투쟁 정신을 고취하였을 뿐 아니라, 일본의 무단 통치 방법을 이른바 문화 통치로 바꾸게 하였다. 나아가 민족의식과 민족정신에 새로운 자각과 힘을 주어 교육의 진흥, 신문예 운동·산업 운동이 활성화하고 민족 자립의 기초를 다지게 하는 계기를 만들기도 하였다.

1919년 2월 8일 도쿄에서 열린 독립선언을 계기로 3월 1일 서울에서는 종교계 대표 등 각계 인사 33명에 의해 독립선언문이 낭독되고 독립만세의 외침이 평양·개성 등 전국으로 확산되었다. 이후에도 1926년 6.10 만세 운동, 1929년 광주 학생 항일 운동 등 국내외에서 독립을 위한 운동은 1945년 태평양 전쟁이 끝날 때까지 계속되었다.

7 大韓帝国 (1897～1910)

大韓帝国は1897年10月12日から1910年8月29日まで存続した韓国近代国家である。甲午改革で朝鮮王朝体制が解体された後、1897年10月12日、高宗が新たに皇帝国を宣言し、国号を「大韓」に改めた。中国に対する長年の事大外交から抜け出し、完全な自主独立国として近代主権国家を指向しながら富国強兵政策を推進したが、1910年に日本によって併合された。

8 日本統治時代 (1910～1945)

1910年、大韓帝国は韓国合併に関する条約によって日本統治下に入った。この時代は韓国が日本帝国主義によって植民統治された35年間 (1910~1945) の時代である合併直後、大韓帝国は朝鮮とし、朝鮮総督府が設置された。

日本は植民地を対象に土地調査事業と会社令等の施行、そして言論·結社の自由制限、公立学校を中心とした同化政策、皇民化教育、創氏改名などの政策を通じて自国と同化させる政策を実施した。

1) 三·一運動 (1919.3.1)

三·一運動は1919年3月1日を期して起きた挙族的な独立万歳運動である。全国的な範囲で各界各層を網羅して展開された三·一運動は、世界の耳目を集中させて韓国民に対する認識を新たにし、中国上海での大韓民国臨時政府樹立につながった。民族に対する粘り強く強烈な独立闘争精神を鼓吹しただけでなく、日本の無断統治方法をいわゆる文化統治に変えさせた。さらに民族意識と民族精神に新しい自覚と力を与え教育の振興、新文芸運動·産業運動が活性化し民族自立の基礎を固める契機を作ったりもした。

1919年2月8日に東京で行われた独立宣言をきっかけに、3月1日にソウルでは宗教界の代表など各界の要人33人によって独立宣言文が朗読され、独立万歳の叫びが平壌·開城などの全国に広がった。その後も1926年6.10万歳運動、1929年光州学生抗日運動など、国内外で独立のための運動は1945年太平洋戦争が終わるまで続いた。

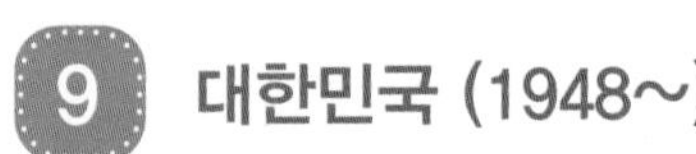

9 대한민국 (1948~)

1945년 8월 15일 우리 겨레는 일본의 식민지 지배에서 벗어나면서, 남북으로 분단되었다. 이때부터 3년 동안 통일 정부의 수립을 위한 노력이 국내외적으로 기울여졌으나 불행히도 그 열매를 맺지 못하다 1948년 8월 15일 대한민국이 수립되었고 9월 9일 북한에서는 조선민주주의인민공화국이 수립되었다.

10 한국전쟁 (1950.6.25)

한국전쟁은 1950년 6월 25일 새벽에 북위 38° 선 전역에 걸쳐 북한군이 불법 남침함으로써 일어난 한반도 전쟁이다. 광복 후 한반도에는 냉전체제 속에서 남북에 별개의 정부가 수립되었다. 이 과정에서 막강한 군사력을 갖춘 북한이 통일을 명분으로 전면적인 남침을 개시했다. 유엔의 결의에 따른 국제사회의 개입으로 역전되던 전황은 다시 중공군의 개입으로 교착상태에 머물다가 1953년 7월 27일 휴전협정이 이루어지면서 전쟁이 중지되었다. 이 전쟁은 한민족 전체에 큰 손실을 끼쳤고 이후 남북 분단이 더욱 고착하여 아직도 휴전 상태가 지속되고 있다.

● **한국의 역대 대통령**

윤석열(尹錫悅) : 20대, 2022.05 ~ 현재
문재인(文在寅) : 19대, 2017.05 ~ 2022.05, 전 정무 공무원, 전 변호사
박근혜(朴根惠) : 18대, 2013.02 ~ 2017.03, 전 정치인
이명박(李明博) : 17대, 2008.02 ~ 2013.02, 전 정치인
노무현(盧武鉉) : 16대, 2003.02 ~ 2008.02, 전 정무 공무원, 전 변호사
김대중(金大中) : 15대, 1998.02 ~ 2003.02, 전 정무 공무원, 정치인
김영삼(金泳三) : 14대, 1993.02 ~ 1998.02, 전 정무 공무원, 전 국회의원
노태우(盧泰愚) : 13대, 1988.02 ~ 1993.02, 전 정무 공무원, 군인
전두환(全斗煥) : 11~12대, 1980.09 ~ 1988.02, 전 정무 공무원, 군인
최규하(崔圭夏) : 10대, 1979.12 ~ 1980.08, 전 정무 공무원
박정희(朴正熙) : 5~9대, 1963.12 ~ 1979.10, 전 정무 공무원, 군인
윤보선(尹寶善) : 4대, 1960.08 ~ 1962.03, 전 정무 공무원, 전 국회의원
이승만(李承晩) : 1~3대, 1948.07 ~ 1960.04, 전 정무 공무원, 독립운동가

9 大韓民国（1948~）

1945年8月15日、韓民族は日本の植民地支配から抜け出し、南北に分断された。この時から3年間、統一政府の樹立に向けた努力が国内外で行われたが、残念ながらその実を結ぶことはできず、1948年8月15日に大韓民国が樹立され、9月9日に北朝鮮では朝鮮民主主義人民共和国が樹立された。

10 韓国戦争（1950.6.25）

韓国戦争は1950年6月25日未明、北緯38°線全域にわたって北朝鮮軍が不法南侵したことで起きた韓半島戦争である。光復後、韓半島には冷戦体制の中で南北に別の政府が樹立された。この過程で強大な軍事力を備えた北朝鮮が、統一を名分に全面的な南侵を開始した。国連の決議にともなう国際社会の介入で逆転した戦況は再び中国共産軍の介入で膠着状態に留まり1953年7月27日休戦協定がなされ戦争が中止された。この戦争は韓民族全体に大きな損失を与え、以後南北分断がより一層固着し、まだ休戦状態が続いている。

● **韓国の歴代大統領**

尹錫烈(ユン・ソンニョル):20代、2022年5月~現在
文在寅(ムン・ジェイン):19代、2017.05~2022.05、元政務公務員、元弁護士
朴槿恵(パク・クネ):18代、2013.02~2017.03、元政治家
李明博(イ・ミョンバク):17代、2008.02~2013.02、元政治家
盧武鉉(ノ・ムヒョン):16代、2003.02~2008.02、元政務公務員、元弁護士
金大中(キム・デジュン):15代、1998.02~2003.02、元政務公務員、政治家
金泳三(キム・ヨンサム):14代、1993.02~1998.02、元政務公務員、元国会議員
盧泰愚(ノ・テウ):13代、1988.02~1993.02、元政務公務員、軍人
全斗煥(チョン・ドゥファン):11~12代、1980.09~1988.02、元政務公務員、軍人
崔圭夏(チェ・ギュハ):10代、1979.12~1980.08、元政務公務員
朴正熙(パク・チョンヒ):5~9代、1963年12月~1979年10月、元政務公務員、軍人
尹宝善(ユン・ボソン):4代、1960.08~1962.03、元政務公務員、元国会議員
李承晩(イ・スンマン):1~3代、1948.07~1960.04、元政務公務員、独立運動家

韓国の歴史を学べるサービス

한국의 역사를 배울 수 있는 서비스

国会図書館 국회도서관 https://www.nanet.go.kr/main.do	国史編纂 韓国史データベース 국사편찬 한국사 데이터베이스 https://db.history.go.kr/	韓国学資料統合プラットホーム 한국학자료 통합플랫폼 https://kdp.aks.ac.kr/

韓国歴代人物総合情報 한국역대인물종합정보시스템 http://people.aks.ac.kr	韓国学中央研究院 韓国学資料センター 한국학중앙연구원 한국학자료센터 https://kostma.aks.ac.kr/	韓国民族文化大百科事典 한국민족문화대백과사전 https://encykorea.aks.ac.kr/

考えて話してみましょう。
생각하고 이야기해 봅시다.

1 韓国の歴史を時代順に大きく分類してみよう。
한국의 역사를 시대순으로 크게 분류해 보자.

2 高句麗、百済、新羅の発展と三国統一のために努力した指導者について考えてみよう。
고구려 백제 신라의 발전과 삼국통일을 위해 노력한 지도자에 대해 생각해 보자.

3 高句麗文化を日本に伝えた僧侶について調べてみよう。
고구려 문화를 일본에 전달한 승려에 대해 조사해 보자.

4 百済の文化を日本に伝えた学者は誰なのか調べてみよう。
백제의 문화를 일본에 전달한 학자는 누구인지 조사해 보자.

5 新羅から日本に伝わった文化を調べてみよう。
신라에서 일본으로 전해진 문화를 조사해 보자.

6 朝鮮通信使は日本に行ってどんな役割を果たしたのか話してみよう。
조선통신사는 일본에 가서 어떤 역할을 했는지 이야기해 보자.

7 江華島条約の内容を読んで感じた点を話してみよう。
강화도 조약의 내용을 읽고 느낀 점을 이야기해 보자.

8 東学農民運動が甲午改革に発展した過程を調査してみよう。
동학 농민운동이 갑오개혁으로 발전한 과정을 조사해 보자.

9 国の自主独立を守るためにどのような努力をしたのか調べてみよう。
나라의 자주독립을 지키기 위해 어떠한 노력을 했는지 조사해 보자.

10 3·1運動がどのように展開され、その後独立運動にどのような影響を与えたのかを調べてみよう。
3·1운동이 어떻게 전개되었고, 그 후 독립 운동에 어떠한 영향을 주었는지 조사해 보자.

11 本人の国が置かれている状況なら、どのような独立運動方法が良かったのか考えて話してみよう。

자기 나라가 처한 상황이라면 어떤 독립운동 방법이 좋았을지에 대해 생각하고 이야기해 보자.

12 大韓民国臨時政府を樹立した理由と業績を調査してみよう。

대한민국 임시정부를 수립한 이유와 업적을 조사해 보자.

13 日本統治時代における朝鮮総督府の役割と政策はどのようなものかを調査して話してみよう。

일본 통치시대의 조선총독부의 역할과 정책은 어떠한 것인지 조사해서 이야기해 보자.

14 韓国戦争はなぜ起きたのか、今はどういう状態に置かれているかについて話してみよう。

한국전쟁은 왜 일어났는지 지금은 어떤 상태에 처해 있는지에 대해 논하여 보자.

もっと勉強してみましょう。
더 공부해 봅시다.

1. 三国は高句麗、百済、新羅の順で古代王国に発展した。
   삼국은 고구려, 백제, 신라의 순서로 고대 왕국으로 발전하였다.

2. 統一新羅時代には仏教、儒学、漢文学、郷歌、文学、仏教美術などが発達し、特に石窟庵と仏国寺は輝く文化遺産である。
   통일신라 시대에는 불교, 유학, 한문학, 향가, 문학, 불교 미술 등이 발달하였고 특히 석굴암과 불국사는 빛나는 문화유산이다.

3. 新羅人は海外進出を活発にしながら海上貿易活動を展開し、新羅の文化は日本の白鳳文化に大きな影響を与えた。
   신라인들은 해외 진출을 활발히 하면서 해상 무역 활동 전개하였고 신라의 문화는 일본 하쿠호 문화에 많은 영향을 주었다.

4. 高麗の文化は仏教文化と儒教文化が融合し、高麗青磁と大蔵経の組版、金属活字の使用などで特に優れていた。
   고려의 문화는 불교문화와 유교문화가 융합을 이루었으며 고려청자와 대장경의 조판, 금속활자의 사용 등에서 특히 뛰어났다.

5. 朝鮮王朝の政策として儒教政治、農本民生政策で富国強兵と民生安定を追求した。
   조선 왕조의 정책으로 유교 정치, 농본 민생 정책으로 부국강병과 민생 안정을 추구하였다.

6. 15世紀にはハングルの創製、実用的学問の発達、編纂事業の盛ん、科学技術の発達などが行われ民族文化が大きく隆盛した。
   15세기에는 한글의 창제, 실용적 학문의 발달, 편찬 사업의 성행, 과학기술의 발달 등이 이루어져 민족문화가 크게 융성하였다.

7. 16世紀には儒教の道徳が普及し、李滉と李珥などの学者が出て性理学が大きく隆盛した。
   16세기에는 유교 도덕이 보급되어 이황과 이이 등의 학자가 나와 성리학이 크게 융성하였다.

8. 両班社会の分裂と対立、国防力の弱化、農民生活の窮乏などで朝鮮の国力が弱まった時、朝鮮は倭乱と胡乱という国難に見舞われた。
   양반사회의 분열과 대립, 국방력의 약화, 농민 생활의 궁핍 등으로 조선의 국력이 약화하였을 때 조선은 왜란과 호란이라는 국난을 겪게 되었다.

9 朝鮮後期には産業の発達で国民の経済生活が次第に向上し、身分の上下移動が活発になった。
조선 후기에는 산업의 발달로 국민의 경제생활이 점차 향상되고 신분의 상하 이동이 활발해졌다.

10 18世紀には実学が大きく発達し、実学者たちは民生安定のために制度の改革·産業振興·技術導入などを主張した。
18세기에는 실학이 크게 발달하였으며, 실학자들은 민생 안정을 위해 제도의 개혁·산업 진흥·기술 도입 등을 주장하였다.

11 19世紀には勢道政治の下で国民が苦難を体験し、カトリックが迫害の中でも教勢を拡大し民衆的、民族的、宗教人東学が創始され農村社会に急激に広がっていった。
19세기에는 세도 정치하에 국민들이 고난을 겪었으며, 천주교가 박해 속에서도 교세를 확대하였고 민중적, 민족적, 종교인 동학이 창시되어 농촌 사회에 급격히 퍼져 나갔다.

12 国内外で3·1運動をはじめ独立軍の武装闘争、学生運動、労働者農民運動、知識人運動などが持続的に展開された。独立運動を指導する大韓民国臨時政府が樹立され活動した。
국내외에서 3.1운동을 비롯하여 독립군의 무장 투쟁, 학생운동, 노동자 농민운동, 지식인 운동 등이 지속해서 전개되었다. 독립운동을 지도하는 대한민국 임시정부가 수립되어 활동하였다.

13 日本の民族文化抹殺政策に対抗して民族文化の守護運動も展開された。 言葉と文字および歴史に対する研究が行われ、その保存運動が起きた。
일본의 민족 문화 말살 정책에 대항하여 민족 문화의 수호 운동도 전개되었다. 말과 글 및 역사에 대한 연구가 행해지고 이것의 보존 운동이 일어났다.

14 光復後、韓国は目覚ましい経済成長を遂げ、先進国入りを果たした。
광복 후 한국은 눈부신 경제 성장을 이룩하여 선진국의 문턱에 들어가게 되었다.

15 韓国の現代文化は人類文化の発展に大きく寄与するほど発達した。
한국의 현대문화는 인류문화 발전에 크게 기여할 만큼 발달하였다.

16 韓国の発展は祖国と民族の平和的統一に明るい展望を投げかけている。
한국의 발전은 평화적 통일에 밝은 전망을 던져 주고 있다.

参考サイトおよび参考文献
참고 사이트 및 참고 문헌

한국편

- ★ 韓国学中央研究院 한국학중앙연구원: https://www.aks.ac.kr/index.do
- ★ 行政安全部国家記録 행정안전부 국가기록원: https://www.archives.go.kr/next/viewMainNew.do
- ★ 行政安全部国家記録 서울대학교 규장각 한국학연구원: https://kyu.snu.ac.kr/
- ★ 功勲電子史料館 공훈전자사료관: https://e-gonghun.mpva.go.kr/
- ★ 国立中央図書館古新聞 국립중앙도서관 고신문: https://nl.go.kr/newspaper/
- ★ 国立中央博物館外奎章閣儀軌 국립중앙박물관 외규장각 의궤: https://www.museum.go.kr/uigwe/
- ★ 国史編纂委員会 承政院日記 국사편찬위원회 승정원일기: https://sjw.history.go.kr/main.do
- ★ 国史編纂委員会朝鮮王朝実録 국사편찬위원회 조선왕조실록: https://sillok.history.go.kr/main/main.do
- ★ 奎章閣韓国学研究院 규장각 한국학연구원: https://kyu.snu.ac.kr/
- ★ 基礎学問資料センター 기초학문자료센터: https://www.krm.or.kr/
- ★ 南明鶴古文献システム 남명학고문헌시스템: http://nmh.gsnu.ac.kr/
- ★ 独立記念館韓国独立運動史情報システム 독립기념관 한국독립운동사 정보시스템: http://search.i815.or.kr/
- ★ 北東アジア歴史ネット 동북아역사넷: http://contents.nahf.or.kr/
- ★ 東学農民革命総合知識情報システム 동학농민혁명종합지식정보시스템: http://www.e-donghak.or.kr/archive/
- ★ 明知大学国際韓国学研究所 韓国関連西洋古書 명지대 국제한국학연구소 한국관련 서양고서DB: http://www.e-coreana.or.kr/
- ★ 釜山広域市民図書館デジタル古文献室 부산광역시립시민도서관 디지털고문헌실: http://siminlib.koreanhistory.or.kr/

参考サイトおよび参考文献
참고 사이트 및 참고 문헌

- ★ 王室図書館蔵書閣デジタルアーカイブ 왕실도서관 장서각 디지털 아카이브: http://yoksa.aks.ac.kr/main.jsp
- ★ ユギョネット 유교넷: http://www.ugyo.net/
- ★ 韓国古文献総合リスト 한국고문헌종합목록: https://www.nl.go.kr/korcis/index.do
- ★ 韓国古典総合DB 한국고전종합DB: https://db.itkc.or.kr/
- ★ 韓国金石門総合映像情報システム 국립문화재연구원, 한국금석문 종합영상정보시스템: https://portal.nrich.go.kr/kor/ksmUsrList.do?menuIdx=584

일본편

- ★ 六反田豊 (2021)『一冊でわかる韓国史』、河出書房新社
- ★ 須川英徳・三ツ井崇 (2021)『韓国朝鮮の歴史と文化』、放送大学教育振興会
- ★ 日中韓３国共同歴史編纂委員会 (2012)『新しい東アジアの近現代史・上下』、日本評論社
- ★ 平木寛 (2011)『韓国・朝鮮社会文化史と東アジア』、学術出版会
- ★ 片茂永 (2010)『韓国の社会と文化』、岩田書院
- ★ 歴史教育研究会 (日本)・歴史教科書研究会 (韓国)(2007) 日韓歴史共通教材 『日韓交流の歴史』、明石書店
- ★ 日中韓３国共通歴史教材委員会 (2005) 日本・中国・韓国 = 共同編纂『未来を拓く歴史』、株式会社高文研
- ★ 韓国・朝鮮文化研究会 (2002)「韓国朝鮮の文化と社会」第① -20 号、風響社

04 디지털 플랫폼 전자정부

디지털 플랫폼 정부란 모든 데이터가 연결되는 디지털 플랫폼 위에서 국민, 기업, 정부가 함께 사회문제를 해결하고 새로운 가치를 창출하는 정부를 의미한다.

UN(United Nations)에서는 2002년부터 2년마다 전자정부 서비스의 우수성과 통신망 · 교육 수준 등 활용 여건을 평가하는 '전자정부 발전 지수(EGDI)'와 온라인을 통한 정책 참여 활성화 수준을 평가하는 온라인 참여 지수(EPI)'를 국가별로 발표하고 있다. 전자 정부 발전 지수는 전자정부 서비스의 우수성을 나타내는 '온라인서비스'와 유무선 통신 인프라 수준을 측정하는 '통신인프라', 국민의 교육 수준을 나타내는 '인적자본' 3개 세부 지표를 종합해 평가한다. 한국은 평가가 시작된 이후 쭉 높은 순위를 차지하고 있으며 2020년 2위, 2022년에도 3위에 랭크 되었다.

1) 전자정부의 역사

대한민국 전자정부 발전지수 역대 순위

연도	2010	2012	2014	2016	2018	2020
순위	1위	1위	1위	3위	3위	2위

※평가기관: UN DESA / 평가연혁: '02-'05년 매년 평가, '08년 이후 격년 평가

대한민국 전자정부 발전 지수 역대 순위

한국은 1967년 국내 최초로 경제기획원에서 인구통계업무 처리를 위해 컴퓨터를 도입한 것을 기점으로 전자정부가 시작되었다. 이후 행정 · 금융 · 교육 연구 등 주요 분야의 행정전산화 사업, 1980년대와 1990년대 국가기관 전산망 사업과 초고속 정보통신망 사업, 2000년대 민원24·홈택스 등 국민을 위한 전자정부 서비스의 활성화, 전자정부 수출 확대 및 '전자정부 2020 기본계획'까지 지속해서로 발전해 왔다. 2017년에 "전자정부 도입 50주년"을 맞아 기념식과 비전이 선포되었다. 현재 1만 8,000여 종의 정보시스템, 유엔(UN) 전자정부 평가 3회 연속 1위, 전자정부 수출 5억 달러 달성 등 명실상부한 세계 최고의 전자정부 선도 국가로 거듭났다. 특히 1998년부터 2012년까지 많은 혁신이 진행되었다. IMF 외환위기를 극복하기 위한 수단으로 적극적으로 추진하였으며 초고속 정보통신망과 인터넷이 일반인에게 광범위하게 보급되면서 대국민을 위한 G4C(government for Citizens) 서비스가 본격적으로 시작되었다.

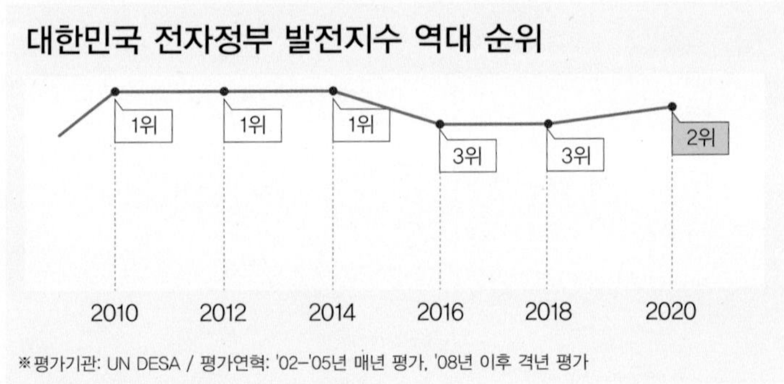

デジタルプラットフォーム電子政府

デジタルプラットフォーム政府とは、すべてのデータが連結されるデジタルプラットフォームの上で国民、企業、政府が共に社会問題を解決し、新しい価値を創出する政府を意味する。

Table 1.1　Leading countries in e-government development, 2022

Country name	Rating class	Region	OSI	HCI	TII	EGDI (2022)	EGDI (2020)
Denmark	VH	Europe	0.9797	0.9559	0.9795	0.9717	0.9758
Finland	VH	Europe	0.9833	0.9640	0.9127	0.9533	0.9452
Republic of Korea	VH	Asia	0.9826	0.9087	0.9674	0.9529	0.9560
New Zealand	VH	Oceania	0.9579	0.9823	0.8896	0.9432	0.9339
Sweden	VH	Europe	0.9002	0.9649	0.9580	0.9410	0.9365
Iceland	VH	Europe	0.8867	0.9657	0.9705	0.9410	0.9101
Australia	VH	Oceania	0.9380	1.0000	0.8836	0.9405	0.9432
Estonia	VH	Europe	1.0000	0.9231	0.8949	0.9393	0.9473
Netherlands	VH	Europe	0.9026	0.9506	0.9620	0.9384	0.9228
United States of America	VH	Americas	0.9304	0.9276	0.8874	0.9151	0.9297
United Kingdom of Great Britain and Northern Ireland	VH	Europe	0.8859	0.9369	0.9186	0.9138	0.9358
Singapore	VH	Asia	0.9620	0.9021	0.8758	0.9133	0.9150
United Arab Emirates	VH	Asia	0.9014	0.8711	0.9306	0.9010	0.8555
Japan	VH	Asia	0.9094	0.8765	0.9147	0.9002	0.8989
Malta	VH	Europe	0.8849	0.8734	0.9245	0.8943	0.8547

Sources: 2020 and 2022 United Nations E-Government Surveys.

UN(United Nations)では2002年から2年ごとに電子政府サービスの優秀性と通信網・教育水準など活用条件を評価する「電子政府発展指数(EGDI)」とオンラインを通じた政策参加活性化水準を評価するオンライン参加指数(EPI)」を国別に発表している。

電子政府発展指数は電子政府サービスの優秀性を示す「オンラインサービス」と有無線通信インフラ水準を測定する「通信インフラ」、国民の教育水準を示す「人的資本」の3つの細部指標を総合して評価する。韓国は評価が始まって以来ずっと高い順位を占めており、2020年2位、2022年にも3位にランクされた。

1) 電子政府の歴史

韓国は1967年、国内で初めて経済企画院で人口統計業務処理のためにコンピューターを導入したのを基点に電子政府が始まったという。以後、行政・金融・教育研究など主要分野の行政電算化事業、1980年代と1990年代国家機関電算網事業と超高速情報通信網事業、2000年

"민원24(대국민 민원, 정책, 정보를 통합 제공하는 대표 포털)", 나라장터(국가종합전자조달시스템), 홈택스(국세청 시스템) 등 각 기관의 내부 행정 업무뿐만 아니라 각 시스템의 정보를 연계, 공동 이용 등을 통해 정부 부처의 경계를 넘는 쌍방향 국민 서비스가 활성화되었다. 2020년 정부는 ICT 기술변화 및 4차 산업혁명 시대에 맞는 패러다임 전환을 위해 '전자정부 2020 기본계획'을 수립하였다.

이 시기에 추진된 모바일 전자정부 서비스, 빅데이터 기반 조성, 클라우드 도입 등 사업 내용과 전자정부 수출, 미래 전자정부 추진 방향 등 상세한 내용이 제시되었다.

2) 전자정부의 내용

- 행정업무의 효율성과 투명성 : 전자문서 유통이 정착되고 인사, 재정, 조달 등의 업무가 전자적으로 처리되어 업무의 효율성 향상과 행정의 투명성을 보여주고 있다.
- 국민 기업 등 사용자 중심의 행정 서비스 : 온라인 정부 민원 포탈 "민원24"에서 각종 세금 처리 및 온라인 민원 발급(주민등록번호 기준) 제공, 언제 어디서나 무료로 제공되는 빠른 서비스 제공
- 국민과의 정책 소통 강화 : "국민신문고"라는 서비스는 어려운 민원이나 제안을 받는 소통의 공간이며 언제든 공개된 결과를 확인할 수 있다.
- 정보 자원의 효율성 : 모든 정보시스템을 통합 관리함으로써 정보의 질적 관리나 이용 속도 등의 향상뿐 아니라 장애나 보안 위협 등에 대한 효과적인 대응이 가능해졌다.

● 전자정부 사이트에서 제공되는 정보들

- 분야별 서비스 : 교육 · 취업 · 건강 · 복지 · 여성, 기업 · 산업 · 무역 등 크게 12개 나누어 제공
- 대상자별 서비스 : 부모, 장애인, 청소년, 어린이, 노인, 재외 국민으로 나누어 제공
- 생활 서비스 : 날씨, 교통 등 국민의 일상생활과 밀접한 서비스
- 행정 기관 찾기 : 방문자가 행정 기관을 쉽게 찾을 수 있도록 행정 기관 정보 안내
- 정부 포털 서비스 모음 : 행정 기관 포털 서비스를 분야별로 안내, 부처별 어린이 사이트 안내
- 국토 이용 정보 통합 서비스 : 국토교통부에서 도시계획정보, 토지이용 등 여러 시스템으로 분산 · 운영해 왔던 국토 이용 정보를 2023년부터 하나로 통합하여 신속하고 정확한 정보 제공(국토 이용 정보 통합플랫폼, KLIP)

代民願24·ホームタックスなど国民のための電子政府サービスの活性化、電子政府輸出拡大および「電子政府2020基本計画」まで持続的に発展してきた。2017年に「電子政府導入50周年」を迎え、記念式とビジョンが宣言された。現在、1万8000種余りの情報システム、国連（UN）電子政府評価3回連続1位、電子政府輸出5億ドル達成など名実共に世界最高の電子政府先導国家に生まれ変わった。

特に1998年から2012年まで多くの革新が行われた。IMF通貨危機を克服するための手段として積極的に推進し、超高速情報通信網とインターネットが一般人に広範囲に普及し、国民のためのG4C(government for Citizens) サービスが本格的に始まった。

「苦情24（対国民苦情、政策、情報を統合提供する代表ポータル）」、ナラ市場（国家総合電子調達システム）、ホームタックス（国税庁システム）など各機関の内部行政業務だけでなく、各システムの情報連携や共同利用等により政府省庁の境界を越えた双方向国民サービスが活性化された。2020年、政府はICT技術の変化および第4次産業革命時代に合わせたパラダイム転換のために「電子政府2020基本計画」を樹立した。

この時期に推進されたモバイル電子政府サービス、ビッグデータ基盤造成、クラウド導入など事業内容と電子政府輸出、未来電子政府推進方向など詳細が提示された。

2) 電子政府の内容

- 行政事務の効率性と透明性 : 電子文書の流通が定着し、人事、財政、調達などの業務が電子的に処理され、業務の効率性向上と行政の透明性を示している。
- 国民企業などユーザー中心の行政サービス : オンライン政府苦情ポータル「苦情24」で各種税金処理およびオンライン苦情発給 (住民登録番号基準)、いつでもどこでも無料で提供される迅速なサービスを提供
- 国民との政策疎通強化 :「国民申聞鼓」というサービスは難しい苦情や提案を受ける疎通の空間であり、いつでも公開された結果を確認することができる。
- 情報資源の効率性 : すべての情報システムを統合管理することにより、情報の質的管理や利用速度などの向上だけでなく、障害やセキュリティ脅威等への効果的な対応が可能となった。

● 電子政府サイトで提供される情報

- 分野別サービス : 教育·就職、健康·福祉·女性、企業·産業·貿易など大きく12に分けて提供
- 対象者別サービス : 両親、障害者、青少年、子供、老人、在外国民に分けて提供
- 生活サービス : 天気、交通など国民の日常生活と密接なサービス
- 行政機関を探す : 訪問者が行政機関を簡単に探せるよう行政機関情報案内

디지털플랫폼정부 단계적 이행 로드맵

첫 째, **새정부 출범 직후** 디지털플랫폼정부 **청사진과 로드맵**을 제시하고 이를 구현할 **추진체계를 발족**
둘 째, **단기적으로** 국민·기업·정부가 체감할 수 있는 **혁신적인 선도 프로젝트**를 통해 **공감대를 형성**
셋 째, **민·관의 역량을 결집**하여 정부 **출범 3년 이내**에 범정부적인 **디지털플랫폼정부의 틀을 완성**

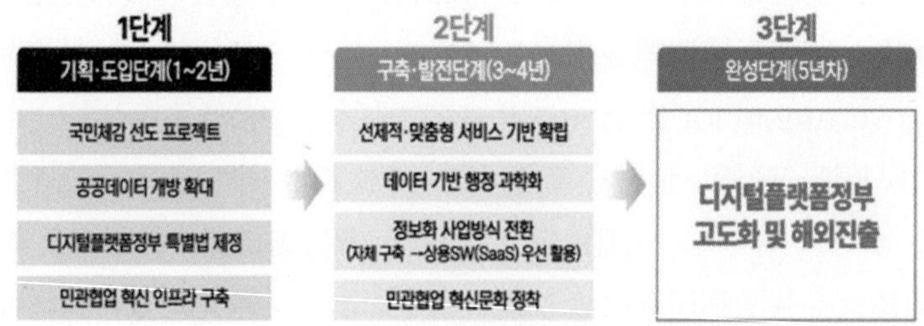

출처: 고진 제20대 대통령직인수위 디지털플랫폼정부 태스크포스(TF) 팀장

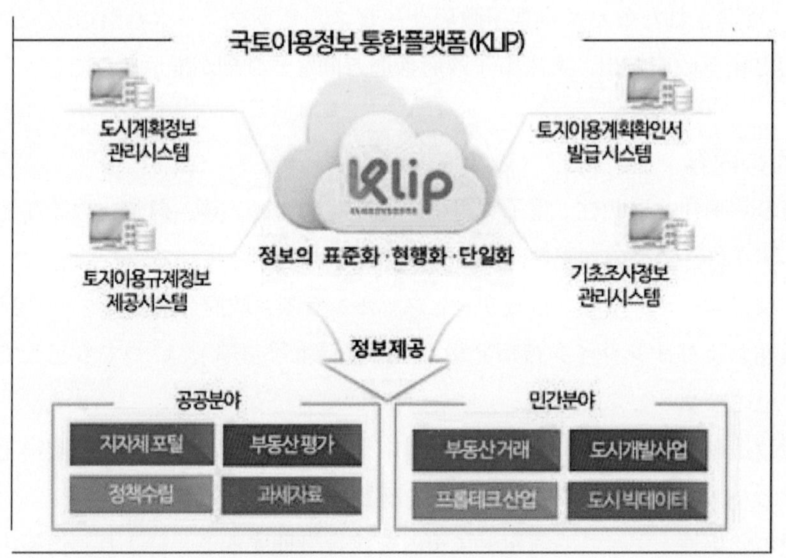

국토 이용 정보 통합플랫폼 国土利用情報統合プラットフォーム

출처 : 국토교통부

3) 전자정부법이란

행정업무의 전자적 처리를 위한 기본원칙, 절차 및 추진 방법 등을 규정함으로써 전자정부를 효율적으로 구현하고, 행정의 생산성 투명성 및 민주성을 높여 국민 삶의 질을 향상하는 것을 목적으로 (전자정부법 제1조) 명시하고 있다.

- 政府ポータルサービス集：行政機関ポータルサービスを分野別に案内、各省庁別子供サイト案内
- 国土利用情報統合サービス：国土交通部で都市計画情報、土地の利用等様々なシステムで分散・運営してきた国土利用情報を2023年よりひとつに統合し、迅速かつ正確な情報を提供(国土利用情報統合プラットフォーム、KLIP)

3) 電子政府法とは

行政事務の電子的処理のための基本原則、手続及び推進方法等を規定することにより、電子政府を効率的に具現し、行政の生産性透明性及び民主性を高め、国民の生活の質を向上させることを目的として（電子政府法第１条）明示している。

韓国のデジタルプラットフォームを調べるコンテンツを楽しみましょう
한국의 전자정부를 배울 수 있는 서비스

デジタルプラットフォーム政府委員会 디지털플랫폼정부위원회 https://dpg.go.kr/	国土交通部国土地理情報院 국토교통부 국토지리정보원 https://www.ngii.go.kr/kor/content.do?sq=237	UN E-Government Survey 2022UN E-Government Survey 2022 https://publicadministration.un.org/egovkb/en-us/Reports/UN-E-Government-Survey-2022

考えて話してみましょう。
생각하고 이야기해 봅시다.

1. 各国の電子情報システムについて議論してみよう。
   각국의 전자정보 시스템에 대해 논의해 보자.

2. 国民が必要な多様な空間情報を簡単かつ便利に利用できるようにするためには、どんなサービスが必要なのか考えてみよう。
   국민들이 필요한 다양한 공간정보를 쉽고 편리하게 이용할 수 있도록 하기 위해서는 어떤 서비스들이 필요한지 생각해 보자.

3. デジタルプラットフォームとは何でしょうか？
   디지털 플랫폼이란 무엇일까요?

参考サイトおよび参考文献
참고 사이트 및 참고 문헌

★ UN E-Government Survey 2022 The Future of Digital Government : Web version E-Government 2022.pdf (un.org)

★ 전자정부법: https://www.law.go.kr/%EB%B2%95%EB%A0%B9/%EC%A0%84%EC%9E%90%EC%A0%95%EB%B6%80%EB%B2%95

★ 電子政府 2020 基本計画 전자정부 2020 기본계획: https://blog.naver.com/bbkbj/221705668599

★ 大韓民国行政安全部報道資料「大韓民国電子政府50年史発刊 대한민국 행정안전부 보도 자료 "대한민국 전자정부50년사 발간"2017.10.18 : https://www.mois.go.kr/frt/bbs/type010/commonSelectBoardArticle.do?bbsId=BBSMSTR_000000000008&nttId=60015

2

읽으면서 알아보자

読みながら調べてみよう

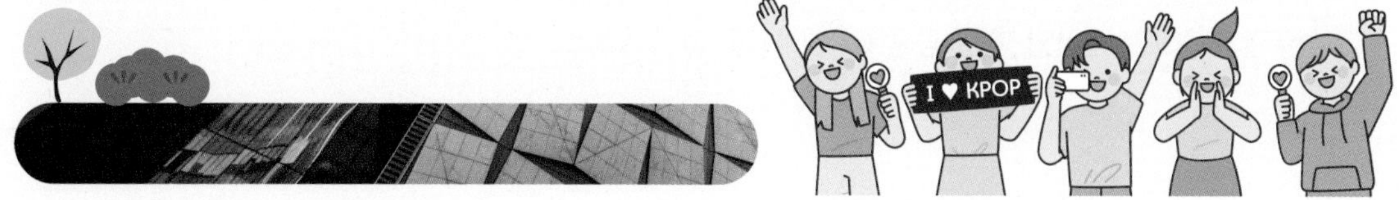

05 한글 (Hangeul) 문화 : 유네스코 기록 유산으로 지정된 한글 창제 원리가 담긴 "훈민정음해례본"

1997년 10월 1일 유네스코에서 대한민국의 국보 70호인 "훈민정음해례본"을 세계기록유산으로 지정하였다. 세계 유일의 음운학적 문자 창제 원리가 기록된 가치를 인정하였기 때문이다. "훈민정음해례본"은 세종대왕이 "한글"을 만든 이유와 한글의 사용법을 설명한 글이다. 이처럼 문자 탄생의 역사가 유일하게 기록으로 남아 있는 독창적인 한글에 대해 알아보자.

1 한글(Hangeul)은 창제 문자이다.

한글은 조선 전기 제4대 세종대왕이 훈민정음이라는 이름으로 창제하여 반포한 한국 고유 문자의 이름이다. 조선시대까지는 "한자"를 빌려 문자로 사용하였으나 실제 사람들이 사용하는 언어는 달랐다. 한자를 빌려서 사용했기 때문에 한국인의 정서를 담아 표현하고 소통하고 기록하기도 어려웠다. 이러한 문제의식에서 세종대왕과 집현전 학자들이 발성 기관의 모양을 본뜬 자음과, 천지인(天地人)의 모양을 본뜬 모음을 만들고 그 문자를 조합하여 말할 수 있도록 만든 것으로 만든 사람과 창제일(1443년)과 반포일(1446년), 그리고 글자를 만든 원리까지 알고 있는 세계에서 유래가 없는 독창적인 창제 문자이다.

세종대왕이 만들 당시에는 "훈민정음(訓民正音)", "백성을 가르치는 바른 소리"라는 이름으로 불렀으나 실제로는 언문(言文)이라는 표현도 많이 쓰였다. 실제 한글이라고 부르게 된 것은 1908년 주시경(周時經)을 중심으로 활동하던 '국어연구학회'에서 1913년 4월 "한글모"로 고치고 이후 1927년 "한글"이라는 동인지를 통해 널리 쓰기에 되었다. "한글"의 "한"은 "위대한", "글"은 "문자"의 의미가 있다.

2 한국인의 한글 사랑, 한글날, 한글과 컴퓨터, 한국어 말하기 대회까지

한국인은 한국 문화에서 가장 사랑하는 유산으로 "한글"을 꼽는다. 한국인의 한글 사랑은 가장 존경하는 인물로 "세종대왕"을 말하는 사람들의 의견에서도. 그리고 국경일로 지정된 "한글날"에서도, 그리고 한글만의 소프트웨어인 "한글과 컴퓨터"에서도 볼 수 있다.

ハングル (Hangeul) 文化：ユネスコ記録遺産に指定されたハングル創製原理が盛り込まれた「訓民正音解例本」

1997年10月1日、ユネスコが大韓民国の国宝70号である「訓民正音解例本」を世界記憶遺産に指定した。世界唯一の音韻学的文字創製原理が記録された価値を認めたためである。「訓民正音解例本」は世宗大王が「ハングル」を作った理由とハングルの使い方を説明した文で、このように文字の誕生史が唯一記録として残されている独創的なハングルについて調べてみよう。

1 ハングル（Hangeul）は創製文字である。

ハングルは朝鮮前期の第4代世宗大王が訓民正音という名前で創製して頒布した韓国固有文字の名前だ。朝鮮時代までは「漢字」を借りて文字として使用したが、実際の人々が使う言語は違った。漢字を借りて使ったため、韓国人の情緒を込めて表現し、疎通し、記録することも難しかった。このような問題意識から世宗大王と集賢殿の学者たちが発声器官の形を模した子音と天地人の形を模した母音を作り、その文字を組み合わせて話せるように作った人と創製日 (1443年) と頒布日 (1446年)、そして文字を作った原理まで知っている世界に由来しない独創的な創製文字だ。

Hangul
/korean alphabet/

consonants

ㄱ g/k	ㄴ n	ㄷ d/t	ㄹ r/l	ㅁ m	ㅂ b/p	ㅅ s/t
ㅇ ng	ㅈ j/t	ㄲ kk/k	ㄸ tt	ㅃ pp	ㅆ ss/t	ㅉ jj
ㅋ k/k	ㅌ t/t	ㅍ p/p	ㅊ ch/t	ㅎ h		

vowels

ㅏ a	ㅑ ya	ㅓ eo	ㅕ yeo	ㅗ o	ㅛ yo	ㅜ u
ㅠ yu	ㅡ eu	ㅣ i	ㅐ ae	ㅒ yae	ㅔ e	ㅖ ye
ㅚ oe	ㅟ wi	ㅢ ui	ㅘ wa	ㅝ wo	ㅙ wae	ㅞ we

ハングルの子音と母音
한글의 자음과 모음

世宗大王が作った当時は「訓民正音」「民を教える正しい音」という名前で呼ばれたが、実際には諺文という表現も多く使われた。実際、ハングルと呼ぶようになったのは1908年周時經を中心に活動していた「国語研究学会」で1913年4月「ハングル母」に改め、以後1927年「ハングル」という同人誌を通じて広く書かれた。「ハングル」の「はん」は偉大なる「グル」は文字という意味である。

● **한글날** : 한국의 한글날은 10월 9일이며 국경일로 지정되어 있다. 1945년 광복 이후 음력이던 한글날을 양력으로 지정하고 창제 500주년인 1946년부터 한글날을 지켜오고 있다. 한글날에는 기념식뿐만 아니라 한글의 아름다움과 독창성을 담은 많은 이벤트들과 방송 프로그램 등이 제작되어 온 국민이 함께 참여하며 즐긴다.

● **한글과 컴퓨터** : 전 세계적으로 가장 많이 쓰이는 문서 작성 프로그램은 "마이크로소프트"의 Word 프로그램이 아닐까? 물론 한국에서도 MS의 다양한 소프트웨어를 사용하지만, 한글 사용이 최적화되어 있는 "한글과 컴퓨터"의 "한컴오피스" 프로그램이 있다. 이 프로그램은 서울대 컴퓨터연구회에서 최초로 만들어진 한글 소프트웨어" 아래아한글(한/글)"을 근간으로 만들어진 프로그램이다. 1998년 마이크로소프트사가 이 프로그램을 만든 "한글과 컴퓨터"에 자금지원을 약속하고 프로그램 개발을 중지하기로 계약까지 하였으나 이 소식을 들은 한국인들은 "한글 지키기 운동본부"를 만들고 이에 "한글과 컴퓨터"는 마이크로소프트사와의 계약을 파기하게 된다. 이후부터 지금까지 한국에서는 MS사의 사무용 프로그램과 함께 여전히 사용되고 있는 프로그램이다. 특히 국가 기관의 경우 본 프로그램으로 사용이 지정되어 있어 국민이 함께 지켜가고 있는 프로그램일 정도로 "한글"에 대한 애정이 깊다고 할 수 있다.

韓国のキーボード 한국의 키보드

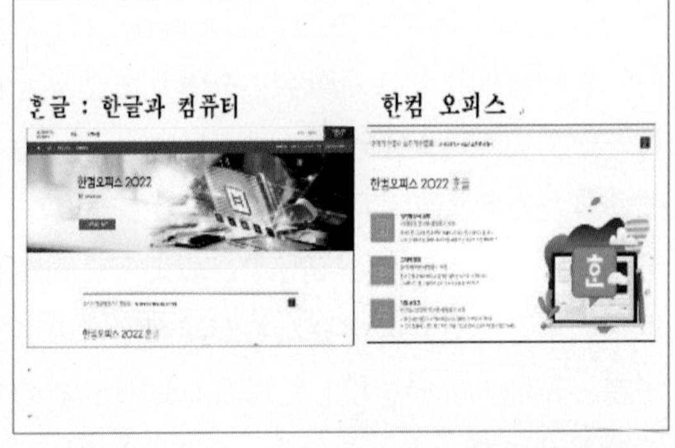

ハンコムオフィスキャプチャー 한컴 오피스 캡처(직접 캡처)

● **한국어 말하기 대회** : 외국인들에게 좀 더 한국어를 알리기 위해서, 그리고 해외에 있는 한국인들에게 한국인으로서의 정체성을 가질 수 있도록 하기 위한 활동으로 대한민국의 각국 영사관과 한글학교가 말하기 대회를 연다. 국내에서 거주하고 있는 외국인이 참가하는 대회도 있을 뿐 아니라 해외 각국에서 말하기 대회가 진행된다. 일본에서도 "주일본 대한민국대사관"이 개최하는 "한국어 말하기 대회 (「話してみよう韓国語」 2022~23、全国7都市)"가 열린다. K-POP, 그리고 한국의 드라마 등의 콘텐츠와 만화 등을 직접 즐기기 위해 한국어를 공부하는 사람들이 늘어나는 만큼, 대회 참가자들의 한국어 말하기 실력은 한국인 못지않으며 그 모습들에 오히려 한국인들이 감동하기도 한다.

2 韓国人のハングル愛、ハングルの日、ハングルとコンピュータ、韓国語スピーチ大会まで

韓国人は韓国文化で最も愛する遺産として「ハングル」を挙げる。韓国人のハングル愛は最も尊敬する人物で、"世宗大王"を語る人々の意見からも、祝日に指定された「ハングルの日」でも、そしてハングルだけのソフトウェアである「ハングルとコンピュータ」でも見られる。

● **ハングルの日：**韓国のハングルの日は「10月9日を祝日」と指定している。1945年以後、旧暦だったハングルの日を太陽暦に指定し、創製500周年である1946年からハングルの日を守ってきた。ハングルの日には記念式だけでなくハングルの美しさと独創性を盛り込んだ多くのイベントと放送プログラムなどが製作され、全国民が共に参加して楽しむ。

ハングルの日のポスター
한글날 포스터

● **ハングルとコンピュータ：**世界的に最も多く使われる文書作成プログラムは「マイクロソフト」のWordプログラムではないか。

もちろん韓国でもMSの多様なソフトウェアを使用するが、ハングル使用が最適化されている「ハングルとコンピュータ」の「ハンコムオフィス」プログラムがある。このプログラムは、ソウル大学コンピュータ研究会で初めて作られたハングルソフトウェア「アレハハングル（ハングル）」を根幹に作られたプログラムである。1998年、マイクロソフト社が同プログラムを作った「ハングルとコンピュータ」に資金支援を約束し、プログラム開発を中止する契約までしたが、このニュースを聞いた韓国人たちは「ハングル守り運動本部」を作り、これに対し「ハングルとコンピュータ」はマイクロソフト社との契約を破棄することになる。それ以来ずっと今まで韓国ではMS社のオフィスプログラムと共に使われているプログラムである。特に国家機関の場合、本プログラムとして使用が指定されており、国民が共に守っているプログラムであるほど「ハングル」に対する愛情が深いと言える。

한글의 위대함은 “유연함” 이다.

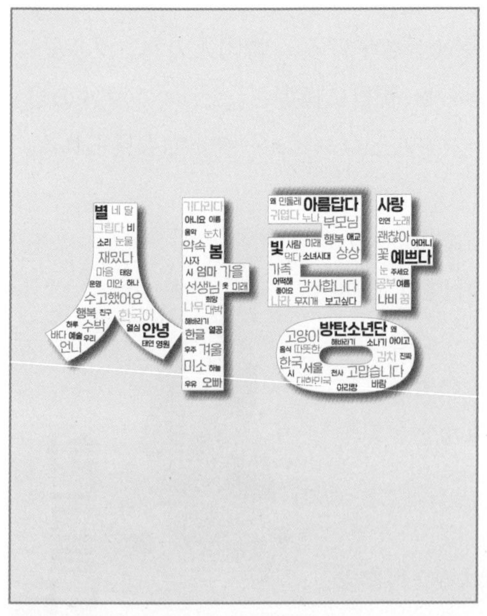

韓国の朝鮮日報(조선일보)の「全世界60カ国180ヶ所世宗学堂の学生1228人に最も美しいと思う韓国語単語」の調査結果を参考にデザイン
조선일보의 "전 세계 60개국 180개 세종학당 학생 1228명에게 가장 아름다운 한국어 단어" 조사 결과를 참고하여 디자인
https://www.chosun.com/site/data/html_dir/2019/10/09/2019100900301.html

가끔 한글날이 되면 “신조어”와 “외래어”의 무분별한 사용에 대한 문제점을 지적하며 아름답게 사용해야 한다면서 한글 사랑을 강조하는 사람들을 볼 수 있다. 그러나 사실 한글은 만들어진 지 580여 년이 지났지만 새로운 말들을 여전히 한글로 표기하고 발음하는 것이 전혀 이상하지 않은 문자이다. 이러한 유연성이 바로 한국어가 가지고 있는 가능성이라고 볼 수 있다. 발음하는 기관을 본떠 만든 글자이므로 변화하는 언어에도 유연하게 대응할 수 있는 것이 한국어의 특징이다. 만들어진 원리가 과학적이고 체계적이므로 변화에 유연하게 대응할 수 있는 것은 마치 한국인이 정서적으로도 기술적으로도 변화에 빠르게 대응하고 도전하는 삶의 모습을 그대로 담고 있을 뿐 아니라 가장 중요한 역할을 하는 것은 아닐까?

전 세계 곳곳에서 진행되고 있는 한국어 Boom

한국어 관련 교과서가 가장 많이 만들어지는 국가는 “일본”이다. 옆 나라이기도 하고 문화적 역사적인 교류가 활발했던 이유로 많은 사람이 공부하고 있다. 한국 콘텐츠를 좋아하는 세계인들이 점점 많아짐에 따라 한글, 한국어를 배울 수 있는 곳이 점점 많아지고 공부할 방법도 다양해지고 있다. 일본은 1984년 NHK 교육 텔레비전과 제2라디오 방송을 시작으로 방송국에서 한국어를 가르치기 시작하였다. 이후 2008년부터 TV와 라디오가 분리되고 방송뿐 아니라 다양한 한국어 학원이 만들어졌다. 이 외에도 대한민국에서 한국어를 배우는 전 세계 사용자들이 이용할 수 있게 해주는 “세종학당”이라는 서비스가 있다. 한국에 입국하여 직접 한국어를 배울 수 있는 교육기관이기도 하며 전 세계의 한국어 교육을 위한 다양한 지원과 시스템을 관리하는 기관이기도 하다.

현재 “온라인 세종학당”이라는 서비스 안에서는 누구나 무료로 좋은 프로그램을 통해 한국어를 배울 수 있다. 특히 최근 만들어진 “메타버스 세종학당((http://ksif.zep.site)”은 온라인 공간에서 “캠퍼스 공간”과 “마을 공간”으로 구성되어 직접 생활 체험까지 할 수 있는 서비스로 만들어져 있다. 수업안에서 다양한 게임 콘텐츠도 제공하여 더욱 즐겁게 한국어를 공부할 수 있는 공간으로 발전시켜 나갈 것으로 보인다.

韓国文化院 한국문화원
https://www.koreanculture.jp/info_news_view.php?number=7226&cate=12

● **韓国語スピーキングコンテスト：** 外国人にもっと韓国語の広宜周知を図り、海外にいる韓国人に韓国人としてのアイデンティティを持たせるための活動で、韓国各国領事館とハングル学校が開催している。国内に居住している外国人だけでなく、在外各国でスピーキングコンテストが行われる。日本でも「駐日本大韓民国大使館」が開催する「韓国語スピーチコンテスト (「話してみよう韓国語」2022~23 全県 7 都市")」が開かれる。K-POP や韓国のドラマなどのコンテンツや漫画などを直接楽しむために、韓国語を勉強する人が増えているだけに、コンテスト参加者の韓国語スピーキング能力は韓国人に劣らず、その姿にむしろ感動を覚えることもある。

3 ハングルの偉大さは「柔軟さ」である。

ハングルの日になると「新造語」と「外来語」の部門別な使用に対する問題点を指摘し、美しく使わなければならないとし、ハングル愛を強調する人々に出会うことがある。しかし、ハングルは作られて 580 年余りが経ったが、新しい言葉をハングルで表記して発音しても違和感がない。この柔軟性がまさに韓国語が持っている可能性だと言える。発音する器官を模して作った文字なので、変化する言語にも柔軟に対応できるのである。作られた原理が科学的で体系的なので、変化に柔軟に対応できるのだ。これは韓国人が、情緒的にも技術的にも変化に素早く対応し挑戦する国民性を表していると言える。

4 世界各地で広がりを見せる韓国語 Boom

韓国語関連教科書が最も多く作られる国は「日本」である。隣の国でもあり、文化的・歴史的な交流が活発だった理由で多くの人が勉強している。韓国コンテンツが好きな世界の人々が増加し、ハングル、韓国語を学べる機会も多くなり、勉強できる方法も多様化している。日本は 1984 年 NHK 教育テレビと第 2 ラジオ放送を皮切りに、放送局で韓国語を教え始めた。その後、2008 年からテレビとラジオが分離され、放送されている。また多くの韓国語学院が作られた。その他にも韓国で韓国語を学ぶ全世界のユーザーのために進めている「世宗学堂」というサービスがある。韓国に入国して直接韓国語を学ぶことができる教育機関でもあり、全世界の韓国語教育のための多様な支援とシステムを管理している機関でもある。現在「オンライン世宗学堂」というサービスでは、誰でも無料でプログラムを通じて韓国語を学ぶことができる。特に最近作られた「メタバス世宗学堂 (http://ksif.zep.site)」はオンライン空間で「キャンパス空間」と「村空間」で構成され、直接生活体験までできるサービスとして作られている。授業の中で多様なゲームコンテンツも提供し、より楽しく韓国語を勉強できる空間に発展している。

ハングルと韓国語を学べるサービス
한글과 한국어를 배울 수 있는 서비스

世宗学堂 (オンライン世宗学堂) 세종학당 (온라인세종학당) https://www.iksi.or.kr/lms/main/main.do	NHK 韓国語講座 NHK한국어 강좌 https://www.nhk.or.jp/gogaku/hangeul/	メタバス世宗学堂 메타버스 세종학당 http://ksif.zep.site

1 **世宗学堂 :** インターネット上でよく作られた教育プログラムで、一人でも勉強できるサービス
세종학당 : 인터넷상에서 잘 만들어진 교육 프로그램으로 혼자서도 공부할 수 있는 서비스

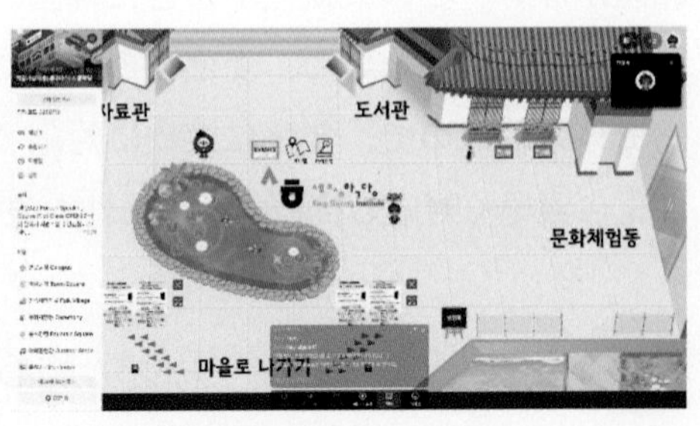

메타버스 세종학당 https://zep.us/@ksif

2 **NHK 韓国語講座 :** 毎週放送されている 40 年の歴史を持つ韓国語番組
NHK 한국어 강좌 : 매주 방송되는 40년 역사의 한국어 프로그램

3 **メタバス世宗学堂 :** ゲームのようにサイバー空間で楽しみながら勉強できる空間
메타버스 세종학당 : 게임처럼 사이버 공간에서 즐기면서 공부할 수 있는 공간

ハングルに関する文化コンテンツを通じて、様々なハングルの話を聞いてみてください。
한글에 관한 문화 콘텐츠를 통해 다양한 한글 이야기를 들어보세요.

映画「わが国の語音」 영화 "나랏말싸미"	映画「マルモイ ことばあつめ」 영화 "말모이"	映画「世宗大王 星を追う者たち」 영화 "천문"

著作権およびサービスのアップデートによるURL変更などの理由によりQRコードを提供することができません。韓国語または日本語のタイトルで直接検索して楽しんでみてください。
저작권 및 서비스 업데이트로 인한 URL 변경 등의 이유로 QR 코드를 제공할 수 없습니다. 한국어 또는 일본어 제목으로 직접 검색하여 즐겨보세요.

ハングルを見て感じることができる博物館や施設をご紹介します。
한글을 보고 느낄 수 있는 박물관과 시설을 소개합니다.

国立ハングル博物館 국립한글박물관 https://www.hangeul.go.kr/	世宗文化会館 세종문화회관 https://www.sejongpac.or.kr	デジタルハングル博物館 디지털한글박물관 https://archives.hangeul.go.kr/

1 **国立ハングル博物館 :** ハングルに関する資料を収集・展示・研究する機関で、様々なイベントが行われており、ハングルとハングル文化の価値を伝えている。ハングル関連の展示だけでなく、様々な体験イベントもある。
국립 한글 박물관 : 한글과 관련된 자료를 수집, 전시, 연구하는 기관으로 다양한 행사를 진행하고 있으며 한글과 한글문화의 가치를 알리고 있다. 한글 관련 전시뿐 아니라 다양한 체험 행사도 있다.

2 **世宗文化会館 :** 世宗大王の名前を活用したソウルを代表する文化芸術機関。芸術が享有される空間で、光化門に位置する。世宗文化会館の中に「世宗物語」展示館がある。
세종문화회관 : 세종대왕의 이름을 활용한 서울의 대표적인 문화예술 기관. 예술이 향유되는 공간으로 광화문에 위치함. 세종문화회관 안에 "세종이야기"전시관이 있다.

3 **デジタルハングル博物館 :** 国立ハングル博物館が収集した資料をハングル関連アーカイブにして提供するオンライン博物館。博物館の所蔵品などをオンラインで見ることができる。
디지털 한글박물관 : 국립 한글 박물관이 수집한 자료들을 한글 관련 아카이브로 만들어서 제공되는 온라인 박물관. 박물관 소장품 등을 온라인에서 볼 수 있음

考えて話してみましょう。
생각하고 이야기해 봅시다.

1 日本の文字と韓国語の「ハングル」の違いと同じ点は何ですか？
일본의 문자와 한국어의 "한글"의 다른 점과 같은 점은 어떤 것이 있습니까?

2 知っている、もしくは好きな韓国語の単語の意味と理由を話してみましょう。
알고 있거나 좋아하는 한국어 단어가 있다면 말하고 의미와 이유를 이야기해 봅시다.

3 オンライン世宗学堂または「メタバス世宗学堂」にアクセスし、直接体験してみて感想を話してみましょう。
온라인 세종학당 또는 "메타버스 세종학당"에 접속하여 직접 체험해 보고 소감을 말해 봅시다.

参考サイトおよび参考文献
참고 사이트 및 참고 문헌

★ [ネイバー知識百科]ハングル(韓国民族文化大百科、韓国学中央研究院)「ハングル」[네이버지식백과] 한글 (한국민족문화대백과, 한국학중앙연구원) "한글" : https://terms.naver.com/entry.naver?docId=795707&cid=46674&categoryId=46674

★ 国立ハングル博物館 국립한글박물관 : https://www.hangeul.go.kr/

★ 世宗文化会館 세종문화회관 : https://www.sejongpac.or.kr/portal/main/main.do

★ 世宗学堂財団 세종학당재단 : https://www.ksif.or.kr/intro.do

★ オンライン世宗学堂 온라인 세종학당 : https://www.iksi.or.kr/lms/main/main.do

★ メタバス世宗学堂 메타버스 세종학당 : http://ksif.zep.site

★ 韓国文化院 한국문화원 : https://www.koreanculture.jp/search_news_view.php?-cate=12&page=1&number=7226&keyfield=&keyfield1=&key=

06 여러분 '먹방', '치맥'이 어떤 의미인지 아시나요?

이 두 개의 단어는 다른 26개의 단어와 함께 2021년 옥스퍼드 영어 사전에 등록된 한국어 단어이다. 함께 등록된 김밥, 불고기, 누나, 언니 등의 예전부터 썼던 단어가 아니고 새로운 문화와 사회를 담은 "신조어"이다. 언어는 끊임없이 생성되고 변화하며 없어진다. 한국어는 이런 변화에 유연한 장점을 가지고 있는 언어이기 때문에 한국인은 끊임없는 "언어의 유희"를 즐기며 항상 새로운 말들을 만들어 낸다.

신조어란 한국의 "국어학 대사전"에 따르면 '새로운 언어사회에 나타난, 또는 기존의 사물이나 의미를 새롭게 표현하고, 또는 그 말의 자연스러운 변화, 말하기 힘든, 상식을 넘어 새로운 의미를 줘서 사회에 의해서 인정된 말로서 새롭게 출현한 단어를 말한다. 유행어의 경우도 신조어의 일종으로 어떤 사건을 계기로 생겨난 것이 많으므로 현재의 시대상을 생생하게 반영하기 때문에 한국어 또는 한국문화 교육에서 중요한 것이다. 특히 시대상을 비판하거나 마음을 끌도록 하기 위해 형식 면에서도 새로운 표현을 쓰고 반복적인 접두어를 사용하여 폭넓은 의미로 사용하기도 한다.

 신조어의 특징

다양한 학자들이 정리한 신조어의 특징을 요약해 보면,

첫 번째 특징으로, 신조어는 그 시대의 문화 사회를 반영한다. 2023년에 유행한 "억텐"이라는 단어는 "텐션을 끌어 올리다"라는 많이 쓰는 표현에서 확장한 표현으로 "억지 텐션"이란 표현의 약어로 상대방의 말이나 행동에 맞추기 위해 과장되게 행동하는 불편한 마음을 표현하는 단어이다. 이처럼 사회적 관계 속에서 반응을 맞추어 보여야만 하는 사회생활의 단면을 보여주고 있다.

두 번째 특징은 생성, 소멸 속도가 빠르다. 농담처럼 그 세대에 유행했던 신조어를 말하면서 연령대를 짐작하는 게임 등이 있을 정도로 신조어는 빠르게 생성되고 소멸한다. 하지만 "먹방"과 같이 연령과 세대에 상관없이 사용하면서 새로운 단어로 정착하기도 한다.

세 번째 특징은 신조어는 단어가 축약되거나 합성되거나 또는 외래어를 활용하여 만들어지는 경우도 많으므로 언어를 공부하는 사람들에게 많은 도움이 된다. 실제로 새로운 단어를 공부하면서 한국의 문화와 시대의 특징, 그리고 세대별 생각을 알 수 있어서 이 부분만으로도 한국어 학습자에게 정말 매력적인 콘텐츠가 된다.

皆さん「モッパン」、「チメク」がどんな意味なのかご存知ですか？

この二つの単語は、他の26の単語と共に2021年オックスフォード英語辞典に登録された韓国語単語だ。一緒に登録された김밥（キムパプ）、불고기（プルコギ）、누나（姉、ヌナ）언니`（姉、オンニ）などの以前からｓ使われていた単語ではなく、新しい文化と社会を盛り込んだ「新造語」だ。言語は絶えず生成され、変化し、消滅する。韓国語はこのような変化に柔軟な長所を持っている言語であるため、韓国人は絶え間ない「言語あそび」」を楽しみながら常に新しい言葉を作り出す。

新造語とは、韓国の「国語学大辞典」によると、「新しい言語社会に現れた、または既存の事物や意味を新しく表現し、またはその言葉の自然な変化とは言い難い常識を越えて新しい意味が与えられ、社会によって認められた言葉として新たに出現したであろう言葉を新造語」と言う。流行語の場合も新造語の一種で、様々な事件をきっかけに生まれたものが多く、現在の時代像を生々しく反映しているため、韓国語または韓国文化教育において重要な言葉だ。特に時代像を批判したり、興味をひくために形式面でも新しい表現を使い、反復的な接頭語を使って幅広い意味で使うこともある。

1 新造語の特徴

様々な学者がまとめた新造語の特徴を要約してみると次のようである。

一番目の特徴は、その時代の文化社会を反映している言葉であることだ。2023年に流行する 억텐（オクテン）という単語は「テンションを引き上げる」というよく使われる表現から拡張した表現で「無理やりテンション」という意味の略語で相手の言葉や行動に合わせるために誇張して行動する不便な気持ちを表現する単語だ。このように人間関係の中で相手に反応を合わせてなければならない社会生活の断面を示している。

2番目の特徴は、生成、消滅速度が速い。冗談のようにその世代で流行した新造語を話しながら年齢帯を推測するゲームがあるほど新造語は早く生成され消滅する。しかし、「モッパン」のように年齢と世代に関係なく使いながら新しい単語として定着することもある。

3番目の特徴は、新造語は単語が縮約されたり合成されたり、外来語を活用して作られる

많이 사용되는 신조어의 종류

1) 줄임말 신조어 : 주로 핸드폰이나 SNS 등을 통해 소통하면서 단어를 줄여서 간단히 쓰는 경우가 많다.

* 세젤예 : 세상에서 제일 예쁜
* 먹방 : 먹는 방송
* 치맥 : 치킨과 맥주
* 자만추 : 자연스러운 만남 추구
* 중꺾마 : 중요한 것은 꺾이지 않는 마음 (2022년 월드컵 유명 문구)

2) 외래어 유형 : 한자나 영어와 복합하여 만든 단어

* 콩글리시 : Korea & English의 합성어
* K드라마 : Korea & Drama의 합성어
* 펫코노미 : Pet + Economy

3) 파생어 : 기존에 있는 단어와 접두사, 접미사 등으로 연결한 단어

* 주린이 : 주식 + 어린이 ➜ 주식 초보자를 의미함
* 개이득 : 개(정도가 심한) + 이득 ➜ "이득이 많다"를 의미함
* 득템 : 득(得 한자어) + Item ➜ "좋은 아이템을 얻었다"를 의미함

4) 비유형 신조어 :

* 고구마 같다 : 상황이나 인물의 성격이 답답하다.
* 사이다 : 고구마와 반대로 시원하게 뻥 뚫리는 상황이나 인물을 표현한다.

5) 복합형 신조어 : 단어를 합치거나 본래 의미와 다르게 쓰는 신조어

* 성지 순례 : 원래는 종교적인 의미의 단어이지만 최근 유명작품의 배경이나 콘텐츠와 관련된 장소를 탐방하는 단어로 쓰인다.
* 소울 푸드(Soul Food) : 원래 흑인들의 영혼을 달래주는 음식의 의미였으나 모든 인류 집단과 개인을 달래주는 음식이라는 뜻으로 확장되었다.
* 갓생 : 신 "God"와 인생 생(生)의 합성어로 작은 목표를 설정하고 달성한 하루. 현재에 집중하는 세대의 특징을 담고 있다.
* 워라벨 : Work and Life Balance의 의미, 일과 개인의 생활이 조화롭게 균형을 유지하는 것을 말한다.

場合も多いので、言語を勉強する人々に大いに役立つ。実際に新しい単語を勉強しながら韓国の文化と時代の特徴、そして世代別の考えを知ることができ、この部分だけでも韓国語学習者にとって本当に魅力的なコンテンツになる。

2 多用される新造語の種類

1) 略語新造語 : 主に携帯電話や SNS などを通じて疎通しながら単語を減らして簡単にして使う場合が多い。

* セジェルイェ :「世界で一番きれいな」
* モッパン : 食べる放送
* チメク : チキンとビール
* ジャマンチュ : 自然な出会いを追求
* ジュンコクマ : 重要なのは曲がらない心 (2022 年ワールドカップ有名フレーズ)

2) 外来語のタイプ : 漢字や英語と複合して作った単語、

* コングリッシュ : Korea & English の合成語
* K ドラマ : Korea & Drama の合成語
* ペットエコノミー : Pet + Economy

3) 派生語 : 既存の単語と接頭辞、接尾辞などで連結した単語

* ジュリン : 株 + 子ども→株初心者を意味する。
* ケイドゥッ :「개 (ケ)」と「利益」の漢字語「이득 (イドゥッ)」を合わせて「とても利益を得た」という意味を表す若者言葉です。「개」は「超」のような意味合いです。
* ゲット : 得 (得漢字語)+Item → 良いアイテムを得たことを意味する

4) 比喩型新造語 :

* サツマイモみたい : 状況や人物の性格がもどかしい。
* サイダー : サツマイモとは逆にすっきりとした状況や人物を表現する。

5) 複合型新造語 : 単語を合ったり、本来の意味と違って使う新造語

* 聖地巡礼 : 本来は宗教的な意味の単語だが、最近有名作品の背景やコンテンツと関連した場所を探訪する単語として使われている。
* ソウルフード (Soul Food): もともと黒人の伝統的食べ物の意味だったが、今では誰からも「ソウル (心、魂) を慰める食べ物」という意味でよく呼ばれている。

6) 소리 나는 대로 적는 신조어

* 추카추카 : “축하 축하”를 소리나는 대로 적은 말
* 레알 : 영어 “Real”을 한국어식으로 읽은 단어. “진짜”의 의미를 가진다.
* 도른자 : 돌은 자(者)의 의미. 머리가 돌아서 미친 사람이라는 의미. 약간 이상한 행동을 하지만 어떤 것에 미쳐 있을 만큼 집중해 있다는 의미로도 쓰임

7) 비속어와 혐오를 표현하는 신조어

* ~ 충 : 명사 + 충(蟲) 벌레를 의미하는 “충”을 합성하여 혐오하는 표현으로 사용.
  예) 급식충(학교 급식 먹는 초등학생), 맘충(이기적인 엄마를 비유)
* 틀딱 : 틀니를 사용하는 노인을 비하하는 말

8) 사회현상을 나타내는 신조어

* N포 세대 : 취업, 결혼 등 힘든 사회를 살고 있어서 하나, 두 개가 아니라 N개를 포기하는 세대라는 의미로 사용.
* 혼OO : 혼자의 “혼”이 붙어서 무엇인가를 혼자 하는 것을 말함
  예) 혼밥, 혼술 등
* K OOO : Korea의 “K”를 붙여 노래(POP), 드라마(Drama), 스타일(style) 등 한국적으로 어떤 것을 의미하는 접두사로 사용

3 함께 만들고 모두 누리는 “우리말샘”

국립국어원에서 제공하는 <표준국어대사전>에서는 한국어의 표준 단어들을 검색하고 확인할 수 있다. 하지만 유행어로 시작되는 신조어의 경우는 사전이 등재되기 전에는 <표준국어대사전>에서는 볼 수 없다. 이러한 단어들은 개방형 한국어 지식 대사전인 “우리말샘”을 통해 확인할 수 있다. 아직 표준어로 등록되지는 않았지만, 많이 사용하고 있는 우리말을 지속해 업데이트하며 일반인의 참여 의견을 받는 코너도 있다. 특히 “완성해 주세요”라는 코너를 통해 누구나 직접 “우리말샘”에 단어를 등록하고 직접 풀이하거나 다른 사람이 완성하도록 입력해 둘 수 있다. 이후 전문가들의 감수를 통

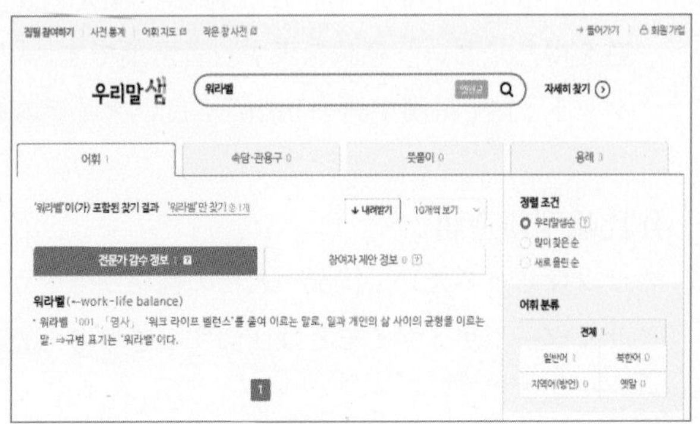

https://opendict.korean.go.kr/main

* カッサン:新「God」と人生の生の合成語:小さな目標を設定して達成した一日。現在に集中する世代の特徴を含んでいる。
* ウォーラベル :Work and Life Balance の意味、仕事と個人の生活が調和してバランスを保つことをいう。

6) 音のままに書く新造語

* チュカチュカ :”おめでとう”を音の通りに書いた言葉
* レアル : 英語の”Real”を韓国語風に読んだ単語。「本物」の意味を持つ。
* ドルンジャ : 狂った人の意味。「おかしな人」の意味。少し変な行動をするが、何かに狂っているほど集中しているという意味でも使われる。

7) 卑俗語と嫌悪を表現する新造語

* ～虫 (チュン): 名詞 + 虫を意味する”虫”を合成して嫌悪する表現として使用。
  例）給食虫（学校給食を食べる小学生)。マム虫（利己的な母を例える）
* トゥルタク : 入れ歯 + カチカチの合成語で入れ歯を使うお年寄りを卑下する言葉

8) 社会現象を表す新造語

* N ポ世代 : 就職、結婚など大変な社会を生きているので、一つや二つではなく N 個を諦める世代という意味で使用。
* ホン OO : 一人の”ホン”がついて何かを一人ですることを言う
  例）ホンパプ、ホンスルなど
* K OOO : Korea の”K”をつけて歌 (K-POP)、ドラマ (Drama)、スタイル (style) など韓国的なあることを意味する接頭辞として使用

해 내용을 등록하고 관리한다. 이처럼 한국어의 유연함을 근간으로 문화, 사회를 담는 새로운 단어들이 만들어지면 사람들에게 사용되고 정의되는 과정을 통해 표준어로 정착한다.

신조어의 두 번째 특징처럼 많이 만들어지고 많이 사라지지만 그 과정 자체로도 한국 사회의 문화, 사회적 특성을 파악할 수 있으므로 재미있는 신조어를 통해 한국어를 재미있게 공부해 보자.

3 一緒に作ってすべて享受する「ウリマルセム」

国立国語院が提供する「標準国語大辞典」では、韓国語の標準単語を検索して確認することができる。しかし、流行語で始まる新造語の場合は、辞書が登録されるまでは「標準国語大辞典」では見られない。このような単語は開放型韓国語知識大辞典である「ウリマルセム」を通じて確認できる。

まだ標準語として登録されていないが、多く使われている韓国語を持続的にアップデートし、一般人の参加意見を受け付けるコーナーもある。特に「完成してください」というコーナーを通じて誰もが直接「ウリマルセム」に単語を登録し、直接解説したり他の人が完成するように入力しておくことができる。以後、専門家たちの監修を通じて内容を登録し管理する。このように韓国語の柔軟性を根幹に文化、社会を盛り込む新しい単語が作られれば、人々に使われて定義される過程を通じて標準語として定着する。

新造語の２番目の特徴のようにたくさん作られ、多く消えるが、その過程自体でも韓国社会の文化、社会的特性を把握できるため、面白い新造語を通じて韓国語を楽しく勉強してみよう。

単語を検索して意味を確認できるサービス
단어를 검색하여 의미를 확인할 수 있는 서비스

国立国語院 국립국어원 https://www.korean.go.kr/front/main.do	新造語貯蔵所 우리말샘 https://opendict.korean.go.kr/main	国立国語院 研究報告書 국립국어원 연구보고서 https://zrr.kr/48si

1. **国立国語院 :** 韓国語の発展と国民の言語生活向上のために研究し、政策を樹立する機関について紹介。「標準国語大辞典」、「ウリマルセム」など多様な辞書を使うことができる。
국립국어원 : 한국어의 발전과 국민의 언어생활 향상을 위해 연구하고 정책을 수립하는 기관에 대한 소개. “표준국어대사전”, “우리말샘” 등 다양한 사전을 사용할 수 있다.

2 **ウリマルセム :** 新しい新造語に対して直接参加して完成させていくサービス

우리말샘 : 새로운 신조어에 대해 직접 참여하여 완성하여 가는 서비스

3 **研究報告書 :** 様々な研究報告書を見ることが。毎年発表される新語資料集を確認することができる。

연구보고서 : 다양한 연구 보고서를 볼 수 있다. 매해 발표되는 신어 자료집을 확인할 수 있다.

考えて話してみましょう。
생각하고 이야기해 봅시다.

1 2023年~2024年の日本の新造語と流行語はどんな単語がありますか

2023년~2024년 일본의 신조어와 유행어는 어떠한 단어가 있나요?

2 韓国の新造語の中で面白い単語を探して一緒に話してみましょう。

한국의 신조어 중 재미있는 단어들을 찾아서 같이 이야기해 봅시다.

3 韓国で流行っている新造語と日本で流行っている新造語を比べてみると、どのような違いがありますか？

한국에서 유행하는 신조어와 일본에서 유행하는 신조어를 비교하여 보면 어떤 차이가 있나요?

参考サイトおよび参考文献
참고 사이트 및 참고 문헌

★ パク·ナヨン(2020)、韓国語の新造語に関する考察：2015年~2019年、韓国社会で人気の新造語を中心に、修士論文、東亜大学校。

박나영 (2020), 한국어 신조어에 대한 고찰 : 2015년~2019년 한국사회 인기 신조어를 중심으로, 석사학위논문, 동아대학교.

★ ユン·イナ(2012)、外国人学習者のための韓国語新語教育の実態と教育方案に関する研究 ユン·イナ(2012)、修士論文仁荷大学

윤이나(2012), 외국인 학습자를 위한 한국어 신어 교육의 실태와 교육 방안 연구, 석사학위논문, 인하대학교.

★ イユウォン(2019)、辞書と新語 - 国立国語院<ウリマルセム>を中心に-、新国語生活、第29巻第3号、秋。

이유원(2019), 사전과 신어 - 국립국어원 ≪우리말샘≫을 중심으로 - , 새국어생활, 제29권 제3호, 가을.

★ 国立国語院<標準国語大辞典>、<ウリマルセム>

국립국어원 <표준국어대사전>, <우리말샘>

07 교육제도

1 교육제도

한국의 학교 제도는 크게 학교 간의 접속 관계가 단일하게 되어 있는 단선형 학제(ladder system)와 2개 이상의 계통으로 나누어지는 복선형 학제(dual system)로 구분되며, 각 학제는 초등교육-중등교육-고등교육의 연결 관계를 맺는 기간 학제와 그 주변에 위치하는 방계 학제로 파악할 수 있다.

한국에서 근대적 학제의 개념이 도입된 것은 개화기 이후로, 특히 1894년 갑오개혁 기간에 교육정책의 일환으로 제시되었고 일제강점기에는 식민 통치를 원활하게 할 수 있도록 재조정되었다.

일제 강점기인 1911년에는 일제가 식민 통치를 위해 조선교육령을 만들었으며 1948년 대한민국 정부수립 후 1949년 교육법이 제정되어 미국의 단선형 학제 중 가장 널리 활용되던 6-3-3-4 학제를 도입했고 이것이 오늘날의 교육제도로 완성되었다. 초등학교 6년을 의무교육으로 했다가 2002년 중학교 신입생부터 무상 의무교육을 시작해 2004년에는 중학교 전 학년을 대상으로 의무교육을 실시했다. 또한, 2019년 2학기부터 고3을 대상으로 시작된 고등학교 무상교육은 2021년부터는 전 학년으로 확대되었으며 출발선이 공정한 교육 기회가 제공되고 있다.

한국의 교육과정은 해방 전 19세기 후반까지 조선시대의 유교 경전 중심 교육에서 해방 후 미군에 의한 한국 교육위원회가 조직된 후, 현재까지 7차에 걸쳐 교육과정이 개정되었다. 교수요목기를 칭하는 때는 1946년부터 1954년, 1차 교육과정(1954-1963), 2차 교육과정(1963-1973), 3차 교육과정(1973-1981), 4차 교육과정(1981-1987), 5차 교육과정(1987-1992), 6차 교육과정(1992-1997), 7차 교육과정(1997-2007). 7차 교육과정 이후로는 8차 교육과정을 따로 만들지 않고, 수시 개정을 통해 교육과정을 개정하기로 하였다.

2023학년도 고교 1학년부터 교육과정에 학점제가 일부 적용되며, 고등학교 수업량 기준인 단위가 학점으로 전환되고, 고교 3년간 총 이수학점은 192학점으로 조정된다. 또 교과 및 창의적 체험활동 학점도 각각 174학점, 18학점으로 조정된다.

또한 2021년부터 2024년까지 단계적 시행을 거쳐, 2025년부터는 모든 고등학교에서 고교학점제가 시행되며, 2025년에 고등학교에 들어간 학생들은 2028학년도 수능부터 논술이나, 서술형 문제 도입도 검토하고 있다.

07 教育制度

1 教育制度

韓国の学校制度は大きく学校間の接続関係が単一になっている単線型学制 (ladder system) と 2 つ以上の系統に分けられる複線型学制 (dual system) に分けられ、各学制は初等教育 - 中等教育 - 高等教育の連結関係を持つ期間学制とその周辺に位置する傍系学制と把握できる。

韓国で近代的学制の概念が導入されたのは開花期以後で、特に 1894 年甲午改革期間中に教育政策の一環として提示され、日帝強占期には植民統治を円滑にできるよう再調整された。日帝強占期の 1911 年には日帝が植民統治のために朝鮮教育令を作り、1948 年大韓民国政府樹立後 1949 年に教育法が制定され、米国の単線型学制の中で最も広く活用されていた 6-3-3-4 学制を導入し、これが今日の教育制度として完成した。小学校 6 年を義務教育としたが、2002 年中学校新入生から無償義務教育を始め、2004 年には中学校全学年を対象に義務教育を実施した。また、2019 年 2 学期から高 3 を対象に始まった高等学校無償教育は、2021 年からは全学年に拡大され、スタートラインが公正な教育機会が提供されている。

韓国の教育課程は解放前 19 世紀後半まで朝鮮時代の儒教経典中心教育から解放後米軍による韓国教育委員会が組織された後、現在まで 7 回にわたって教育課程が改正された。教授要目期を称する時は 1946 年から 1954 年、1 次教育課程 (1954-1963)、2 次教育課程 (1963-1981)、3 次教育課程 (1973-1981)、4 次教育課程 (1981-1987)、5 次教育課程 (1987-1992)、6 次教育課程 (1992-1997)、7 次教育課程 (1997-2007)、以後には 8 次教育課程を別に作らず、随時改正を通じて教育課程を改正することにした。

2023 年度、高校 1 年生から教育課程に学点制が一部適用され、高等学校授業量基準である単位が学点に転換され、高校 3 年間の総履修学点は 192 学点に調整される。 また、教科および創意的体験活動の学点もそれぞれ 174 学点と 18 学点に調整される。

また 2021 年から 2024 年まで段階的施行を経て、2025 年からはすべての高校で高校学点制が施行され、2025 年に高校に入った学生たちは 2028 学年度修学能力試験から論述や叙述型問題導入も検討している。

2 교육제도 일반

한국의 교육과정은 초등학교 6년, 중학교 3년, 고등학교 3년, 대학교 4년(전문대학은 2~3년), 그리고 2~3년의 석사과정, 2~3년 정도의 박사과정을 개설하고 있다.

초등학교 6년과 중학교 3년은 의무교육 기간으로 무상교육이 제공된다. 교육제도는 국가교육 과정을 기반으로 국가 교육부와 지방 교육청이 운영하며, 대학은 대학 총장이나 교육감 등이 선출되어 운영한다. 대학 입시를 중심으로 한 교육시스템은 매우 경쟁적이며, 대학 입시는 대학 교육 진흥법에 따라 국가적으로 통합적으로 관리되며, 대학별로 정원이 한정되어 있기 때문에 입시 경쟁률이 매우 높다. 이에 따라 수능(대학수학능력시험)이 대표적인 고교생의 대학 입시 준비 방법으로 자리 잡고 있다.

3 교육과정 운영

일 년을 두 개의 학기로 나누어 교육프로그램을 운영한다. 1학기가 끝나면 약 한 달 정도의 여름방학이 있고, 2학기가 끝나면 새 학년(이듬해 3월)이 시작될 때까지 약 한 달 정도의 겨울방학과 1~2주간의 학년말 방학(종업식 후)이 있다. 일반적으로 1학기는 3월 초, 2학기는 8월 말~9월 초에 시작한다. 초 · 중등학교 교육과정은 교과 활동과 교과 외 활동인 창의적 체험활동으로 구분하여 편성 · 운영된다.

3.1 초등학교

지금의 초등학교가 1995년까지는 국민학교였다. 국민학교가 초등학교로 바뀐 이유는 '국민학교'는 '황국신민을 교육하는 학교'를 뜻하는 일제의 잔재이므로 1996년부터 '초등학교'로 바꾸었다. 한국의 초등교육은 무상 의무교육으로 국민 생활에 필요한 가장 기초적인 초등보통교육 실시를 목적으로 하며 취학률은 99.9%로 완전 취학 수준에 이른다.

일반적으로 한국의 어린이는 3~5세가 되면 유치원에 다니며 만 5세부터 취학이 가능하나 보통 8세에 초등학교 1학년에 입학한다. 초등학교 과정은 6년이고 대부분 공립학교이다. 공립과 사립의 교육과정은 크게 차이가 없다.

3.2 중학교

중학교는 초등학교에서 받은 교육의 기초 위에 중등 보통교육을 실시하는 것을 목적으로 한다. 무상 의무교육으로 중학교 입학희망자 전원은 거주지에서 가까운 학교로 컴퓨터 추첨에 의해 배정받는다. 중학교 과정은 3년이고 사립학교 수의 비율이 초등학교에 비해 높으나 국립, 공립, 사립 간에 교육과정은 크게 차이가 없다.

2 教育制度一般

韓国の教育課程は初等学校6年、中学校3年、高校3年、大学4年（専門大学は2~3年)、そして2~3年の修士課程、2~3年程度の博士課程を開設している。

初等学校6年と中学校3年は義務教育期間として無償教育が提供される。教育制度は国家教育課程を基盤に国家教育部と地方教育庁が運営し、大学は大学総長や教育監などが選出され運営する。大学入試を中心とした教育システムは非常に競争的であり、大学入試は大学教育振興法により国家的に統合的に管理され、大学別に定員が限定されているため入試競争率が非常に高い。このため、修能（大学修学能力試験）が代表的な高校生の大学入試準備方法として位置づけられている。

3 カリキュラム運営

一年を二つの学期に分けて教育プログラムを運営する。1学期が終わると約1ヶ月程度の夏休みがあり、2学期が終わると新学年(翌年3月)が始まるまで約1ヶ月程度の冬休みと1～2週間の学年末休み(終業式後)がある。一般的に1学期は3月初め、2学期は8月末～9月初めに始まる。小・中学校の教育課程は教科活動と教科外活動である創意的体験活動に分けて編成・運営される。

3.1 初等学校

今の初等学校が1995年までは国民学校だった。国民学校が初等学校に変わったのは、国民学校の呼称が、日韓併合時代の名残であったからだ。1996年から初等学校に変更された。韓国の初等教育は無償義務教育で、国民生活に必要な最も基礎的な初等普通教育の実施を目的としており、就学率は99.9%で完全就学水準に達する。

一般的に韓国の子供は3~5歳になると幼稚園に通い満5歳から就学が可能だが、普通8歳で初等学校1年生に入学する。初等学校の課程は6年間で、大半が公立学校である。公立と私立の教育課程は大差ない。

3.2 中学校

中学校は、小学校で受けた教育の基礎の上に中等普通教育を実施することを目的とする。無償義務教育で中学校入学希望者全員は居住地から近い学校へコンピューター抽選によって配分される。中学校課程は3年で、私立学校数の割合が初等学校に比べて高いが、国立、公立、私立間で教育課程は大きく差がない。

3.3 고등학교

고등학교 교육은 중학교에서 받은 교육의 기초 위에 중등교육 및 기초적인 전문교육을 하는 것을 목적으로 한다. 고등학교는 일반계 고등학교, 특성화고등학교 및 특수목적고등학교(외국어, 예체능, 과학, 마이스터고등학교)로 나누어진다. 고등학교 과정은 3년이고 학비는 자비 부담이다. 특성화고등학교 및 특수목적고등학교는 본인이 학교를 선택하며, 일반 고등학교는 본인이 희망하는 학교에 배정되거나 중학교처럼 거주지에서 가까운 학교로 추첨에 의해 배정받는 게 일반적이다.

한국 고등학생들은 수능(대학 입학시험)을 준비하기 위해서 공부하는 데 많은 시간을 보낸다. 학교에 따라 원하는 학생은 수업 시간이 끝난 이후에도 밤늦게까지 「야간자율학습」을 하기도 한다. 또는 「학원」에 가서 다시 수업을 듣거나 공부하기도 한다.

※ 외국인 학생이 한국의 초·중·고등학교에 입학하는 데 제한은 없다. 현행 교육법상 외국인 학생의 입학은 학교의 학칙에 의해 결정이 되므로 학생이 다니고 싶은 학교에 가서 입학 상담을 하고 학교의 안내에 따르면 된다.

3.4 전문대학

전문대학은 중등교육 이후의 전문직업인을 양성하는 고등 직업교육기관으로서의 교육목표를 효율적으로 달성하기 위한 교육과정을 운영하며 전문대학의 교육과정은 2~3년제이며 현재 한국에는 현재 132개의 전문대학이 있는데 7개는 국공립이고 나머지는 사립이다. 근래에는 기숙사를 완비한 학교들이 많이 늘었으며 수업료가 4년제 대학에 비해 비교적 저렴하다. 전문대학 교육의 목적은 확고한 이론과 기술의 토대를 갖춘 중간급 기술인을 육성하는 데 있다. 실용적인 전문지식이나 기능을 익혀 졸업 후 취직할 수도 있고 필요하면 4년제 대학에 편입할 수도 있다.

3.5 대학교 · 대학원

학사학위 과정이 개설된 4년제 대학으로 현재 한국에는 250여 개 대학이 있다. 의학·한의학·치의학·약학 대학은 6년 과정이다. 한국의 대학은 종합대학의 형태로 운영되기 때문에 대학마다 학과가 다양하게 개설되어 있다. 각 대학은 학점 취득, 졸업 최소 필수 학점, 표준 학점 및 각 학기당 취득해야 할 최대 학점, 취득 방법과 특별 학점에 대한 제한 등에 관하여 자체의 학사 규정을 두고 있다. 학교는 설립 주체에 따라 국립, 공립(시립), 사립으로 나눌 수 있는데 대부분의 대학이 사립이다.

2024년부터 온라인수업만으로 일반대 · 전문대 학위취득이 가능해지며, 학사 해외 공동 운영, 전문학사 첨단 신기술 한정 운영된다. 온라인 수업만으로 학사 · 전문학사 학위취득이 가능한 '일반대학의 온라인 학위과정' 허용으로 해외 대학생, 유학생이 굳이 국내에 오지 않더라도 온라인수업으로 학위를 받을 수 있게 됐다.

4년제 대학교를 졸업한 후 더 깊이 공부하기를 원하면 대학원에 갈 수 있다. 대학원은 석사과정과 박사과정이 있다.

3.3 高校

高等学校教育は中学校で受けた教育の基礎の上に中等教育及び基礎的な専門教育を行うことを目的とする。高等学校は一般系高校、特性化高校及び特殊目的高校（外国語、芸術・体育、科学、マイスター高校）に分けられる。高校課程は3年で学費は自費負担である。特性化高校および特殊目的高校は本人が学校を選択し、一般高校は本人が希望する学校に配分されたり中学校のように居住地から近い学校に抽選で配分されるのが一般的である。

韓国の高校生たちは修学能力試験（大学入試）を準備するために勉強するのに多くの時間を費やす。学校によって希望する生徒は授業時間が終わった後も夜遅くまで「夜間自律学習」をすることもある。または「塾」に行ってまた授業を聞いたり勉強をしたりもする。

※ 外国人学生が韓国の初中高校に入学するのに制限はない。現行教育法上、外国人学生の入学は学校の学則によって決定されるため、学生が通いたい学校に行って入学相談を行い、学校の案内によるとよい。

3.4 専門大学

専門大学は中等教育以後の専門職業人を養成する高等職業教育機関としての教育目標を効率的に達成するための教育課程を運営し、専門大学の教育課程は2-3年制であり、現在韓国には132の専門大学があるが、7つは国公立で残りは私立である。最近は寮を完備した学校が多く増え、授業料が4年制大学に比べて比較的安い。専門大学教育の目的は確固たる理論と技術の土台を備えた中間級技術者を育成することにある。実用的な専門知識や技能を身につけて卒業後就職することもでき、必要ならば4年制大学に編入することもできる。

3.5 大学・大学院

学士号課程が開設された4年制大学で、現在韓国には250あまりの大学がある。医学・韓医学・歯科・薬学部は6年課程である。韓国の大学は総合大学の形で運営されるため、大学ごとに学科が多様に開設されている。各大学は単位取得、卒業最小必須単位、標準単位および各学期当たり取得しなければならない最大単位、取得方法と特別単位に対する制限などに関して独自の学事規定を設けている。学校は設立主体によって国立、公立（市立）、私立に分けられるが、ほとんどの大学が私立である。

2024年からオンライン授業だけで一般大学・専門大学の学位取得が可能になり、学士海外共同運営、専門学士先端新技術限定運営される。オンライン授業だけで学士・専門学士号取得が可能な「一般大学のオンライン学位課程」制度により海外大学生、留学生があえて国内に来なくてもオンライン授業で学位を受けられるようになった。

4年制大学を卒業した後、もっと深く勉強したいなら大学院に行くことができる。大学院は修士課程と博士課程がある。

행정구역별	2023				
	대학교 수(A+B+C+D)	일반대(A)	전문대(B)	교육대(C)	산업대(D)
전국	335	190	133	10	2
서울특별시	48	38	9	1	-
부산광역시	21	12	8	1	-
대구광역시	11	3	7	1	-
인천광역시	7	3	3	1	-
광주광역시	17	10	6	1	-
대전광역시	15	11	4	-	-
울산광역시	4	2	2	-	-
세종특별자치시	3	2	1	-	-
경기도	60	30	30	-	-
강원특별자치도	17	8	8	1	-
충청북도	17	11	5	1	-
충청남도	21	13	6	1	1
전라북도	18	8	8	1	1
전라남도	19	10	9	-	-
경상북도	33	18	15	-	-
경상남도	20	9	10	1	-
제주특별자치도	4	2	2	-	-

出典 : 한국교육개발원 , 2023, 2024.02.07, 대학교 수 (시도 / 시 / 군 / 구)

사이버대학이란

정보통신기술, 멀티미디어 기술 및 관련 소프트웨어 등을 이용하여 형성된 가상의 공간(Cyber-Space)에서 교수자와 학습자 간의 수업이 이뤄지는 학교이다. 사이버대학에서 일정한 학점을 이수할 시, '고등교육법'에 따라 대학 총장 명의 전문 학사학위 또는 학사학위를 받을 수 있다.

사이버대학은 고등학교 졸업자나 동등 이상의 학력을 가진 사람이라면 누구나 지원할 수 있다. 학위를 받기 위해서는 학사학위 과정의 경우 140학점 이상, 전문학사 학위 과정의 경우 80학점 이상의 전공 및 교양 등의 이수구분별 학점 과목을 이수해야 한다. 대학에서 정한 과목과 학점을 이수하고 졸업 조건을 충족했을 때 대학 총장 명의 졸업장을 받게 된다. 사이버대학의 현황은 2020년 현재 학사과정이 17개교와 전문학사 과정이 2개교가 있으며, 원격대학 형태의 평생교육시설로는 학사과정 전문학사과정 각 1개교가 있다. 사이버대학 및 원격대학 형태의 평생교육시설 총 21개교로 입학정원은 33,945명이며, 재학생 수는 118,968명이다. 그리고 특수대학원(9개교 17개 대학원)이 있다.

サイバー大学とは、

情報通信技術、マルチメディア技術および関連ソフトウェアなどを利用して形成された仮想空間 (Cyber-Space) で教授と学習者間の授業が行われる学校を言う。サイバー大学で一定の単位を履修する場合、「高等教育法」により大学総長名義の 専門学士号または学士号を取得することができる。サイバー大学は高校卒業者や同等以上の学歴を持つ人なら誰でも志願できる。学位を授与されるためには学士号課程の場合 140 単位以上、専門学士号課程の場合 80 単位以上の専攻および教養などの履修区分別単位科目を履修しなければならない。大学で定めた科目と単位を履修し、卒業条件を満たした場合、大学総長名の卒業証書を受け取ることになる。

サイバー大学の現況は 2020 年現在、学事課程が 17 校と専門学士課程が 2 校あり、遠隔大学形態の生涯教育施設としては学士課程専門学士課程各 1 校がある。サイバー大学および遠隔大学形態の生涯教育施設計 21 校で入学定員は 33,945 人であり、在学生数は 118,968 人。そして、特殊大学院（9 校 17 大学院）がある。

● **韓国放送通信大学及びサイバー大学**

2023 年から遠隔大学でも博士号および専攻深化課程運営が可能になり、既存 : 一般大学とは異なり修士課程だけを運営できる特殊大学院設置だけが可能だったが、遠隔大学の大学院種類が「一般大学院および専門大学院」まで拡大され博士学位課程も運営できるようになる。そして医学・歯科・漢方医学および法学専門大学院除外されたが、サイバー大学で学士号を授与できる専攻深化課程設置・運営が可能になり。成人学習者の教育機会を拡大していくためである。

4 生涯教育

第 4 次産業革命社会は情報通信技術を基盤とする知識基盤社会だという。そして、このような知識基盤社会はすなわち生涯職場ではなく、生涯職業のための自己啓発と適応を必要とする生涯学習社会だという。

制憲国会により憲法第 1 号として制定 (1948 年 7 月 17 日) された「大韓民国憲法」が制定されて以来、9 次にわたる改正で現在に至っており、1980 年 10 月 27 日憲法第 9 号で全て改正された第 5 共和国憲法は、生涯教育の発展に大きな役割を果たした。この法第 29 条第 5 項には「国家は生涯教育を振興しなければならない」という条項が挿入され、国家が国民の生涯教育を振興しなければならない責務を付与した。これは、その後展開された生涯教育の方向性を設定する上でマイルストーンとなった。また、国家最高の法である「大韓民国憲法」に生涯教育関連条項が入った最初の国となった。

● **한국방송통신대학 및 사이버대학**

2023년부터 원격대학에서도 박사학위 및 전공 심화 과정 운영이 가능해지며, 기존 일반대학과는 달리 석사과정만 운영할 수 있는 특수대학원 설치만 가능하였으나 원격대학의 대학원 종류가 '일반대학원 및 전문대학원'까지 확대되어 박사학위 과정도 운영할 수 있게 된다. 그리고 의학 · 치의학 · 한의학 및 법학 전문대학원 제외되었으나 사이버대학에서 학사학위를 수여할 수 있는 전공 심화 과정 설치 · 운영이 가능해지며. 성인 학습자들의 교육 기회를 확대해 나가기 위함이다.

4 평생교육

제4차 산업혁명 사회는 정보통신기술을 기반으로 하는 지식기반사회이며 이러한 지식기반사회는 곧 평생직장이 아닌 평생 직업을 위한 자기 계발과 적응을 해야 하는 평생학습사회라고 한다.

제헌국회에 의해 헌법 제1호로 제정(1948년 7월17일)된 대한민국 헌법이 제정된 이래 9차에 걸친 개정으로 현재에 이르고 있으며, 1980년 10월27일 헌법 제9호로 전부 개정된 제5공화국 헌법은 평생교육의 발전에 큰 역할을 하였다. 이 법 제29조 제5항에는 "국가는 평생교육을 진흥하여야 한다."라는 조항이 삽입되어 국가가 국민의 평생교육을 진흥해야 할 책무를 부여하였다. 이것은 그 후 전개된 평생교육의 방향을 설정하는데 이정표가 되었다. 아울러 국가 최고의 법인 대한민국헌법에 평생교육 관련 조항이 들어간 최초의 나라가 되었다.

한국의 평생 교육제도는 1982년 12월 31일, 법률 제3648호로 제정된 '사회교육법'이 평생교육의 법적 근거를 마련하게 되었고, 1999년 8월 31일에 법률 제6003호로 전부 개정된 '평생교육법'은 국가와 지방자치단체가 국민의 평생교육을 진흥하기 위해 해야 할 일들을 구체화하였다.

21세기는 창조적 지식이 다른 어떤 요소보다 큰 부가가치를 창출하는 지식기반사회, 창조 경제 사회이며 전 생애에 걸친 끊임없는 학습이 개인과 국가의 장래를 좌우하며, 나아가 삶의 질을 결정하는 중요한 요인이 되는 사회에서 실용적인 평생학습은 필수 불가결하게 되었다. 헌법과 교육기본법, 평생교육법은 모든 국민이 평생 학습하고 교육받을 수 있는 권리를 보장하며, 모든 국민의 삶이 질 향상 및 행복추구에 기여하기 위해 국가와 지방자치단체가 평생교육을 진흥할 책임이 있다고 명시하고 있다.

교육부는 제5차 평생교육 진흥 기본계획(2023~2027)을 발표하면서 평생학습의 중요성을 재인식하고 평생학습의 대전환을 추진하여 그간 전통적 교육방식으로 주로 이루어졌던 평생학습을 앞으로는 AI 디지털 등 기술을 적극 활용한 개인별 맞춤형 학습으로 전환하겠다는 내용이다. '지자체-대학-기업이 함께하는 지역 평생학습 진흥을 핵심과제 중 하나로 제시하면서 지역 중심의 자율적인 지역 평생학습 거버넌스를 구축하고, 지역 특성에 따른 평생학습 도시 조성을 목표로 하는데 이는 향후 지자체와 평생교육진흥원 간의 협력 및 연계가 활발해질 것으로 기대한다.

韓国の生涯教育制度は(1982年12月31日法律第3648号)として制定された「社会教育法」が生涯教育の法的根拠を用意することになった。1999年8月31日に法律第6003号で全部改正された「生涯教育法」は、国と地方自治体が国民の生涯教育を振興するためにすべきことを具体化した。

21世紀は創造的知識が他のどの要素よりも大きな付加価値を生み出す知識基盤社会、創造経済社会であり、生涯にわたる絶え間ない学習が個人と国家の将来を左右し、ひいては生活の質を決定する重要な要因となる社会において実用的な生涯学習は不可欠となった。

憲法と教育基本法、生涯教育法は、すべての国民が生涯にわたって学習し教育を受けられる権利を保障し、すべての国民の生活の質向上および幸福追求に貢献するために国と地方自治体が生涯教育を振興する責任があると明示している。

教育部の第5次生涯教育振興基本計画(2023~2027)を発表し、生涯学習の重要性を再認識し、生涯学習の大転換を推進し、これまで伝統的教育方式で主に行われてきた生涯学習を今後はAIデジタルなど技術を積極的に活用した個人別オーダーメード型学習に切り替えるという内容でもある。「自治体 - 大学 - 企業が共にする地域生涯学習振興」を核心課題の一つとして提示し、地域中心の自律的な地域生涯学習ガバナンスを構築し、地域特性に応じた生涯学習都市造成を目標とするが、これは今後地方自治体と生涯教育振興院間の協力および連係が活発になるものと期待している。

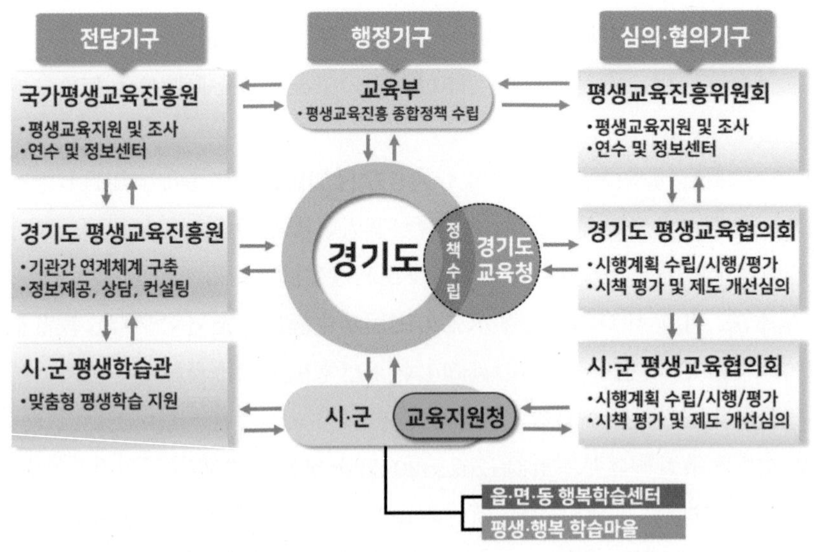

出典：京畿道庁 경기도청

韓国の教育制度を調べるコンテンツを楽しみましょう。
한국의 교육제도 관련 콘텐츠

教育部 교육부 https://www.moe.go.kr/main.do?s=moe	韓国専門大学教育協議会 한국전문대학교육협의회 https://www.kcce.or.kr/web/main/index.do	韓国遠隔大学協議会 한국원격대학협의회 http://www.kcou.org/#__207608__item1

国家生涯教育振興院 국가평생교육진흥원 https://www.nile.or.kr/index.do	KOSIS 国家統計ポータル KOSIS 국가통계포털 https://kosis.kr/index/index.do	KESS 教育統計サービス KESS 교육통계서비스 https://kess.kedi.re.kr/index

考えて話してみましょう。
생각하고 이야기해 봅시다.

1. 日本の教育制度と韓国の教育制度の違いは何ですか？
   일본의 교육제도와 한국의 교육제도가 다른 점은 무엇인가요?

2. 高校の入試制度について話してみよう。
   고등학교의 입시제도에 관해 이야기해 보자.

3. 大学の種類について調べてみよう。
   대학의 종류에 대해 조사해 보자.

4. 生涯教育海外先進事例を調べてみよう。
   평생교육 해외 선진사례를 조사해 보자.

参考サイトおよび参考文献
참고 사이트 및 참고 문헌

★ 教育部2022年教育基本統計調査結果発表

교육부 2022년 교육기본통계 조사 결과 발표

https://www.moe.go.kr/boardCnts/viewRenew.do?boardID=294&boardSeq=92429&lev=0&searchType=null&statusYN=W&page=1&s=moe&m=020402&opType=N

★ 咸鍾奎（ハム·ジョンギュ、2004)、『韓国教育課程変遷史研究：-朝鮮王朝末から第7次教育課程まで-』、教育科学社。

함종규(2004), 한국교육과정 변천사 연구:-조선조 말부터 제7차 교육과정까지-, 교육과학사.

★ 世界各国の大学入試制度に関する研究（韓国教育課程評価院研究報告PRO2018-1）

大韓民国政策ブリーフィング第5次生涯教育振興基本計画(2023~2027年)発表

세계 각국의 대학입시제도 연구 (한국교육과정평가원 연구 보고 PRO 2018-1

대한민국 정책브리핑 제5차 평생교육 진흥 기본계획 (2023~2027년) 발표

https://www.korea.kr/news/policyNewsView.do?newsId=156545201

★ 2021生涯教育白書(第21号)(2022) 国家生涯教育振興院 RM2022-11

2021평생교육백서(제21호)(2022), 국가평생교육진흥원 RM2022-11

★ 2023年韓国型オンライン公開講座(K-MOOC)基本計画(案)(2023)教育部

2023년 한국형 온라인 공개강좌 (K-MOOC) 기본계획(안)(2023), 교육부

3

먹으면서 알아보자
食べながら調べてみよう

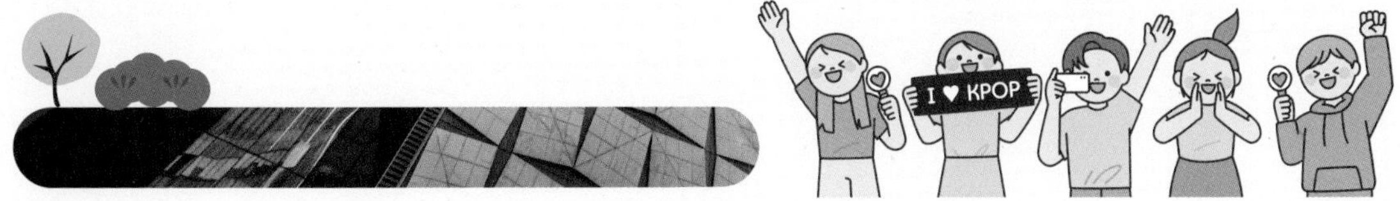

08 한식문화 - 언제 밥 한번 먹자! 내가 밥 살게!

"내가 밥 한번 살게!"

韓食定食 한식 정식

한국인들이 어떤 이유로 다른 사람에게 도움을 받거나 고마운 경우 "고맙습니다. 감사합니다"라는 표현도 하지만 조금 더 친근한 관계라고 생각한다면 고마움을 갚기 위해 "내가 밥 한번 살게요"라고 표현한다. 이 의미는 "밥값을 내겠다"라는 단순한 의미가 아니고, "너에게 고마운 마음을 가지고 있으니 갚고 싶다", "당신과 시간을 같이 보내면서 이야기를 나누고 싶다" 등의 다양한 의미를 표현한다. 이처럼 한국에서의 "먹는다"의 행위는 인간관계의 매개체이며, 다양한 문화적 현상과 의미를 포함하고 있다.

1 한국 식문화의 특징

1) 모든 음식은 한 상에 차려낸다

한국의 상차림은 밥, 국수, 떡, 죽 등의 주식과 반찬이라고 하는 여러 가지의 부식이 어울려져 하나의 상을 만드는 것이 특징이다. 김치 등의 발효 음식, 자연을 가득 담은 나물과 조림까지 다양한 요리법과 재료가 한 상에 올라온다. 요즘은 간편히 국수나, 덮밥 같은 한 그릇 음식으로 간편하게 먹기도 하지만 김치나 장아찌 등의 간단한 반찬을 꼭 함께 곁들여 먹는다. "소반"이라고 하는 작은 밥상부터 화려한 잔치 음식을 의미하는 "교자상"이라고 하는 상까지 차려내는 방식은 수십 가지지만 각 음식 간의 조화와 균형을 챙기는 기본 특징은 같다.

韓国料理文化 - いつかご飯食べよう！僕がご飯おごるよ！

「私がいつかご飯おごるね！」

韓国人が何らかの理由で他人に助けてもらうか、ありがたい場合は「コマプッスミニダ。カムサハムニダ(ありがとうございます)」という表現もするが、もう少し身近な関係だと思うなら感謝の気持ちを返すために「私がご飯おごります。」と表現する。この意味は「食事代を払う」という単純な意味ではなく、「君に感謝の気持ちを持っているから返したい。「あなたと時間を一緒に過ごしながら話を交わしたい。」などの多様な意味を表現する。このように韓国での「食べる」行為は人間関係の媒介体であり、多様な文化的現象と意味が含まれている。

1 韓国食文化の特徴

1) すべての料理は食卓に並べます

韓国の膳立てはご飯、麺、餅、お粥などの主食とおかずといった様々な副食が調和して一つの膳を作るのが特徴である。キムチなどの発酵食品、自然をたっぷり盛り込んだナムルと煮物まで多様な料理法と材料が食卓に上がってくる。最近は手軽に麺や丼のような一杯の食べ物で手軽に食べたりもするが、キムチや漬物などの簡単なおかずを必ず一緒に添えて食べる。「ソバン」という小さな食卓から華やかな宴会料理を意味する「ギョジャサン」というテーブルまで用意する方式は数十種類だが、各食べ物間の調和とバランスを取る基本特徴は同じである。

韓食ギョジャサン 교자상

2) 4계절의 자연과 발효(저장) 문화로 건강한 밥상

한국은 뚜렷한 4계절을 가지고 있다. 그래서 얼었던 땅이 녹기 시작하는 그때부터 다양한 식재료를 활용한 요리가 시작된다. 여름과 가을이 지나기 전에 자연에서 얻은 소중한 식재료를 겨울에 먹기 위해 저장하고 보존하는 기술이 필요했고 그에 따라 한국의 "장문화"와 "김치 문화"로 대표되는 발표 문화가 발달하였고 그 덕분에 한국인은 같은 재료지만 4계절 다른 방식으로 그 식재료를 요리하고 먹는다.

長篤台 장독대

3) 국그릇, 밥그릇, 숟가락과 젓가락, 그리고 요리에 맞는 그릇의 사용

한식의 상차림에서 밥그릇은 왼쪽, 국그릇은 오른쪽이다. 그리고 뜨거운 음식이 발달하여 많이 먹기 때문에 숟가락이 발달하였고, 반찬을 먹기 위해 젓가락을 사용한다. 날이 덥고 습한 습도가 높은 여름에는 사기그릇을, 추운 겨울에는 온도를 유지하기 위해 은그릇이나 유기그릇을 사용한다. 특히 찌개, 조림 등을 요리할 때 쓰는 뚝배기는 천천히 끌고 천천히 식는 식기로 겨울철에 따뜻한 음식을 먹을 때 좋다. 장인이 만든 유기그릇과 전통 식기들은 그 자체로서 예술품이 되기도 한다.

韓国食器 한식기

4) 음식은 맛뿐 아니라 건강하게 오래 살기 위해 먹는다

한식에서 음식은 곧 약(藥)이 될 수 있다고 믿었기 때문에 좋은 음식으로 몸을 챙기기 위해 계절별로 다양한 보양식이 발달했다. 약재가 되는 재료들을 음식에 더하여 몸 안에서 상호작용을 통해 몸 안에서의 조화와 균형을 돕는다. 가장 많이 먹는 것은 여름철 더위가 심할 때 먹는 삼계탕이다. 여름 더위에 지친 한국인들에게 약재뿐 아니라 전복, 낙지, 등 다양한 건강식 재료를 넣어서 체력을 보강하여 주는 음식이다. 한국 음식 하면 매운맛만 생각하는 외국인들에게 한국인들이 좋아하는 담백한 맛을 소개할 때 많이 등장하기도 한다.

2 한국의 가족문화를 담고 있는 다양한 음식들

1) 태어난 날의 상징 "미역국"

한국에서 미역국은 "태어난 날"을 상징한다. 아이를 낳은 산모가 제일 먼저 먹는 것이 미역국이며 해

2) 四季折々の自然と発酵(貯蔵)文化で健康的な食卓

韓国ははっきりとした四季を持っている。そのため、凍っていた土地が溶け始めるその時から多様な食材を活用した料理が始まる。夏と秋が過ぎる前に自然から得た大切な食材を冬に食べるために貯蔵し保存する技術が必要であり、それによって韓国の「醤文化」と「キムチ文化」に代表される発表文化が発達し、そのおかげで韓国人は同じ材料だが一年中違う方法でその食材を料理して食べる。

3) 汁椀、茶碗、スプーンと箸、そして料理に合う器の使用

韓国料理の膳立てで茶碗は左側、汁椀は右側です。 そして熱い食べ物が発達してたくさん食べるためスプーンが発達し、おかずを食べるために箸を使う。暑くて湿った湿度が高い夏には陶器の器を、寒い冬には温度を維持するために銀の器や鍮器を使う。特にチゲ、煮物などを料理する時に使う土鍋はゆっくり沸騰してゆっくり冷める食器で、冬場に暖かい食べ物を食べる時に良い。 職人が作った鍮器や伝統食器は、それ自体として芸術品にもなる。

4) 食べ物は味だけでなく、健康に長生きするために食べる

韓国料理では食べ物はすぐに薬になると信じていたため、良い食べ物で体を管理するために季節ごとに多様な保養食が発達した。薬材となる材料を食べ物に加え、体の中での相互作用を通じて体の中での調和とバランスを助ける。最も多く食べるのは夏の暑さがひどい時に食べるサムゲタンだ。夏の暑さに疲れた韓国人に薬材だけでなくアワビ、タコなど多様な健康食材を入れて体力を補強してくれる料理である。韓国料理といえば、辛さだけを考える外国人に韓国人が好きなさっぱりした味を紹介する時によく登場することもある。

参鶏湯 삼계탕

2 韓国の家族文化を盛り込んだ様々な食べ物

1) 生まれた日の象徴「わかめスープ」

韓国でわかめスープは「生まれた日」を象徴する。子供を産んだ産婦が一番先に食べるのがわかめスープで、毎年誕生日に食べる食べ物がわかめスープだからです。わかめにはカルシウムとヨウ素が豊富で、産後に増えた子宮の収縮を助け、造血剤の役割をする。このような事実が立証され、米国の有名病院でも産婦と患者に提供したりして話題になったりもした。

마다 생일에 먹는 음식이 미역국이기 때문이다 . 미역에는 칼슘과 요오드가 풍부하여 산후에 늘어난 자궁의 수축을 돕고 조혈제 역할을 한다 . 이런 사실이 입증되어 미국의 유명 병원에서도 산모와 환자들에게 제공하기도 하여 화제가 되기도 했다 .

2) 결혼식 등 잔칫날에는 "잔치 국수"

마을 잔치 때 모두가 어울려 먹는 것이 잔치 국수이다. 특히 결혼식 날에는 꼭 국수를 대접했는데 신랑 신부의 인연이 오래되도록 이어지기를 원하는 뜻을 담고 있어서 결혼식에 갈 때 "국수 먹으러 간다" 라는 표현이 사용될 정도이다. 결혼 계획을 이야기할 때도 "국수 언제 먹여줄 거야? "라고 묻는 것이 풍습이 되었다.

3) 장례식장의 대표 음식 "육개장"

쇠고기를 삶아서 가늘게 찢은 후 토란 줄기와 고사리를 넣고 고추기름을 넣어 맵게 끓여낸 국이 육개장이다. 원래 장례식장에서는 멀리서 온 손님들에게 건강을 위해 소고깃국을 대접하였는데 오래 끓일수록 맛을 더하는 음식이라 많은 손님이 올 때 쉽고 영양을 담아서 내놓을 수 있는 음식이기 때문이다. 고기를 넣어 요리한 국인 만큼 여름철 보양식으로도 많이 먹고 있는 요리이다.

4) 섞어서 나누어 먹는 문화를 담은 "비빔밥"

비빔밥은 세계항공업계 컨테스트인 기내식 어워드에서 1등을 할 정도로 많이 대중화되었다. 밥 위에 다양한 나물과 볶은 고기를 올리고 고추장을 넣어서 모든 재료를 비벼 먹는 음식이다. 다양한 제철 재료로 만들어지므로 육회비빔밥, 전주비빔밥 등 이름도 다양하다. 제사 때 남은 재료들을 섞어서 나누어 먹었다는 데서 유래했다고도 하고 설이나, 명절, 바쁜 농번기에 많이 먹었다는 견해도 있다. 최근에는 세계의 채식주의자들에게도 인기가 있는 메뉴이다. 고기를 빼고 야채와 식물성 기름인 들기름, 참기름을 활용하기 때문이다.

ビビンバ 비빔밥

3 한식의 세계화, 그리고 체험할 수 있는 공간

최근 K-Contents를 타고 다양한 한국의 식문화들이 자연스럽게 노출되고 있다. 한국에서는 한식진흥원이라는 기관을 통해 한식 글로벌 브랜딩 구축, K-미식 벨트 조성으로 국내 미식 관광 확대, 고품격 한식당, 유명요리사 활용 및 K-푸드 산업생태계 확장을 위한 여러 노력을 하고 있다. 2022년 만들어진

2) 結婚式などのお祝いの日には「チャンチグッス」

"チャンチグッス" 잔치국수

(宴麺) 村の祭りの時、皆が交わって食べるのが宴麺。特に結婚式の日には必ず麺をもてなしたが、新郎新婦の縁が長く続くことを願う意味が込められており、結婚式に行く時に「麺を食べに行く」という表現が使われるほどだ。結婚計画を話す時にも「麺はいつ食べさせてくれるの？"と聞くのが風習になった。

3) 葬儀式場の代表料理「ユッケジャン」

牛肉を茹でて細く裂いた後、里芋の茎とワラビを入れて唐辛子油を入れて辛く煮込んだスープがユッケジャンスである。本来、葬儀式場では遠くから来たお客さんに健康のために牛肉スープをもてなしたが、長く煮て作るほど味わい深い食べ物であり、多くのお客さんが来る時に簡単で栄養をたっぷりに出すことができる食べ物だからである。肉を入れて料理したスープであるだけに、夏のスタミナ食としてもよく食べられている料理である。

4) 混ぜて分けて食べる文化を盛り込んだ「ビビンバ」

ビビンバは世界航空業界のコンテストである機内食アワードで１位になるほど大衆化した。ご飯の上に様々なナムルと炒めた肉を乗せ、コチュジャンを入れてすべての材料を混ぜて食べる料理である。様々な旬の材料から作られるのでユッケビビンバ。全州ビビンバなど名前も多様である。祭祀の時に残った材料を混ぜて分けて食べたということから由来したとも言われ、旧正月や名節、忙しい農繁期にたくさん食べたという見解もある。最近では世界のベジタリアンにも人気があるメニュー。肉を抜いて野菜と植物油のエゴマ油、ごま油を活用するからである。

3 韓国料理のグローバル化、そして体験できる空間

最近、K-Contents に乗って多様な韓国の食文化が紹介されている。韓国では韓食振興院という機関を通じて韓食グローバルブランディング構築、K- アメリカンベルト造成で国内グルメ観光拡大、高品格韓国料理店、スターシェフ活用および K- フード産業生態系拡張のための様々な努力をしている。2022 年に作られた韓食文化空間「イウム」では、韓国の料理と伝統酒に関する展示、体験、広報、教育を一堂に会することができる。イウム 2 階の空間ではシーズンごとに常設料理教室が開かれる。毎月、食べ物関連トークコンサートとブックコンサートが開かれる。

한식 문화공간 “이음”에서는 한국의 음식과 전통주에 대한 전시, 체험, 홍보, 교육을 한 자리에서 만날 수 있는 곳이다. 이음 2층 공간에서는 시즌마다 상설 쿠킹 클래스가 열린다. 매월 음식 관련 토크 콘서트와 출판기념회가 열린다.

様々な機関から提供される韓国料理関連サービス及びコンテンツ
다양한 기관에서 제공되는 한식 관련 서비스 및 콘텐츠

韓食ポータル
한식 포털
https://www.hansik.or.kr/main/main.do
韓国料理文化空間
한식문화공간 이음
https://resv.hansik.or.kr/main/main.do
韓食振興院 YouTube
한식진흥원 YouTube
https://www.youtube.com/channel/UCMYWT-WElyAhd98yifsq6vEg

韓国料理文化空間 한식문화 공간 이음 (한식진흥원)

考えて話してみましょう。
생각하고 이야기해 봅시다.

1 韓国の食文化と日本の食文化に特徴を話して違いを話してみよう。

한국의 식문화와 일본의 식문화에 특징을 말하고 차이점을 이야기해 보자.

2 ドラマ、映画などで見た場面の中で韓国の食文化について気になる点があったら探してみて理由を話してみよう。

드라마, 영화 등에서 본 장면 속에서 한국의 식문화에 대해 궁금한 점이 있었다면 찾아 보고 그 이유를 이야기해 보자.

3 韓国の膳立てと西洋の膳立ての違いについて話してみよう。

한국의 상차림과 서양 상차림의 차이점에 대하여 이야기해 보자.

参考サイトおよび参考文献
참고 사이트 및 참고 문헌

★ 韓国料理ポータル 한식 포털 https://www.hansik.or.kr/main/main.do

★ 韓国料理読みやすい日 한식 읽기 좋은 날 http://www.hansikmagazine.org/

09 저장 문화 - 자연의 시간표대로

"식사하셨어요?"

한국에서의 "식사하셨어요?"는 정말 밥을 먹었는지 물어보는 것이 아니고 생활 속의 안부를 묻는 따듯한 인사이다. 밥을 먹을 수 없을 만큼 너무 바쁘거나, 건강이 좋지 않아서, 용돈이 부족해서 등의 이유로 밥을 먹을 수 없는 상황이 아닌지, 이러한 생활 속의 안녕함을 확인하는 인사에 가깝다. 이런 인사와 같이 겨울이 다가오면 "김장하셨어요?"라는 인사를 나눈다. 과거 먹거리 재료가 부족했던 시기, 추운 겨울을 나기 위해 중요한 식재료인 김치를 담그는 이야기를 하면서 추운 겨울을 건강하게 보내기 위한 준비가 끝났는지를 묻는 따듯한 인사이다.

한국은 봄, 여름, 가을, 겨울의 사계절이 뚜렷한 만큼 "자연의 시간표"에 따른 계절별 저장 문화를 가지고 있다. 이것은 "김치" 문화와 "장(藏) 문화"로 대표되는데 식재료가 다양한 시기에 신선한 식품을 활용하여 만들고 발효의 과학을 통해 1년 내내 먹을 수 있는 식재료로 만들어 내는 것이다.

1 김치, 그리고 김장

김치는 무 · 배추 · 오이 등의 여러 채소를 소금에 절이고 양념을 버무려 발효시킨 식품이다. 비타민과 무기질의 보고인 채소는 원 상태로 저장하기 어렵다. 그래서 채소를 소금에 절이거나 장 · 초 · 향신료 등과 섞어서 새로운 맛과 향기를 생성시키면서 저장하는 방법을 개발하게 되었는데 이렇게 개발된 우리 고유의 식품이 바로 김치이다. 김치라는 이름은 원래 '지(漬)', '저(菹)'라고 하다가 조선 초기에 딤채라고 부르던 것에서 유래했다. 조선시대 중엽 고추가 수입되면서 김치에 일대 혁명이 일어났고, 19세기에 들어서 오늘날과 같은 김치가 완성되었다. 지금은 어느 계절에나 채소를 볼 수 있으나 채소가 부족했던 과거에는 겨울철의 주요한 비타민 공급원이자 모든 요리의 기본 재료로써 사용되었다. 단순한 음식이 아니라 1년을 준비하는 과정의 노력, 만들기 위한 공동체의 활동, 그리고 보존과 숙성을 위한 과학의 역할까지 보여준다. 봄에는 새우젓, 멸치젓과 같은 젓갈을 준비하고, 여름에는 야채를 절이기 위한 천일염을 장만하고, 늦여름부터는 고추를 말려 고춧가루를 준비한다. 그리고 늦가을과 초겨울에 배추를 장만해 소금에 절이고 가족 또는 동네 사람들과 모여 김장한다. 특히 발효 과정을 통해 생기는 여러 가지 물질은 영양소가 부족하기 쉬웠던 겨울에 좋은 건강식품의 역할을 해왔다. 김치 발효 과정에서 생기는 젖산균

09 貯蔵文化 - 自然の時間割どおり

「食事はされましたか？」

韓国での「食事はされましたか？」は、本当にご飯を食べたのか聞くのではなく、生活の中の安否を尋ねる暖かい挨拶である。ご飯が食べられないほど忙しいのか、体調不良、小遣いが足りなくてなどの理由でご飯を食べられない状況ではないか、と相手を気遣い生活の中の安寧を確認する挨拶に近い。このような挨拶のように冬が近づくと「キムジャンハショッソヨ」という挨拶を交わす。過去の食材が不足していた時期、寒い冬を過ごすために重要な食材であるキムチを漬ける話をしながら、寒い冬を健康に過ごすための準備が終わったかを尋ねる暖かい挨拶である。

韓国は春、夏、秋、冬の四季がはっきりしているだけに、「自然の時間割」による季節別保存文化を持っている。これは「キムチ」文化と「蔵」文化に代表されるが、食材が多様な時期に新鮮な食品を活用して作り、発酵の科学を通じて1年中食べられる食材で作り出すことだ。

1 キムチ、そしてキムジャン

キムチ 김치

キムチは大根・白菜・キュウリなどの様々な野菜を塩漬けし、タレを和えて発酵させた食品である。ビタミンと無機質の宝庫である野菜は、生の状態で保存するのが難しい。それで野菜を塩漬けしたり、醤・酢・香辛料などと混ぜて新しい味と香りを生成させながら保存する方法を開発することになったが、このように開発された韓国固有の食品がまさにキムチである。キムチという名前はもともとジ「漬」、チョ「菹」と呼ばれていたが、朝鮮初期にディムチェと呼ばれたことに由来する。朝鮮時代中期唐辛子が輸入されキムチに一大革命が起き、19世紀に入って今日のようなキムチが完成した。今はどの季節にも野菜を見ることができるが、野菜が不足していた過去には冬季の主要なビタミン供給源だった。すべての料理の基本材料として使われただ

은 유해균의 번식과 발육을 억제하여 부패를 막고 김치를 숙성시키며 , 유익한 미생물과 효소가 변화를 일으키는데 , 이를 김치가 숙성되는 것이라고 한다. 그래서 김치를 일컬어 발효 과학이라고 한다. 이러한 김치는 한국의 "반찬" 문화의 대표일 뿐 아니라 요리의 재료로도 활용하여 이 복합적인 맛을 베이스로 한국인의 "밥상"을 완성하는 기본이 된다. 김치찌개. 김치찜 , 김치부침개 등 다양한 요리에 활용되며 고기와 생선과 곁들여 다양한 맛의 조합을 만들어 내는 요리의 완성도를 높이는 가장 기본의 음식으로 존중받고 있다.

한국인의 김치 사랑은 가전 문화에도 변화를 몰고 왔다. 과거에는 겨울 김장 김치를 땅을 파고, 묻어두어서 얼지 않고 겨우내 아삭아삭한 김치를 즐길 수 있게 준비했다면 지금은 "김치냉장고"라는 특별 가전이 한국 가정에 필수 가전으로 자리 잡았다. 김치를 가장 맛있게 숙성시켜 주는 4도 온도를 유지하여 주며 김치 이외에도 다양한 야채의 보존 가전으로 필수 제품이 되고 있다.

キムチ冷蔵庫 김치 냉장고

또한 김치의 문화적 특징을 활용하여 한국에서는 다양한 김치 관련 페스티벌이 열리고 있다. 가장 대표적인 페스티벌은 서울시에서 11월에 개최하는 "서울 김장문화제"를 비롯하여 "광주 세계 김치 축제(https://kimchi.gwangju.go.kr)"가 있다. 김치 관련 전문가와 연구진이 모인 학술토론회뿐만 아니라 팔도의 김치를 소개하고 김치로 만든 음식과 장아찌, 젓갈 등의 발효식품, 그리고 외국의 절임 발효식품 등의 소개도 진행하며 김치산업의 육성과 발전을 위한 활동을 하고 있다. 김치는 한국 어디에서도 맛볼 수 있지만 코스로 구성된 "한정식"도, 오래된 점포의 맛이 살아 있는 "굴다리식당", "장꼬방", 그리고 전국 어디서나 먹을 수 있는 "새마을 식당" 등이 있다. 단순히 먹는 것만이 아닌 박물관과 체험 활동을 통해서도 느낄 수 있는데 서울시 종로구 인사동에 있는 "뮤지엄 김치간", 그리고 광주의 "김치박물관"에서 김치 장인과 함께 김치를 만들거나 다양한 한국의 절임 문화를 경험해 볼 수 있는 체험 프로그램이 있다.

けに単純な食べ物ではなく１年分を準備する過程の努力、作るための共同体の活動、そして保存と熟成のための科学の役割まで見せてくれる。春にはアミの塩辛、イワシの塩辛のような塩辛を準備し、夏には野菜を漬けるための天日塩を用意し、晩夏からは唐辛子を乾かして唐辛子粉を準備する。そして晩秋と初冬に白菜を準備して塩漬けし、家族または町内の人々と集まってキムジャンをする。

特に発酵過程を通じて生じる様々な物質は栄養素が不足しやすかった冬に良い健康食品としての役割を果たしてきた。キムチ発酵過程で生じる乳酸菌は有害菌の繁殖と発育を抑制して腐敗を防ぎキムチを熟成させ、有益な微生物と酵素が変化を起こすが、これを「キムチの熟成」という。それでキムチを発酵科学という。このようなキムチは韓国の「おかず」文化の代表であるだけでなく、料理の材料としても活用し、この複合的な味をベースに韓国人の「食卓」を完成させる基本となる。キムチチゲ、キムチチム、キムチチヂミなど多様な料理に活用され、肉や魚と一緒に多様な味の組み合わせを作り出す料理の完成度を高める最も基本的な料理として尊重されている。

韓国人のキムチ愛は家電文化にも変化をもたらした。過去には冬のキムジャンキムチを地面に掘って埋めておき、凍らずに冬の間ずっとさくさくしたキムチを楽しめるように準備したとすれば、今は「キムチ冷蔵庫」という特別家電が韓国家庭に必須家電として位置づけられている。キムチをできるだけおいしく熟成させるために温度を４度に維持し、キムチ以外にも多様な野菜の保存家電として必須製品となっている。

また、キムチの文化的特徴を活用し、韓国現地では様々なキムチ関連フェスティバルが開かれている。最も代表的なフェスティバルは、ソウル市で11月に開催される「ソウルキムジャン文化祭」をはじめ、「光州世界キムチ祭り (https://kimchi.gwangju.go.kr)」がある。キムチ関連専門家と研究陣が集まった学術討論会だけでなく、八道のキムチを紹介し、キムチで作った食べ物と漬物、塩辛などの発表食品、そして外国の漬物発表食品などの紹介も進め、キムチ産業の育成と発展に向けた活動を行っている。

https://kimchi.gwangju.go.kr/#

キムチは韓国のどこでも味わえるが、コースで構成された「韓定食」も、古い老舗の味が生きている「クルダリ食堂」、「チャンコバン」、そして全国どこでも食べられる「セマウル食堂」などがある。単に食べるだけでなく、博物館や体験活動からも感じられるが、ソウル市仁寺洞にある「ミュージアムキムチガン」、光州の「キムチ博物館」ではキムチ職人と一緒にキムチを作ったり、様々な韓国の漬物文化を体験できる体験プログラムコースがある。

2 자연의 시간표대로, 장(醬/藏)

한국인의 “소울푸드”라고 하면 집에서 어머니가 끓여 주시는 “된장찌개”의 이미지를 떠올린다. 집마다 한 해의 먹을거리를 만드는 첫 순서가 좋은 콩을 골라서 메주를 만들고, 메주를 주재료로 만든 된장과 간장이라고 할 수 있다. 된장의 맛이 그 집안의 맛을 평가하는 척도가 되기도 하였다. 기본적으로는 한국 음식 조미식품(調味食品)의 성격을 가지고 있으나 발효를 기본으로 하는 식품이므로 건강에 유익한 식품으로 인정받고 있다. 된장은 되직한 장을 말하고. 간장은 “간”을 가지고 있는 짠맛을 가지고 있다. 늦가을에 흰콩을 삶아 메주를 만들고, 따듯한 곳에 곰팡이를 충분히 띄워서 말려 두었다가 음력 정월 이후 소금물에 넣어 장을 담근다. 장맛이 충분히 우러나면 그 국물은 간장이 되고, 메주는 간하여 항아리에 꼭 눌어 담아 두고 된장으로 쓴다. 된장은 계절마다 그 계절의 야채와 재료를 활용하여 다양한 찌개와 국의 조미 식품으로 사용된다. 간장은 맛을 내는 역할을 하기도 하지만 다양한 “절임” 요리의 기본 재료로 장기간 보존할 수 있는 반찬을 만드는 데 중요한 재료가 된다.

된장과 간장에 비해 역사는 오래되지 않았지만, 많이 사용하는 장류 중 하나로 “고추장”이 있다. 고추장은 된장, 간장과 함께 한국의 고유 발효 식품으로 탄수화물의 가수분해로 생긴 단맛과 콩단백 아미노산의 감칠맛. 그리고 고추의 매운맛, 소금의 짠맛을 잘 조화시킨 복합 조미식품이다. 드라마나 한국 관련 콘텐츠에서 항상 등장하는 “떡볶이”라는 요리를 완성하는 소스가 바로 “고추장”이다. 이처럼 고추장은 한국의 볶음 요리, 그리고 무침 요리 등에 맛을 내주는 소스로 활용되어 “빨간색”, “매운맛”의 상징처럼 알려졌다. 고추장을 활용한 대표 한식 요리의 상징인 떡볶이는 한국의 식품회사의 “고추장” 광고에 사용되어 보다 유명해졌다. 한국의 유명한 떡볶이 거리 “신당동”의 대표 가게 “마복림 즉석떡볶이”를 만드신 “마복림”님이 등장하여 맛있는 떡볶이를 만들 때 사용되는 고추장으로 광고하면서 국민 모두 사용하는 고추장 브랜드로 자리 잡았다.

トッポッキ 떡볶이

自然の時刻表通り、장(醬/藏)

韓国人の「ソウルフード」といえば、家でお母さんが作ってくれる「テンジャンチゲ」のイメージを思い出す。

家ごとに一年の食べ物を作る最初の順序が良い豆を選んで味噌玉麹を作り、味噌玉麹を主材料として作ったみそと醤油と言える。味噌の味がその家の味を評価する尺度にもなった。基本的には韓国料理の調味食品の性格を持っているが、発酵を基本とする食品であるため健康に有益な食品として認められている。味噌は固い醤油のこと。醤油は「塩加減」を持つ塩味を持っている。晩秋に白豆を茹でて味噌玉麹を作り、暖かいところにカビを十分に浮かせて干しておき、旧暦の正月以降塩水に入れて醤を漬ける。醤の味が十分に染み込めば、そのスープは醤油になり、味噌玉麹は塩味をつけて壺にしっかりと入れておいて味噌として使う。味噌は季節ごとにその季節の野菜や材料を活用して多様なチゲやスープの調味食品として使われる。醤油は味を出す役割もするが、多様な「漬物」料理の基本材料として長期間保存可能なおかずを作るのに重要な材料になる。

味噌(テンジャン)や醤油(カンジャン)に比べて歴史は古くないが、多く使われる醤類の一つに唐辛子みそ(コチュジャン)がある。コチュジャンは味噌、醤油とともに韓国固有の発酵食品で、炭水化物の加水分解によってできた甘みと豆たんぱくアミノ酸のコク。そして唐辛子の辛さ、塩の塩味をよく調和させた複合調味食品である。ドラマや韓国関連コンテンツで常に登場する「トッポッキ」という料理を完成させるソースがまさに「コチュジャン」である。このようにコチュジャンは韓国の炒め物、そして和え物料理などに味をつけるソースとして活用され、「赤」「辛味」の象徴として知られている。コチュジャンを活用した代表的な韓国料理の象徴であるトッポッキは、韓国の食品会社の「コチュジャン」広告に使われ、より有名になった。韓国の有名なトッポッキ通り「新堂洞」の代表店「マボクリム即席トッポッキ」を作った「マボクリム」さんが登場し、おいしいトッポッキを作る時に使われるコチュジャンとして広告し、国民皆が使うコチュジャンブランドとなった。

3 유네스코(UNESCO) 인류무형문화유산으로 등재된 "김장"과 등재 신청된 장문화

한국의 김치 문화의 대표적인 김장 문화는 일본의 "와쇼쿠 문화"와 함께 2013년 12월 유네스코(UNESCO) 인류무형문화유산으로 등재되었다. 김장은 가족이 기초가 된 공동체가 함께 만들고, 여러 세대에 걸쳐 전수됐으며, 독창적이고 유익한 발효식품인 점 등을 높이 평가받은 만큼 한국에서는 빼놓을 수 없는 귀중한 문화 자산인 만큼 앞으로도 다양한 도전과 시도가 있을 것이다.

이런 문화를 담고 있는 김치를 중심으로 최근 다양한 시도들이 있는데 "미국 아마존에서 양념 부분 1등을 기록한 "김치 양념"은 비건, 무글루텐, 논(NON)-GMO를 고려하여 개발하여 최근의 세계 음식 트렌드에 적합한 제품으로 세계인의 식탁을 공격하고 있다. 이에 이어 2020년 "한국의 전통 장문화"도 유네스코 인류 무형문화 재산으로 신청되었고 2024년 발표를 기다리고 있다. 세계의 다양한 요리장들이 한국의 전통 장류들로 새로운 요리를 시도하고 있는 것처럼 이제까지 한국인 식탁의 건강을 책임졌던 김치와 장류가 이제 세계인과 만나면서 보다 새로운 식문화를 만드는 것에 도전하고 있다.

3 ユネスコ (UNESCO) 人類無形文化遺産に登録された「キムジャン」と登録申請された醬 / 藏文化

韓国のキムチ文化の代表的なキムジャン文化は、日本の「和食文化」とともに2013年12月にユネスコ (UNESCO) 人類無形文化遺産に登録された。キムジャンは家族が基礎となった共同体が一緒に作り、数世代にわたって伝授され、独創的で有益な発酵食品である点などが高く評価されただけに、韓国では欠かせない貴重な文化資産であるだけに今後も多様な挑戦と試みがあるだろう。このような文化を盛り込んだキムチを中心に最近多様な試みがあるが「米国アマゾンでシーズニング部分1位を記録した『キムチシーズニング』はビーガン、グルテンフリー、ノン (NON)-GMO を考慮して開発し、最近の世界の食べ物トレンドに適合した製品で世界中の食卓に供されている。これに続き、2020年には「韓国の伝統醬文化」もユネスコ人類無形文化財産として申請され、2024年の発表を待っている。世界の多様なシェフが韓国の伝統醬類で新しい料理を試みているように、これまで韓国人の食卓の健康を担当してきたキムチと醬類が今や世界の人々と出会い、より新しい食文化を作ることに挑戦している。

キムチ、キムジャン、そして醬の文化情報をクリックしてみましょう。
김치, 김장, 그리고 장(藏) 문화 정보를 클릭해 봅시다.

世界キムチ研究所 세계 김치 연구소 누리집 https://www.wikim.re.kr/	キムチコンテンツ統合プラットフォーム 김치콘텐츠 통합 플랫폼 https://www.wikim.re.kr/kcip/	韓食文化空間 한식 문화 공간 https://www.hansik.or.kr/main/main.do

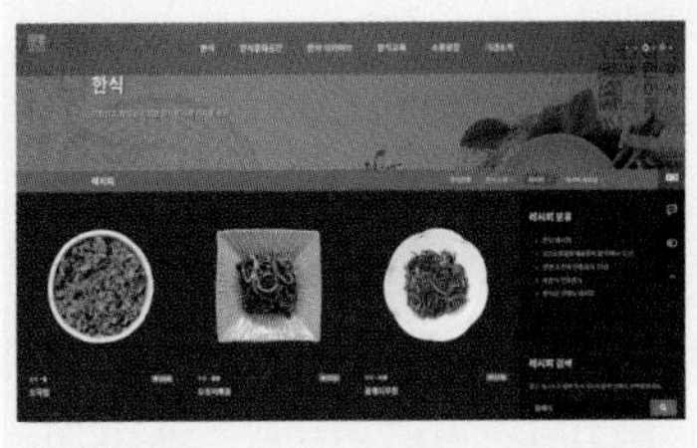

今日のキムチと 醤文化を味わってみましょう。
오늘의 김치와 장문화를 맛봅시다.

ミュージアムキムチカン 뮤지엄 김치간 https://www.kimchikan.com/	光州キムチ博物館 광주 김치 박물관 https://www.gwangju.go.kr/kimchitown	光州キムチ祭り 광주 김치 축제 https://kimchi.gwangju.go.kr/

1. **ミュージアムキムチカン [Museum Kimchikan]https://www.kimchikan.com/ :** 1986年開館し、江南 COEX モールで再開館したが、現在位置の鍾路区仁寺洞にミュージアムキムチカンとして再開館。展示・体験プログラムを運営している。現在、オンライン体験プログラムも運営している。
   뮤지엄 김치간 [Museum Kimchikan] https://www.kimchikan.com/ : 1986년 개관하여 강남 코엑스 몰에서 재개관하였다가 현재 위치인 종로구 인사동에 뮤지엄 김치간으로 재개관. 전시 및 체험 행사를 운영하고 있음. 현재 온라인 체험 행사도 운영하고 있음.

2. **光州キムチ博物館 [Gwangju Gimchi Museum] (光州キムチタウン内) :** 光州キムチタウンウェブサイト https://www.gwangju.go.kr/kimchitown : キムチの歴史紹介、遺物及び八道キムチ展示、体験遊び施設、キムチ光州の味と趣 (名人紹介など) 韓国の伝統料理、世界の名節料理展示、キムチ発酵食品館は展示及び講座進行土窟展示館やキムチ工場もあり、購入も可能。解説者あり説明を聞くことができる。

광주 김치 박물관 [Gwangju Gimchi Museum] (광주김치타운 내) : 광주김치타운 웹사이트 https://www.gwangju.go.kr/kimchitown : 김치의 역사소개, 유물 및 팔도 김치 전시, 체험 놀이 시설, 김치 광주의 맛과 멋(명인 소개 등) 한국의 전통음식, 세계의 명절 음식 전시, 김치 발효 식품관은 전시 및 강좌 진행, 토굴전시관 및 김치 공장도 있어 구매도 가능함. 해설사가 있어 설명을 들을 수 있음.

3 **光州キムチ祭り https://kimchi.gwangju.go.kr/** : 毎年 11 月中旬に開催 光州キムチタウン内 : 展示イベント、キムチマーケット、キムチコンテストなど

광주 김치 축제 https://kimchi.gwangju.go.kr/ : 매해 11월 중순 개최 광주김치타운 내 : 전시행사, 김치 마켓, 김치 경연 등.

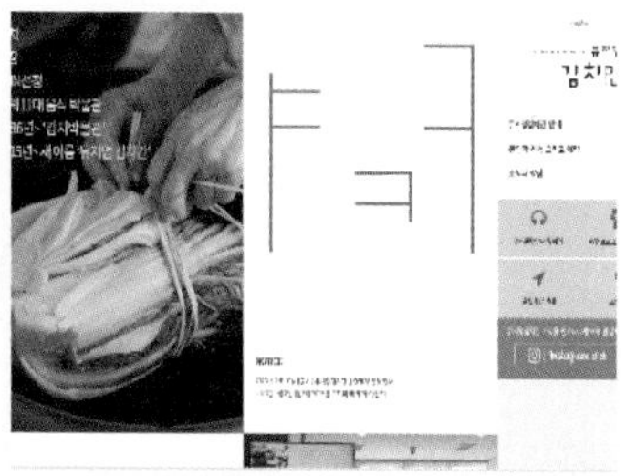

考えて話してみましょう。
생각하고 이야기해 봅시다.

1 日本の「味噌&醤油」と韓国の「テンジャン&カンジャン」と比べるとどんなところが似ていて、どんなところが違いますか？

일본의 "미소&쇼유"와 한국의 "된장&간장"을 비교할 때 어떤 점이 비슷하고 어떤 점이 다릅니까?

2 キムチを食べた経験を話してみましょう。日本の"キムチ"とどんなところが違いますか？

김치를 먹어본 경험을 이야기해 봅시다. 일본의 "김치"와 어떤 점이 다릅니까?

3 皆さんが行ってみたい「貯蔵文化」を盛り込んだ食堂を探して紹介してください。

여러분이 가 보고 싶은 "저장문화"를 활용하고 있는 식당을 찾고 소개해 주세요.

TIP

直接行って食べてみてください。おすすめレストラン&商品

직접 가서 먹어봐요. 추천 식당 & 제품

1. 熟成キムチを食べてみてください。묵은지를 먹어봐요 :

   - 굴다리 식당 https://www.mangoplate.com/restaurants/YzPiIPpCy8
   - 서초동 장꼬방 https://www.mangoplate.com/restaurants/CaJwkJsyb3

2. 肉とキムチの組み合わせ 고기과 김치의 조합 :

   - 새마을 식당 https://newmaul.com/

3. シンダン(新堂)洞トッポッキ屋通り 신당동 떡볶이 골목 :

   https://map.naver.com/v5/entry/place/13543837?placePath=%2F&entry=plt&c=14.2,0,0,0,dh

4. キムチシーズニング : ソウル シスターズ キムチ シーズニング : Amazon 1位 シーズニング 商品

   김치 양념 : 서울 시스터즈 김치 양념 : 아마존 1위 양념 상품

参考サイトおよび参考文献
참고 사이트 및 참고 문헌

★ 比較文化研究第50集・キム・ヒョンジョン(韓国伝統文化大学校)(2018.3)
비교문화연구 제50집 · 김현정 (한국전통문화대학교) (2018.3)

★ ナ·ギョンウォン(2014)、専門博物館マーケティング活性化研究_プルムウォンを中心に、中央大学芸術大学院修士論文
나경원(2014), 전문박물관 마케팅 활성화 연구_풀무원을 중심으로, 중앙대학교 예술대학원 석사논문

★ オ·チャンソプ(2022)、韓国型冷蔵庫の発展過程、1984~1995、デザイン学研究、vol.35、no.1、通巻141号pp.367-387(21pages)
오창섭(2022), 한국형 냉장고의 발전 과정, 1984~1995, 디자인학 연구, vol.35, no.1, 통권 141호 pp. 367-387 (21 pages)

10 길거리 음식 & 간식 문화 - 떡볶이는 원래 빨간색이 아니다.

드라마에서 그들이 데이트할 때 먹던 길거리 포장마차 음식. 식사는 했지만 배고 조금 고플 때, 공부나 업무 등의 여러 가지 이유로 바빠서 식사 시간을 놓쳐서 간단히 뭔가 먹고 싶을 때, 그리고 헤어지긴 아쉬우니 뭔가와 같이 나누고 싶을 때, 한국에서는 길을 걷다가 마주치는 포장마차에서 무언가를 먹는다. 추운 겨울날이면 어묵 국물 냄새에 흘러들어 가면 어느새 주문 중. 이렇게 길거리 음식은 한국 생활 속에 쉽게 어디서나 접할 수 있는 음식이다. 조리 온도에 민감하지 않으며 쉽게 맛이 변하지 않는 것들이 모여 있고 그들끼리의 음식 궁합도 좋아서 하나만 먹기는 아쉬운 길거리 음식에 대해 알아보자.

1 거리 어디서나 만나는 떡볶이, 순대, 튀김, 그리고 어묵

떡으로 만든 간식은 옛날부터 귀하게 생각하고 사람들에게 사랑을 받아왔다. 길거리 음식으로 가장 유명한 떡볶이는 실제로는 궁중요리로 간장에 고기와 채소와 볶은 떡을 버무려 먹는 간장 떡볶이였다. 그러나 현재의 우리가 즐기고 있는 고추장 떡볶이는 현재 신당동 떡볶이 골목을 유명하게 만든 "마복림" 할머니가 개발한 요리법이다. 처음엔 길거리에서 시작되지만, 지금은 한 거리를 떡볶이 거리로 만들 만큼 유명해지고 고객들의 참여로 다양한 떡볶이 메뉴가 생겨났다. 지역에 따라 재료와 떡의 종류, 그리고 국물의 양이 달라 다양한 방법으로 즐기는 대표 요리가 되었다.

屋台トッポッキ　포장마차 떡볶이

2 계절마다 만나는 특별한 길거리 음식

찬 바람이 불면 호떡, 호빵, 붕어빵, 그리고 군고구마까지 길거리에서 만나는 음식이 더 다양해진다. 호떡은 밀가루나 찹쌀가루로 반죽하고 그 안에 설탕과 견과류 등을 넣고 기름에 구워 먹는 음식이다. 붕어빵은 붕어 모양의 즉석 빵의 형태로 안에 팥이 들어있는 형태이다.

屋台料理＆おやつ文化 - トッポッキは元々赤ではない。

ドラマで若者らがデートするときに食べた屋台の食べ物。食事はしたけどお腹が空いた時、勉強や仕事などいろいろな理由で忙しくて食事の時間を逃して簡単に何か食べたい時、そして別れるのは残念だから何か一緒に分かち合いたい時、韓国では道を歩いていて出くわした屋台で何かを食べる。寒い冬の日にはおでんスープの匂いに取りつかれてしまうと、いつのまにか注文中。このように屋台料理は韓国生活の中で簡単にどこでも接することができる食べ物である。調理温度に敏感ではなく、簡単に味が変わらないものが集まっており、彼ら同士の食べ物の相性さえ良くて一つだけ食べるのは残念な屋台料理である。

1 街のどこでも会うトッポッキ、スンデ、天ぷら、そしておでん

餅で作ったおやつは昔から大切に思われ、人々に愛されてきた。屋台料理で最も有名なトッポッキは、実際には宮廷料理で醤油に肉と野菜と炒めた餅を和えて食べる醤油トッポッキだった。しかし現在の私たちが楽しんでいるコチュジャントッポッキは現在、新堂洞トッポッキ路地を有名にした「マ・ボクリム」おばあさんが開発した料理法である。最初は路上で始まるが、今は一通りをトッポッキ通りにするほど有名になり、顧客の参加で多様なトッポッキメニューが生まれた。地域によって材料と餅の種類、そしてスープの量が異なり、多様な方法で楽しむ代表料理となった。

宮廷トッポッキ 궁중떡볶이

2 季節ごとに出会う特別な屋台料理

冷たい風が吹くとホットク、アンパン、たい焼き、そして焼き芋まで路上で出会う食べ物がさらに多様になる。ホットクは小麦粉やもち米粉で練って、その中に砂糖やナッツ類などを入れて油で焼いて食べる料理である。たい焼きはフナ形の即席パンの形で中に小豆が入っ

붕어빵은 최근 젊은 사람들에게 다시 인기가 높아져서 "붕어빵 지도"가 생길 정도로 관심이 높아지고 있다. 이 밖에도 겨울이면 군고구마, 호빵 등의 먹거리들을 만나게 된다. 길거리에서뿐 아니라 직접 집에서 물만 부어서 간단하게 만들 수 있는 호떡 제품이 여러 회사에서 출시 되어 세계 어디서든 즐길 수 있다. 한식과 어울리는 새로운 디저트로 인기가 많아지고 있다.

ホットクミックス 호떡믹스

 3 가벼운 식사, 분식

분식(粉食)의 원래 의미는 "가루로 만든 음식"이라는 뜻이다. 실제로 1960~70년대 혼분식 장려 운동 당시에 쌀 소비를 줄이고 밀가루를 권장했는데 그 과정에서 "분식"이라는 말이 만들어졌다. 지금은 떡볶이, 튀김뿐 아니라 김밥 등 간단한 음식 또는 길거리 음식을 부르는 의미로 변화하였다. 그래서 밥집과 비슷한 곳으로 다양한 메뉴를 즐길 수 있는 "김밥천국", "종로분식"과 같은 곳은 분식점이라기보다 싸게 한 끼를 해결할 수 있는 식당에 가깝다. 재미있는 것은 일본에서 "라면"은 다양한 재료와 창의성이 연결된 음식이라면 한국에서의 라면은 봉지 안에 들어 있으며 슈퍼마켓 등에서 살 수 있지만 분식점에서 김밥과 함께 같이 먹는 메뉴라는 것이다. 대신 다양한 토핑과 요리법으로 메뉴 이름도 다양하다. 예전에 한식 하면 "불고기"와 "비빔밥"이었지만 요즘에는 가볍고, "단짠"의 매력을 가진 분식집과 디저트 가게가 해외에서 인기가 상승하고 있다. 치맥(치킨과 맥주)과 더불어 세계인에게 다양한 맛과 재미를 보여 주고 있다.

ている形である。最近、若い人たちに再び人気が高まり、「たい焼き地図」ができるほど関心が高まっている。この他にも冬になると焼き芋、アンパンなどの食べ物が見られる。路上だけでなく、直接家で水を注ぐだけで簡単に作れるホットク製品が複数の会社から発売され、世界どこでも楽しめる。韓国料理に合う新しいデザートとして人気が高まっている。

ホットク 호떡

3 軽食

粉食の本来の意味は「粉で作った食べ物」という意味である。実際、1960~70 年代の混粉食奨励運動当時に米消費を減らし小麦粉を推奨したが、その過程で「粉食」という言葉が作られた。今はトッポッキ、天ぷらだけでなくのり巻きなど簡単な食べ物または屋台料理を呼ぶ意味に変化した。そのため、ご飯屋さんと似たようなところで、様々なメニューが楽しめる「キンパプ天国」「鍾路粉食」のようなところは粉食店というより安く一食を解決できる食堂に近い。面白いのは日本で「ラーメン」は様々な材料と創意性が結びついた食べ物なら、韓国でのラーメンは袋の中に入っていてスーパーなどで買えるが、粉食店でキムパプと一緒に食べるメニューだということ。その代わり、多様なトッピングと料理法でメニュー名も多様で以前、韓国料理といえば「プルコギ」と「ビビンバ」だが、最近は軽く、「甘じょっぱい」の魅力を持つ軽食店やデザート店が海外で人気が上昇している。チメク (チキンとビール) はもちろん、世界中の人々に様々な味と楽しさを提供している。

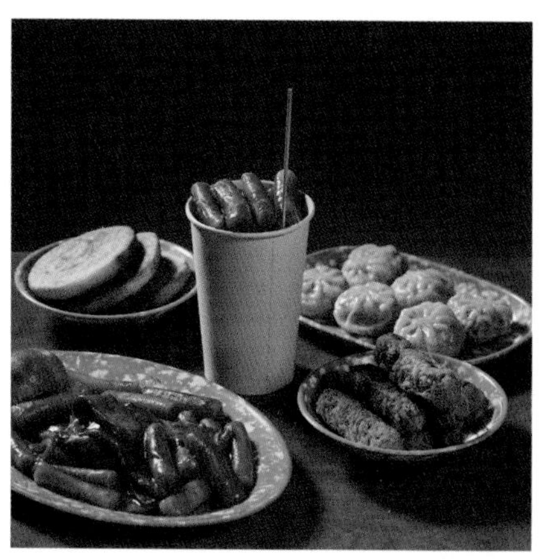

떡볶이, 만두 등의 분식 トッポッキ、餃子などの軽食

2023년 분식의 트렌드 “서진이네” (멕시코)

tvN “ソジニネ 서진이네” homepage

이런 인기를 보여주듯이 2023년 2월 24일. 한국 분식에 대한 새로운 해석을 통해 방송한 “서진이네”의 프로그램을 보면 조금 더 한국 길거리 음식, 분식의 매력을 느낄 수 있다. 이 방송은 “윤식당(2017.03)”부터 시작된 “해외에서 한국 식당 하기 프로그램”의 스핀오프 시리즈이다. 윤식당 시즌 1에서는 “불고기”가 주요리였는데 멕시코에서 촬영된 2023년 스핀오프 시리즈는 “한국의 길거리 음식, 분식”으로 메뉴가 정해진 것을 보면 한식의 유행이 “정찬”에서 “길거리 음식, 분식”으로 옮겨 가고 있다는 것을 명확히 확인할 수 있다. 특히 한국에서 인기 있는 프로그램이기도 하지만 이번에는 배우 이서진, 정유미, 박서준, 최우식 외에도 BTS의 뷔가 출연하여 시작부터 높은 관심을 받았다. 본 방송에서 나온 메뉴는 대부분 한국 슈퍼 또는 인터넷에서 구할 수 있는 재료로 어렵지 않게 집에서 해 볼 수 있는 요리들로 다양한 즉석식품들이 나오고 있다. 여러분도 방송에서처럼, 드라마의 주인공들처럼 새로운 요리에 도전해 보는 것은 어떨까?

2023年粉食のトレンド「ソジニネ」(メキシコ)

このような人気を示すように2023年2月24日、韓国の粉食に対する新しい解釈を通じて放送された「ソジニネ」の番組を見ると、もう少し韓国の屋台料理、粉食の魅力が感じられる。この放送は「ユン食堂(2017.03)から始まった『海外で韓国食堂をする番組』のスピンオフシリーズである。ユン食堂シーズン1が「プルコギ」がメイン料理だったが、メキシコで撮影された2023年スピンオフシリーズは「韓国の屋台料理、粉食」にメニューが決まったことを見れば、韓国料理のトレントは「ディナー」から「ストリートフード、粉食」に移っているということを明確に確認できる。特に韓国で人気のある番組でもあるが、今回は俳優のイ・ソジン、チョン・ユミ、パク・ソジュン、チェ・ウシクの他にもBTSのVが出演し始めから高い関心を集めた。本放送で流れたメニューはほとんど韓国スーパーまたはインターネットで入手できる材料で、簡単に家で作れる料理で、多様な即席食品が流れている。皆さんも番組のように、ドラマの主人公たちのように新しい料理に挑戦してみてはいかがだろうか？

韓国の粉食＆ストリートフード情報をクリックしてみましょう。
한국에 분식 & 길거리 음식 정보를 클릭해 봅시다.

キムガネ 김가네 http://gimgane.co.kr/html/brand_2.html	鐘路のり巻き 종로김밥 https://jongrokimbap.co.kr/bbs/board.php?bo_table=Gimbap	スクールフード 스쿨푸드 http://www.schoolfood.co.kr/intro/intro.html

출처 : 김가네 홈페이지

출처 : 종로김밥 홈페이지

출처 : 스쿨푸드 홈페이지

有名な食べ物通りに行ってみましょう。
유명한 음식 거리에 가 봅시다.

❶ **シンダン(新堂)洞トッポッキ屋通り**:新堂洞では1970年代後半から今のトッポッキ路地が形成され始めたが、1980年代に入って路地がさらに繁盛するようになり数多くのトッポッキ店ができた。現在までも新堂洞トッポッキタウンでは毎年トッポッキタウン祭りが開催されるなど、その歴史が続いている。

출처 : https://korean.visitseoul.net/

신당동 떡볶이 타운 : 신당동에서는 1970년대 후반부터 지금의 떡볶이 골목이 형성되기 시작했는데, 1980년대로 넘어오면서 골목이 더욱 번성하게 되었고 수많은 떡볶이 가게가 생겨났다. 현재까지도 신당동 떡볶이 타운에서는 매년 떡볶이 타운 축제가 개최되는 등 그 역사가 계속해서 이어지고 있다.

❷ **広蔵市場**:100年余りの歴史を持つ都心の在来市場の代名詞、広蔵市場。鐘路(チョンノ)と清渓川(チョンゲチョン)が観光特区に指定され、外国人が韓国の屋台料理を食べるために訪れる屋台料理の名所。ピンデトック、麻薬キンパプ、カルグクス、スンデグク、ユッケ路地まで様々な屋台料理が楽しめる所である。

출처 : http://www.kwangjangmarket.co.kr/

광장시장 : 100여 년 역사를 간직한 도심의 재래시장의 대명사 광장시장. 종로와 청계천이 관광특구로 지정되면서 외국인들이 한국의 길거리 음식을 먹기 위해 찾는 길거리 음식 명소. 빈대떡, 마약 김밥, 칼국수, 순댓국, 육회 골목까지 다양한 길거리 음식을 즐길 수 있는 곳이다.

3 **コンドクドン (孔徳洞) 前路地 :** 孔徳市場内の豚足路地のすぐ隣に位置するチョン路地は、陳列されたチヂミと天ぷらをかごに入れて重さだけお金を支給した後、奥の席に座って食事ができる。市販されている天ぷらをはじめ、伊勢海老フライ、じゃがいも巻きエビフライ、エビニラチヂミ、シイタケチヂミなど多様な天ぷらとチヂミを販売している。

출처 : https://korean.visitseoul.net/

공덕동 전 골목 : 공덕시장 내 족발 골목 바로 옆에 위치한 전 골목은 진열된 전과 튀김을 바구니에 담아 무게만큼 돈을 지급한 후 안쪽의 자리에 앉아 식사할 수 있다. 시중에서 흔히 볼 수 있는 튀김을 비롯해 대하 튀김, 감자 말이 새우튀김, 새우 부추전, 표고전 등 다양한 튀김과 전을 판다.

4 **ソンスドン (聖水洞) カルビ路地 :** 聖水洞カルビ路地は安くてボリュームたっぷりの量で人々を魅了するグルメ通りである。70 年代聖水洞に競馬場が建設され、カルビ屋が繁盛したのを皮切りに、すでに 40 年の歴史を持つところだ。豚カルビの他にもさっぱりしたおかずで有名で、食堂ごとにカルビのタレの味が少しずつ異なり、好みに合わせて楽しむことができる。

출처 : https://korean.visitseoul.net/

성수동 갈비 골목 : 성수동 갈비 골목은 저렴하고 푸짐한 양으로 사람들의 발길을 이끄는 먹자골목이다. 70년대 성수동에 경마장이 들어서면서 갈빗집이 번창한 것을 시초로 벌써 40년의 역사를 가진 곳이다. 돼지갈비 외에도 시원하고 깔끔한 밑반찬으로 유명하며 식당마다 갈비 양념의 맛이 조금씩 달라 기호에 맞게 즐길 수 있다.

考えて話してみましょう。
생각하고 이야기해 봅시다.

1 日本の「ラーメン」と韓国の「ラミョン」はどんな点が似ていて、どんな点が違いますか？

일본의 "라면"과 한국의 "라면"은 어떤 점이 비슷하고 어떤 점이 다릅니까?

2 韓国の屋台料理を食べた経験を話してみましょう。日本の「ヤタイ料理」とどんな点が違いますか？

한국의 길거리 음식을 먹어본 경험을 이야기해 봅시다. 일본의 "야타이 음식"과 어떤 점이 다릅니까?

3 皆さんが食べてみたい「街角料理」を探して食べられる食堂を紹介してください。

여러분이 먹어 보고 싶은 "길거리 음식"을 찾아보고 먹을 수 있는 식당을 소개해 주세요.

参考サイトおよび参考文献
참고 사이트 및 참고 문헌

★ ビジットソウルネット비지트 서울넷 : https://korean.visitseoul.net

★ 広蔵市場 광장시장 : http://www.kwangjangmarket.co.kr/ja/

★「서진이네 ソジンのキッチン」の放送情報 tvN : https://tvn.cjenm.com/ko/jinnyskitchen/

회식(会食) 문화 - 한국식 직장 내 파티 문화

1 한국에서 회식이란?

영국의 주류 전문지 "Drinks International"의 "The Millionaire Club"에서 20년 연속 1위를 차지한 술은 한국의 "진로"다. 세계 인구 순위는 29위로 "인구"는 약 0.5%인 나라의 술이 과연 어떻게 세계 1위의 술이 된 것일까? 아마도 한국의 술 문화가 혼자 마시는 문화가 아니라 회식 등을 통해 함께 마시는 문화이기 때문이 아닐까?

韓国の会食 한국의 회식

회식이란 "여러 사람이 모여 음식을 함께 먹는 행위 또는 모임"을 말한다. 학교 또는 기타 단체들의 모임의 경우에도 사용되기는 하지만 대부분 개인적인 모임보다는 회사가 주최하는 모임을 뜻한다. 현재는 코로나를 거치면서 또는 직장 내의 문화가 변화하면서 회식은 곧 "술을 마시는 자리"라는 인식은 많이 변화하여 가고 있다. 비약적인 경제발전의 이유로 다들 달릴 때 서로 힘든 하루를 위로하고 술과 고기를 함께 나누며 시간을 나누던 방식이기도 했고 그런 과정을 통해 내일을 만드는 힘을 내기 했던 한국 특유의 문화였다. 어떤 외국인은 "한국인은 모이면 마시고, 취하면 싸우고, 다음날 다시 만나 웃으며 함께 일한다"라는 말할 정도로 회식은 회사 내에 여러 가지 이슈와 상황에 대해 열심히 토론하고 나누고 새로운 목표와 비전을 이야기하는 자리이기도 했다.

회식은 보통 퇴근 시간 정도의 시간에 시작하여 1차는 고기와 소주, 2차는 치킨과 맥주(치맥), 그리고 3차 노래방으로 이어지는 경우가 많았으나 코로나와 세대 간의 문화 차이 등을 이유로 많은 변화를 보인다. 한국의 다양한 드라마와 다큐멘터리, 그리고 온라인 영상 플랫폼에서 다양한 회식 문화와 사회 역사적 배경 등을 볼 수 있으니 추천하는 콘텐츠를 통해 경험해 보자.

会食文化 - 韓国式職場内パーティー文化

1 韓国で会食とは？

イギリスの酒類専門誌「Drinks International」のThe Millionaire Clubで20年連続1位になったお酒は韓国の「JINRO(眞露)」です。世界人口ランキングは29位で、人口は約0.5%の国の酒が果たしてどのようにして世界1位の酒になったのだろうか？おそらくこれは韓国の酒文化が一人で飲む文化ではなく、会食などを通じて一緒に飲む文化だからではないだろうか？

会食とは「色々な人が集まって食べ物を一緒に食べる行為または集い」を言う。学校またはその他の団体の集まりの場合にも使われるが、ほとんど個人的な集まりよりは会社が主催する集まりを意味する。現在は新型コロナウイルス感染症を経て、また職場内の文化が変化し、会食はすなわち「酒を飲む場」という認識が大きく変化している。飛躍的な経済発展の背景に、皆が集まる時、お互いに辛い一日を慰め、酒と肉を一緒に分かち合いながら時間を分かち合う方式でもあり、そのような過程を通じて明日に向かう作る力を出す、韓国特有の文化だった。ある外国人は「韓国人は集まれば飲み、酔えば戦い、翌日また会って笑って一緒に仕事をする」と言うほど会食は、会社内で色々な立場や考えを熱心に討論し、共有することで新しい目標とビジョンを生み出す場でもあった。

会食は普通、退勤時間頃に始まり、1次会は肉と焼酎、2次会はチメク(チキンとビール)。そして3次カラオケにつながる場合が多かったが、コロナと世代間の文化差などを理由に多様な変化を見せている。韓国の様々なドラマやドキュメンタリー、そしてオンライン映像プラットフォームで様々な会食文化や社会・歴史的背景などを見ることができるので、おすすめのコンテンツを通じて体験してみよう。

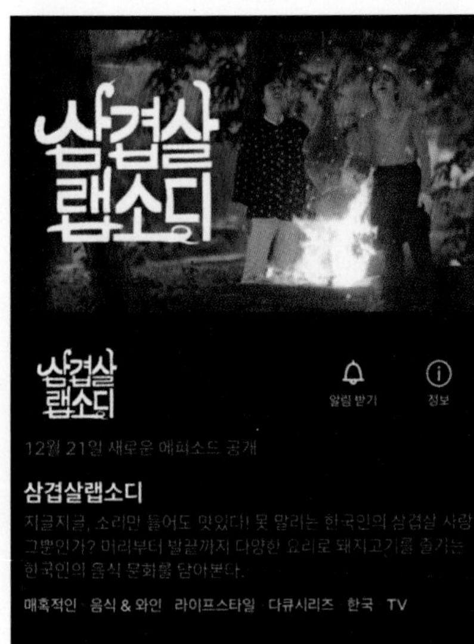

삼겹살 랩소디 (2020), KBS 제작

❶ **삼겹살 랩소디(2020)** : 삼겹살이라는 요리 재료에 대한 이야기가 아니고 한국만의 삼겹살 문화가 자리 잡게 된 역사적인 배경을 자연스럽게 해석하여 준다. 불판에 같이 둘러앉아 나누어 먹는 과정에서 나누는 대화를 통해 싸우기도 하고 웃기도 하면서 공감해 가는 일반인들의 삶의 이야기를 보여주는 다큐멘터리.

❷ **드라마 미생 (2014)** : 일본에서 리메이크하여 "HOPE(기대 제로 신입사원)"로 방송되었다. 웹툰이 원작인 드라마로 회사 생활의 실제를 보여주는 만화로 직장인 필독서가 되었다.

❸ SBS 스페셜 "은밀하게 과감하게" (2016) 한국 회사원들의 회식문화를 코믹하게 표현한 영상. 실제보다 과장된 부분이 있으나 조금 더 현실을 비꼬아 보여주는 재미가 있다.

2 회식의 부작용

회식이 회사 생활 또는 조직 생활의 일부분이기도 하므로 동료와 선후배 간의 커뮤니케이션을 돕는 모임이기도 했으나 역작용도 상당히 많이 있다. 한국 직장의 수직적인 문화 등이 회식을 통해 드러나기도 한다. 2013년에는 CNN이 "회식(Hoesik)"이라는 단어를, 그리고 2019년에는 BBC가 "꼰대(Kkondae)"라는 한국 단어를 소개했다. 특히 BBC는 오늘날 업무수행 방식을 변화시키는 것들을 선정하여 "Work life 101"을 소개하였는데 그중 49위가 "꼰대"이다. 꼰대라는 것은 "하대하는 나이 든 (사람 Condescending Older Person)을 말하는데, 항상 자기만 옳다고 생각하는 것으로 유명한 또 다른 집단이다. "라고 정의하고 있다. "언제든 원치 않는 충고를 건넬 준비가 되어 있는 상급자"라는 의미로 세대 간의 갈등을 보여주는 시대의 변화에 적응하지 못하는 기성세대를 꼬집는 의미로 사용되고 있다. 회식은 이런 "꼰대질"을 할 수 있는 아주 좋은 TPO(Time, Place, Occasion)라고 할 수 있다. 그러므로 젊은 세대들이 회식을 가고 싶어 하지 않는 분위기를 담은 "회식포비아(회식 공포증)이란 단어도 만들어지게 했다. 실제 2022년 3월에 조사된 "코로나19 시대, 그리고 이후의 회식문화"라는 조사에 따르면 "회식의 빈도가 줄었다"라고 답한 직장인이 91%였으며 2차 혹은 음주도 줄었다는 답변을 보여주고 있다.

韓国の会食文化を調べるコンテンツを楽しみましょう。
한국의 회식 문화 알아보기 콘텐츠를 즐겨 봅시다.

ネットフリックス「サムギョプサルラプソディー 넷플릭스 "삼겹살 랩소디" https://www.netflix.com/kr/title/81347666?trackId=255824129	ドラマ未生 드라마 "미생" https://www.netflix.com/kr/title/80165295?trackId=255824129	SBS スペシャル（会食編） SBS스페셜(회식편) https://www.youtube.com/watch?v=cpK-aBbKpx1I

1. サムギョプサルラプソディー (2020): サムギョプサルという料理材料に関する話ではなく、韓国ならではのサムギョプサル文化が定着した歴史的背景を自然に解釈してくれる。鉄板に一緒に座って分けて食べる過程の中で交わす対話を通じて、戦ったり笑ったりしながら共感していく一般人の暮らしの話を見せてくれるドキュメンタリー。

2. ドラマ未生 (2014): 日本でリメイクし、「HOPE(期待ゼロ新入社員)」として放送された。ウェブトゥーン (※韓国発のマンガ) が原作のドラマで、会社生活の実際を見せる漫画で会社員必読書になった。

3. SBS スペシャル「密かに果敢に」(2016)– 韓国の会社員たちの会食文化をコミカルに表現した映像。実際より誇張された部分があるが、現実を皮肉って見せる面白さがある。

2 会食の力作用

会食が会社生活または組織生活の一部でもあるため、同僚と先輩・後輩間のコミュニケーションを助ける集まりでもあったが、逆もかなり多い。韓国の職場の垂直的な文化などが会食を通じて明らかになったりもする。2013 年には CNN が「会食 (Hoesik)」という単語を、そして 2019 年には BBC が「コンデ (Kkondae)」という韓国語を紹介した。特に BBC は今日の業務方式を変化させるものを選定し「Worklife101」を紹介したが、そのうち 49 位が「コンデ」であっ

3 외국 문화로서의 한국의 회식

한국의 회식 문화가 위와 같이 특이하고 다양한 문화를 담고 있으니, 외국에서 한국에 취업하여 직장생활을 하는 외국인의 경우의 경험에 대해서도 다양하게 연구가 이루어지고 있다. 2019년 발표된 "딸란체바 발레리아" 씨의 "글로벌시대 한국 회식문화에 대한 인식 연구"에 따르면 한국에서 거주하는 외국인들이 한국에 와서 문화 적응과 언어적 어려움을 겪고 있지만 직장인들의 회식과 대학생들의 개강/종강 파티는 한국에서 거주하는 외국인들이 겪는 어려움을 극복하는 데 도움이 되는 방안이 될 수 있다고 주장하고 있다. 이러한 모임이 한국어 연습과 문화를 배우는 체험의 자리가 될 수 있다고 말하며 한국의 회식문화에 대해 알릴 필요가 있다고 말하고 있다.

4 코로나 이후 회식 문화의 변화

최근에 한국의 회식문화는 "부어라, 마셔라."하는 강압적인 분위기가 아닌 새로운 형태로 변화하고 있다. 2022년 "한국리서치의 코로나19 시대, 그리고 그 이후의 회식문화"의 조사 결과에 따르면 "영화, 연극, 뮤지컬 관람" 등의 회식 형태라면 참석하겠다고 한 직장인이 62% 이상이었다. 이밖에도 스포츠를 함께 즐기거나, 새로운 체험을 함께 경험하여 나가면서 공동체 안의 공감과 교류의 기회를 만들어 가고 있다.

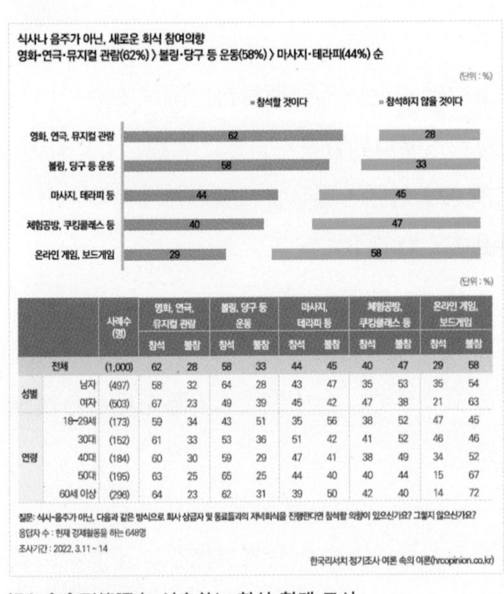

(단위 : %)

		사례수(명)	영화, 연극, 뮤지컬 관람		볼링, 당구 등 운동		마사지, 테라피 등		체험공방, 쿠킹클래스 등		온라인 게임, 보드게임	
			참석	불참	참석	불참	참석	불참	참석	불참	참석	불참
전체		(1,000)	62	28	58	33	44	45	40	47	29	58
성별	남자	(497)	58	32	64	28	43	47	35	53	35	54
	여자	(503)	67	23	49	39	45	42	47	38	21	63
연령	18~29세	(173)	59	34	43	51	35	56	38	52	47	45
	30대	(152)	61	33	53	36	51	42	41	52	46	46
	40대	(184)	60	30	59	29	47	41	38	49	34	52
	50대	(195)	63	25	65	25	44	40	40	44	15	67
	60세 이상	(296)	64	23	62	31	39	50	42	40	14	72

질문: 식사-음주가 아닌, 다음과 같은 방식으로 회사 상급자 및 동료들과의 저녁회식을 진행한다면 참석할 의향이 있으신가요? 그렇지 않으신가요?
응답자 수 : 현재 경제활동을 하는 648명
조사기간 : 2022. 3.11 ~ 14
한국리서치 정기조사 여론 속의 여론(hrcopinion.co.kr)

好む会食形態調査 선호하는 회식 형태 조사
https://hrcopinion.co.kr/archives/21448

2024년 한국인 회식의 친구 "진로(眞露)"가 100주년을 맞는다. 파란색 심볼의 로고로 "서민의 애환과 눈물"을 담고 있던 소주에서 이제 새로운 날씬한 당(糖) Zero 핑크 소주까지 등장하였다. 한국의 회식문화와 술자리 문화를 그대로 담고 있는 소주도 새로운 변화를 담고 있는 것처럼 점점 더 건강하게 다양성을 존중해가는 방향으로 변화하는 회식 문화를 기대해 본다.

た。コンデというのは「下待する年配の人（Condescending Older Person)」のことで、いつも自分だけが正しいと思っていることで有名なもう一つの集団である。」と定義している。「いつでも望まない忠告を渡す準備ができている上級者」という意味で世代間の葛藤を示す時代の変化に適応できない既成世代を皮肉る意味で使われている。会食は、このような「コンデジル」ができる非常に良いTPO(Time, Place, Occasion)だと言える。そのため、若い世代が会食に行きたがらない雰囲気を盛り込んだ「会食恐怖症」という単語も作られるようにした。実際、2022年3月に調査された「COVID-19時代、そして以後の会食文化」という調査によれば「会食の頻度が減った」と答えた会社員が91%であり、2次あるいは飲酒も減ったという返事を示している。

3 外国文化としての韓国の会食

韓国の会食文化が上記のように特異で多様な文化を含んでいるため、外国で韓国に就職して職場生活をする外国人の場合の経験に対しても多様な研究が行われている。2019年に発表された「タルランチェワ・バレア」氏の「グローバル時代の韓国会食文化に対する認識研究」によると、韓国に居住する外国人が韓国に来て文化適応と言語的困難を経験しているが、会社員の会食と大学生の開講/終講パーティーは韓国で居住する外国人が体験する困難を克服するのに役立つ方案になりうると主張している。このような集まりが韓国語の練習と文化を学ぶ体験の場になると述べ、韓国の会食文化について知らせる必要があると、言っている。

4 新型コロナウイルス感染症以後の会食文化の変化

最近、韓国の会食文化は「注ぎ、飲め」という強圧的な雰囲気ではなく、新しい形に変化している。2022年「韓国リサーチの新型コロナウイルス感染症時代、そしてその後の会食文化」の調査結果によれば「映画、演劇、ミュージカル観覧」などの会食形態ならば参加すると言った会社員が62%以上だった。この他にもスポーツを一緒に楽しんだり、新しい体験を共に経験していきながら共同体の中の共感と交流の機会を作っていくのだ。

2024年、韓国人会食の友人「JINRO(眞露)」が100周年を迎える。青いシンボルのロゴで「庶民の哀歓と涙」を盛り込んでいた焼酎から、今や新しいスリムな糖Zeroピンク焼酎まで登場した。韓国の会食文化と飲み会文化をそのまま盛り込んでいる焼酎も、新しい変化を盛り込んでいるように、ますます健康に多様性を尊重していく会食文化の変化を期待する。

韓国人会食の友達 眞露 jinro 한국회식의 친구 진로

考えて話してみましょう。
생각하고 이야기해 봅시다.

1. 日本の会食文化と韓国の会食文化はどんな点が似ていて、どんな点が違いますか？
   일본의 회식문화와 한국의 회식문화는 어떤 점이 비슷하고 어떤 점이 다릅니까?

2. 「サムギョプサル」または「チメク(チキンとビール)を他の人と一緒に食べて飲んだ経験はありますか？その経験を話してみてください。
   "삼겹살" 또는 "치맥"을 다른 사람과 같이 먹고 마셔본 경험이 있습니까? 그 경험을 이야기해 보세요.

3. 会社員、会社員なら皆さんはどんな会食をしたいですか？
   직장인, 회사인이라면 여러분은 어떤 회식을 하고 싶습니까?

参考サイトおよび参考文献
참고 사이트 및 참고 문헌

★ コロナ19世代、そしてその後の会食文化 https://hrcopinion.co.kr/archives/21448 [2022 韓国リサーチ イ·ソヨン | 世論調査]

코로나 19세대, 그리고 그 이후의 회식문화 https://hrcopinion.co.kr/archives/21448 [2022 한국리서치 이소연 | 여론조사]

★ タルランチェワ·バレリア(2019)、グローバル時代の韓国会食文化に対する認識研究。韓国学中央研究院、韓国学大学院] 碩士學位論文

딸란체바 발레리아(2019), 글로벌시대 한국 회식문화에 대한 인식 연구, 한국학중앙연구원 한국학대학원, 석사학위논문

★ シム·ワンソプ(2017)、会食文化のパラダイム変化と新しい実践方案のためのモデリング樹立、文化産業研究17年4号

심완섭(2017), 회식문화의 패러다임 변화와 새로운 실천방안을 위한 모델링 수립, 문화산업 연구, 2017년 4호

입으면서 알아보자

着ながら調べてみよう

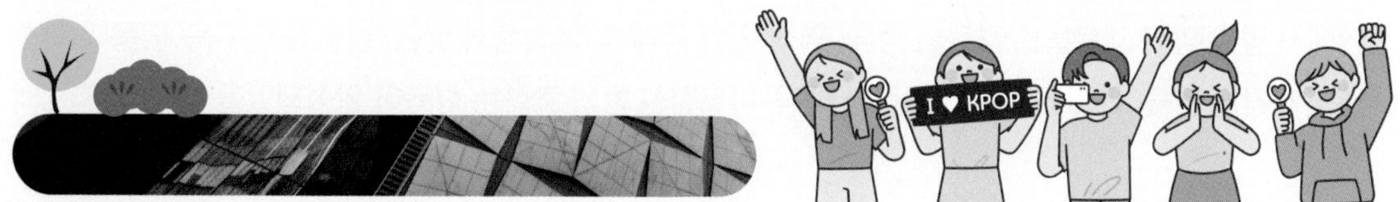

12 한복 이야기

BTS가 보여준 한복의 아름다움.

2020년 10월 한국을 대표하는 경복궁 앞에서 BTS가 여러 가지 한국의 문화를 보여주는 공연을 진행한 것이 화제가 되었다. 미국의 지미 팰런 쇼에 나가서뿐만이 아니라 경복궁의 건축물의 아름다움과 국악 악기와 음계를 이용한 신선한 편곡, 그리고 한국의 전통의상을 활용한 무대 의상까지 보여주면서 한국의 고유한 아름다움을 소개해 주었기 때문이었다. 특히 의상에서는 한복의 아름다운 선을 보여주는 깃과 고름, 곳곳에 들어간 자수는 화려함과 멋스러움을 같이 보여주었다. 이 무대를 통해 한복은 굳어 있는 전통 의복으로서의 가치뿐만 아니라 새로운 해석과 아이디어 적용이 가능한 한국의 문화임을 알 수 있다.

1 한복의 특징

평면적으로 보이지만 입으면 입체적으로 변한다.

한복은 서양 옷처럼 처음 만들 때부터 입체적인 체형에 맞게 만들지 않고 평면적인 형태로 만들지만 실제로 한복을 입으면 입은 사람의 체형에 맞춘 듯이 입체적으로 변화한다. 즉, 입는 이의 체형과 입는 방법에 따라서 옷의 맵시가 달라지고, 그에 따라 생기는 자연스러운 선의 흐름이 아름답게 나타난다. 이러한 선은 입는 사람과 한복의 자태를 더욱 돋보이게 하므로 한복의 형태적 미의 하나로 손꼽힌다. 또한 우리 옷은 속옷부터 겉옷까지 겹겹이 여러 옷을 겹쳐 입는 착장 방법을 가지고 있어서, 인공미가 가미되지 않은 자연스러운 풍성함으로 체형에 따라 흘러내리는 독특한 옷의 선이 나타난다.

옷감이나 색상, 바느질법에 따라 다채로운 스타일로 변한다.

한복은 옷감의 선택이나 색상, 바느질 법 등에 따라 같은 형태의 옷도 제각각 다른 옷으로 표현되기 때문에 다채로움이 있다. 한복의 옷감은 견직물과 면직물을 중심으로 직조 방법에 따라 수많은 옷감이 있다. 옷감의 상태에 따라 광택과 질감이 달라서 옷을 지었을 때 형태는 같아도 다른 옷이 된다. 특히 자연에서 얻은 염색 재료들은 재료의 상태, 염색 방법 등에 따라 짙음과 옅음, 밝음과 어두움, 맑음과 탁함 등의 색감을 만들어 낸다. 옷감의 질감과 색감, 바느질선 등의 조화는 한복이 완성되었을 때 한복 자체의

12 韓服の話

BTSが見せてくれた韓服の美しさ。

2020年10月、韓国を代表する景福宮の前でBTSが様々な韓国の文化を見せる公演を行ったことが話題となった。米国のジミー・ファロンショーに出演するだけでなく、景福宮（キョンボククン）の建築物の美しさと伝統楽器と音階を利用した新鮮な編曲、そして韓国の伝統衣装を活用した舞台衣装まで見せながら、韓国固有の美しさを紹介してくれたからだ。特に衣装では韓服の美しいラインを見せる襟と結びひも、あちこちに入った刺繍は華やかさと素敵さを一緒に見せてくれた。この舞台を通じて韓服は固まっている伝統衣服としての価値だけでなく、新しい解釈とアイデア適用が可能な韓国の文化であることが分かる。

1 韓服の特徴

平面的に見えるが、着ると立体的に変わる。

韓服は西洋服のように最初から立体的な体型に合わせて作らず平面的な形で作るが、実際に韓服を着ると着た人の体型に合わせて立体的に変化する。すなわち、着る人の体型と着方によって服の着こなしが変わり、それによって生じる自然な線の流れが美しく現れる。このような線は着る人と韓服の姿をさらに引き立たせるため、韓服特有の形態的美の一つに挙げられる。また、私たちの服は下着から上着まで幾重にも色々な服を重ねて着る着装方法を持っていて、人工美が加味されていない自然な豊かさで体型によって流れ落ちる独特な服の線が現れる。

아름다운 선을 만들어 내는 밑거름이 되고 그 한복을 누군가가 입음으로써 비로소 살아 숨 쉬는 완벽한 선이 만들어진다.

2 한복의 구성

한복은 우리 민족 고유의 의상으로 5,000여 년 한민족의 삶에서 기본 구성을 유지하면서도 당대의 생활 문화와 시대 상황, 미의식 등에 따라 형태와 구조가 다양하게 변화해 왔다.

한복은 상의와 하의가 나누어진 구조로, 그 기본 구성을 살펴보면, 남성 한복은 바지, 저고리, 조끼, 포로 이루어지고 그 외에 바지를 입는 데 필요한 허리띠와 대님, 버선, 신발이 있다. 여성 한복은 속바지, 속치마, 겉치마, 속적삼, 저고리, 포, 버선, 신발 등으로 이루어지며 장식품으로 노리개, 반지, 뒤꽂이 등이 있다.

한복의 구조는 직선과 평면으로 재단하여 매우 단순하지만, 바느질 방법으로 보면 모든 옷의 시접과 솔기를 꺾는 방법이 정확하게 정해져 있고, 깃 · 도련 · 배래 등이 곡선으로 바느질된다. 입는 방법도 정해져 있는데 옷에 여유가 있어서 활동하기가 편하고 체형도 보완해 주는 기능적인 옷이다.

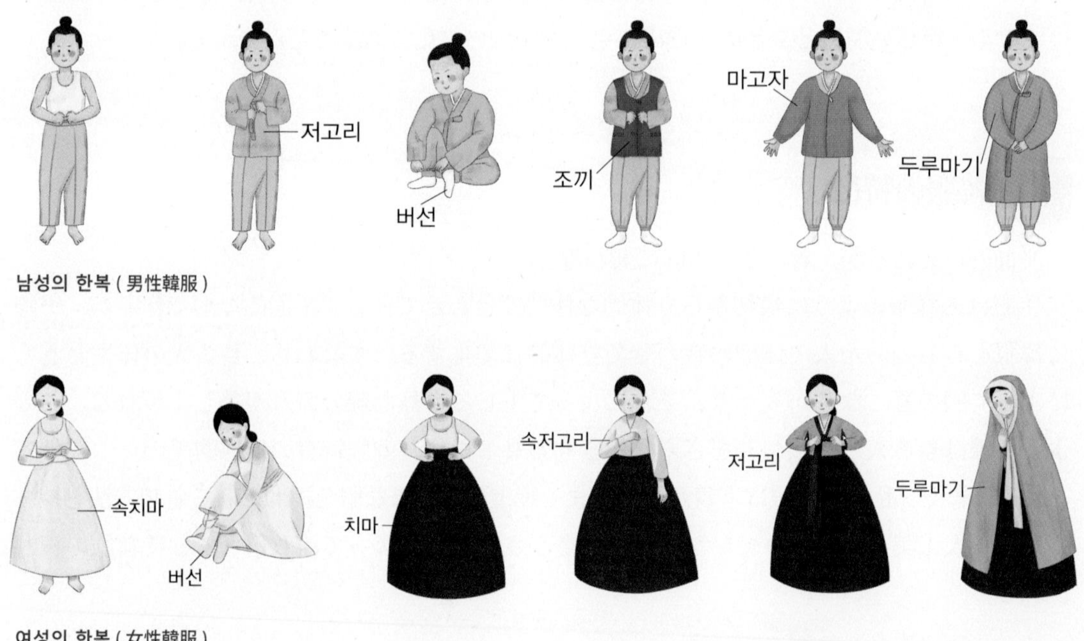

남성의 한복 (男性韓服)

여성의 한복 (女性韓服)

生地や色、縫い方によって多彩なスタイルに変化する。

韓服は生地の選択や色、縫い方などによって同じ形の服もそれぞれ違う服で表現されるため多彩さがある。韓服の生地は絹織物と綿織物を中心に織る方法によって数多くの生地がある。生地の状態によって光沢と質感が異なり、服を作った時の形は同じでも違う服になる。特に自然から得た染色材料は材料の状態、染色方法などによって濃さと薄さ、明るさと暗さ、澄むと濁るなどの色味を作り出す。

生地の質感と色味、裁縫線などの調和は韓服が完成した時、韓服自体の美しい線を作り出す土台になり、その韓服を誰かが着ることで初めて息づく完璧な線が作られる。

2 韓服の構成

韓服は我が民族固有の衣装で、5000年余りの韓民族の生活で基本構成を維持しながらも、当代の生活文化と時代状況、美意識などによって形態と構造が多様に変化してきた。

韓服は上着と下衣が分かれた構造で、その基本構成を見ると、男性韓服はズボン、チョゴリ、ベスト、布で構成され、その他にズボンを履くのに必要な腰帯とデニム、足袋、靴がある。女性韓服はペチパンツ、ペチスカート、外スカート、下着、チョゴリ、布、足袋、靴などで構成されており、装飾品としてノリゲ、指輪、裏立てなどがある。

韓服の構造は直線と平面で裁断され非常に単純だが、裁縫方法で見ればすべての服の縫い目と縫い目を折る方法が正確に決まっており、襟・トゥルマギ・チョゴリの裾の周り・韓服の袖の下側に魚のお腹のように丸くふっくらと出している部分などが曲線で裁縫される。着る方法も決まっているが、服に余裕があって活動しやすく体型も補完してくれる機能的な服だ。

3 한복의 변화

한복의 역사는 고구려 벽화에서 찾아볼 수 있다. 벽화에는 신분이나 직업에 따라 의복의 형태가 다르게 표현되어 있었으며 남성은 저고리와 바지, 여성은 저고리와 치마를 입고 그 위에 예의나 격식을 갖추기 위해 두루마기형 포를 더 입었다고 한다. 백제와 신라의 복식도 고구려와 그 기본적인 형태 면에서 유사했지만, 의복의 넓이나 색채, 머리에 쓰는 물건들의 장식 등에서 차이가 있었다고 한다. 그 이후 고려와 조선시대를 거치면서 한복은 여러 양식으로 변화하다가, 조선시대에 이르러서야 현재 한복의 모습이 정착되었다. 한복의 기본 구조는 외부의 영향 및 시대에 따라 일부 변하기는 하였지만 근본적인 변화 없이 지금까지 이어져 오고 있음을 볼 때 우리 옷 '한복'에서 한민족의 온화하면서도 끈질긴 민족 정체성을 엿볼 수 있다. 전통을 체험할 수 있는 동시에 현대적인 해석을 통해 만들어진 한복은 현재, 일을 할 때 입을 수 있는 생활한복이나 교복으로도 활용할 수 있는 개량 한복도 개발되고 있으며, 결혼식이나 명절에 예를 갖추는 의복으로써 활용되고 있다. 그리고 한국의 미를 전 세계적으로 알리는 새로운 시도를 하면서 지속적인 변화 발전을 위해 노력하고 있다.

4 한복 체험하기

서울의 전통과 현재를 보여주는 여러 관광지에서도 다양한 한복 체험이 가능한데 남산타워 "한복 문화체험관"이나 "한복 문화체험관"(동대문)에서 직접 한복을 입어보고 사진을 찍어주는 서비스를 하고 있다. 특히 10월 21일로 제정된 한복의 날은 한복의 날은 한복에 대한 관심을 불러일으키고 한복의 우수성과 산업적 · 문화적 가치를 널리 알리기 위해 1997년 처음 시작되었다. 그리고 2021년에는 미국의 50개의 주 중 최초로 미국 뉴저지주에서 한복의 날을 제정하였다. 한복의 날 주간에는 다양한 행사도 같이 개최된다. 종로 한복 축제가 같은 기간 개최되며 그보다 이른 8월에 개최되는 한복 엑스포 "한복상점"을 통해서도 다양한 체험이 가능하다. 언제든 한복을 입어 볼 수 있는 다양한 임대 서비스와 한복을 입고 방문하면 할인이 되는 한복 음식점까지, 한복이라는 새로운 문화 경험과 다른 서비스들을 연결해 주고 있다.

최근 김연아 선수와 함께 한복의 미를 알리기 위해 활동하고 있는 한복 웨이브 닷컴(http://hanbokwave.com/)을 보면 어느 곳에도 뒤지지 않을 새로운 패션 장르로써의 한복을 보여주고 있다. 민족의 한복을 활용한 다양한 도전을 통해 현재의 한국을 느껴 보자.

3 韓服の変化

韓服の歴史は高句麗壁画に見られる。壁画には身分や職業によって衣服の形が異なって表現されており、男性はチョゴリとボディー、女性はチョゴリとスカートを着てその上に礼儀や格式を整えるためにトゥルマギ型の布をさらに着たという。百済と新羅の服飾も高句麗とその基本的な形態面で似ていたが、衣服の広さや色彩、頭に使う物の装飾などに違いがあったという。その後、高麗と朝鮮時代を経て韓服は色々な様式に変化し、朝鮮時代になってようやく現在の韓服の姿が定着した。韓服の基本構造は外部の影響および時代によって一部変わったが、根本的な変化がないまま、今まで続いているこのことから、韓国服「韓服」から韓民族の穏やかで粘り強い民族アイデンティティを垣間見ることができる。伝統を体験できると同時に現代的な解釈を通じて作られた韓服は現在、仕事をする時に着られる生活韓服や制服としても活用できる改良韓服も開発されており、結婚式や名節に礼を尽くした衣服として活用されている。そして韓国の美を全世界に知らせる新しい試みをしながら持続的な変化発展のために努力している。

4 韓服体験

ソウルの伝統と現在を示す様々な観光地でも多様な韓服体験が可能で、南山タワー「韓服文化体験館」や「韓服文化体験館」(東大門)で直接韓服を着て写真を撮ってくれるサービスを行っている。特に10月21日に制定された韓服の日は韓服に対する関心を呼び起こし、韓服の優秀性と産業的・文化的価値を広く知らせるために1997年に初めて始まった。そして2021年には米国50州の中で初めて米国ニュージャージー州で韓服の日を制定した。韓服の日の週間には様々なイベントも一緒に開催される。

鐘路韓服祭りが同期間開催され、それより早い8月に開催される韓服エキスポ「韓服商店」でも多様な体験が可能だ。いつでも韓服を着ることができる多様なレンタルサービスと韓服を着て訪問すれば割引になる韓服飲食店まで、韓服という新しい文化経験と他のサービスを連結させてくれる。

最近、金妍兒(キム・ヨナ)選手とともに韓服の美をPRするために活動している韓服ウェーブドットコム(http://hanbokwave.com/)を見れば、どこにも負けない新しいファッションジャンルとしての役割も果たしている。民族の韓服を活用した多様な挑戦を通じて現在の韓国を感じてみよう。

韓服についてもう少し調べてみましょう。
한복에 대해 좀 더 알아봅시다.

韓国工芸デザイン文化振興院
한국공예 디자인 문화 진흥원
https://www.kcdf.or.kr/main

韓服 wave.com
한복 웨이브
http://hanbokwave.com/

韓服文化週間 2023
한복 문화 주간 2023
https://www.kcdf.or.kr/hanbokculture-week/main

鐘路韓服祭りの映像
종로 한복 축제 영상
https://www.youtube.com/watch?v=It23OYddJSM

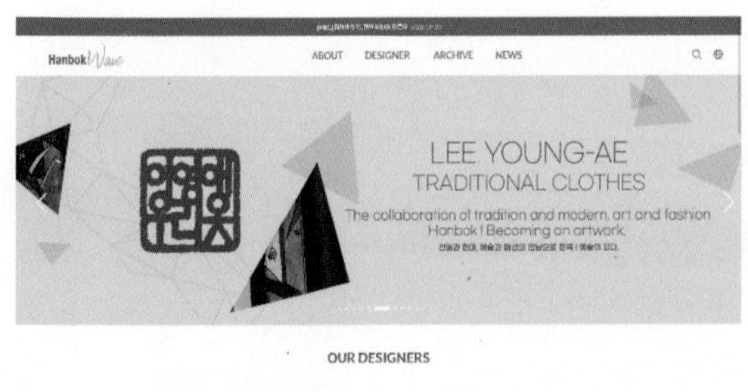

http://hanbokwave.com/

www.hanbokweek2022.com

韓服を試着できる場所をご紹介します。
한복을 입어 볼 수 있는 장소를 소개합니다.

南山タワー体験館
남산타워 체험관
https://me2.do/GVWBdOvM

広蔵市場体験館
광장 시장 체험관
https://me2.do/xQNqTYXK

考えて話してみましょう。
생각하고 이야기해 봅시다.

1 日本の着物や浴衣と比べると、どのような点が似ていて、どのような点が違いますか？
한복과 일본의 기모노, 유카타를 비교하면, 어떤 점이 비슷하고 어떤 점이 다릅니까?

2 現在の韓国で韓服はいつ着る服でしょうか？
현재 한국에서 한복은 언제 입는 옷일까요?

3 皆さんが感じる韓服の特徴を話してみてください。
여러분이 느끼는 한복의 특징을 말해보세요.

4 行ってみたい韓服体験場所を言って理由を話してみてください。
가보고 싶은 한복 체험 장소를 말하고 이유를 이야기해 보세요.

参考サイトおよび参考文献
참고 사이트 및 참고 문헌

★ 韓国工芸デザイン振興院 한국공예디자인진흥원 : https://www.kcdf.or.kr/main

★ ネイバー知識百科 : https://terms.naver.com/entry.naver?docId=1223820&cid=40942&categoryId=32079

★ 韓服wave.com 한복의 새로운 시도 한복 웨이브 닷컴 : http://hanbokwave.com/

★ 韓服関連体験イベント&フェスティバル 한복관련 체험 행사 & 페스티벌 : http://www.hanbokweek2022.com/

★ 鐘路韓服祭り 종로 한복 축제 : https://jongnohanbok.kr/site/main/home

★ 鐘路韓服祭りの映像 종로 한복 축제 영상 : https://www.youtube.com/watch?v=5pbMtg8nYTA

“공항 패션, 꾸안꾸, 세젤예” 여러분 이 단어의 의미를 아시나요?

K-POP, K-DRAMA, K-WEBTOON에 이어 K-STYLE이란 단어까지…한국인들은 자신들만의 스타일을 만들고 그것을 “K”라는 단어를 붙여 정의하는 것을 좋아한다. 무엇이든 열심히 배우고, 언제든 열심히 즐기고, 그리고 그것을 한국 문화의 어떤 요소와 함께 섞어서 한국의 스타일을 만들어 낸다. 새로운 것을 재해석하고 한국에 맞춰 변화시키고, 한국인이 사랑하는 속도와 실용성을 적용하면 한국과 잘 어울리는 스타일이 만들어진다. 변화를 두려워하지 않는 한국인의 감성이 가장 잘 드러나는 분야가 패션, 화장 등의 스타일 분야라고 할 수 있다. 이것은 K-POP과 K-DRAMA를 통해 많이 보이고 K-WEBTOON을 통해 이야기로 만들어지기도 한다. 물론 이러한 속도와 노력의 투자가 가능한 것은 외모도 자기 경쟁력의 한 부분이라고 생각하는 한국 사회의 치열한 경쟁 풍토에서도 기인한 것이기도 하다. 합리적인 비용과 노력으로 조금이라도 남들보다 멋지게 보이고 싶은 욕심을 가지고 있기에 K-STYLE이 트렌드를 만들어 내는 것이다.

1 신조어에서 보이는 K-STYLE의 특징

이러한 생각은 유행하는 신조어에서도 많이 드러난다. 재미있는 신조어 관련 추세 단어들을 먼저 살펴보자.

- **꾸안꾸:** “꾸민 듯 안 꾸민 듯”의 줄임말
  일상 패션, 캐주얼 룩 같은 편안한 스타일을 선호하는 단순한 스타일의 완성으로 미니멀라이프를 보여주는 단어이다.
- **세젤예:** 세상에서 제일 예쁜 사람. 비슷한 계열의 의미로 “세젤귀(세상에서 제일 귀여움)”,세젤멋(세상에서 제일 멋짐) 등으로 활용되기도 한다.
- **패완얼:** 패션의 완성은 얼굴. 외모가 뛰어나면 무엇이든 잘 어울린다는 의미

어찌 보면 예쁘고, 멋있고, 꾸민 듯 안 꾸민 듯한 자연스러운 Mix & Match의 기본이 한국적 스타일이라고 생각하고 있는 것이 아닐까?

13 「空港ファッション、クアンク、セジェルイェ」皆さんこの単語の意味分かりますか？

K-POP、K-DRAMA、K-WEBTOONに続きK-STYLEという単語まで、韓国人は自分たちだけのスタイルを作り、それを「K」という単語を付けて定義するのが好きです。何でも一生懸命学び、いつでも熱心に楽しみ、そしてそれを韓国文化のどんなものと一緒に混ぜて韓国のスタイルを作り出す。新しいことを再解釈し、韓国に合うように変えた後、韓国人が愛する速度と実用性を適用すれば韓国スタイルが作られる。変化を恐れない韓国人の感性が最もよく表れる分野がファッション、化粧などのスタイル分野だと言える。これはK-POPとK-DRAMAを通じて多く見られ、そしてK-WEBTOONを通じてストーリー化されることもある。もちろん、このような速度と努力の投資が可能なのは、外見も自分の競争力の一部だと考える韓国社会の激しい競争文化に起因するものでもある。合理的な費用と努力で少しでも人より素敵に見せたい欲を持っているため、K-STYLEがトレンドを作り出している。

1 新造語に見られるK-STYLEの特徴

このような考えは流行する新造語にも多く表れている。面白い新造語関連トレンド単語をまず見てみよう。

- **クアンク (꾸안꾸):**「着飾ったようで着飾ってないような」の略語
  日常ファッション、カジュアルルックのようなリラックスしたスタイルを好むシンプルで単純なスタイルの完成でミニマルライフを示す単語です。
- **セジェルイェ (세젤예):** 世界で一番きれいな人。似たような系の意味でセジェルグィ「世界で一番可愛い」。
  セジェルモッ (세젤멋): 世界で一番かっこいいなどとして活用されることもある。
- **ペワンアル (패완얼):** ファッションの完成は顔。 外見が優れていれば何でも似合うという意味。

ある意味、きれいでかっこいい、おしゃれで着飾ってないような自然なMix & Matchの基本が韓国的スタイルだと考えているのではないか？

2 "공항 패션" K-POP, K-DRAMA 스타들의 키워드

Google 등의 검색 사이트에서 "공항 패션"이라는 키워드를 다양한 언어로 검색해 보면 재미있는 결과가 나온다. 대부분 한국 가수나 배우들의 공항에서의 촬영 사진이 검색된다. 이처럼 다른 나라에는 없는 패션의 키워드 중 하나가 "공항 패션"이다.

사실 이것은 한국의 배우나 가수들이 해외 로케이션 촬영이나 공연 등이 늘어나면서 비행기를 이용하는 상황들이 늘어나는 가운데 비행기에서라도 편안하게 지내기 위한 편한 복장의 대명사였으나 오히려 공항에 내리자마자 기자들의 카메라에 노출 되는 상황 때문에 오히려 자연스럽게 챙겨 입기 시작하면서 유행이 된 단어이다. 이 부분은 실제로 패션 관련 PR 회사들이 만든 키워드라는 이야기도 있다. 방송에서 PPL (Product Placement)을 하면 비용이 많이 들거나 자연스럽지 않은데 공항 패션으로 노출되면 실제로 스타들이 많이 착용하는 편한 아이템이라는 인식을 만들 수 있어서 자연스럽게 마케팅 되는 효과를 거두기도 하였기 때문이다. 이런 현상으로 오히려 최근에는 공항에 내릴 때 고민하는 유명 인사들이 많아졌다고 한다.

3 스마트한 소비력, 화장품을 해부한다 "화해", 그리고 "글로우픽"

한국에서 나온 화장품이 세계인들에게 인정받는 이유. 물론 아름답게 만들어 주기 때문인 것이 가장 큰 이유이지만, 최근 주목 받는 이유 중의 하나는 피부에 좋은 성분을 많이 사용한다는 것이다. 이것은 한국 소비자들의 스마트한 소비력이 가능 큰 이유이다. 한국 여성들이 제품을 살 때 실제 화장품의 성분을 분석한 YouTube의 콘텐츠나 화장품의 성분을 분석해 놓은 애플리케이션을 사용하면서 피부에 나쁜 파라벤(방부제)이나 페녹시 에탄올(살균보존제) 등이 들어가지 않았는지 확인하고 구매한다. 그것이 가능한 이유가 화장품을 분석하고 사용기를 공유하는 전문 애플리케이션의 정보를 꼼꼼하게 체크하고 구매하기 때문이다. 그리고 매해 화장품 어워드를 통해 시중에 나온 제품을 전부 분석하고 사용한 후 성분들 자세히 분석해 주는 "디렉터 파이" 등의 뷰티 전문가들의 콘텐츠를 많이 보기 때문이다. 이러한 스마트한 소비 때문에 자연스럽게 "나쁜 성분"이 들어간 제품은 구매 대상에서 제외되고 실패하게 되므로 제조사들도 위험 없이 안전한 성분을 검증하고 검증하여서 제품을 계속 개선하지 않으면 살아남을 수 없다. 실제로 "디렉터 파이"가 분석한 영상들을 확인해 보면 명품이라고 좋은 성분만을 사용하는 것이 아닌 것을 확인할 수 있다.

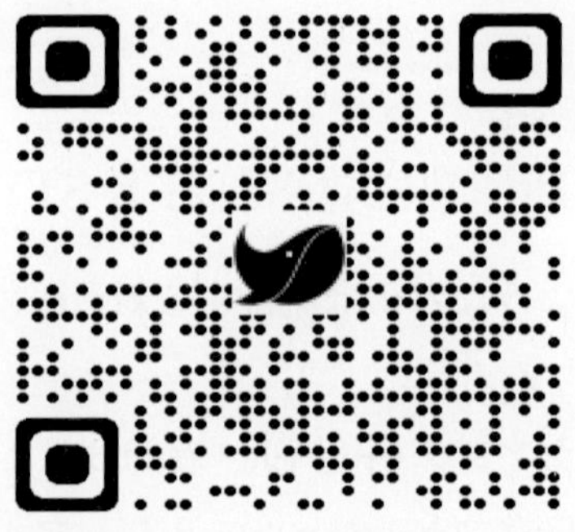

ディレクターパイ 디렉터파이
https://www.youtube.com/watch?v=R-jFVZnQy6U

2 「空港ファッション」K-POP、K-DRAMA スターのキーワード

Google などの検索サイトで「空港ファッション」というキーワードを多様な言語で、検索してみると面白い結果が出る。ほとんどが韓国の歌手や俳優たちの空港での撮影写真が検索される。このように他国にはないファッションのキーワードの一つが「空港ファッション」である。この単語は、韓国の俳優や歌手が海外ロケ撮影や公演などが増え、彼らが飛行機を利用する中でも楽に過ごすための服装の代名詞であった。しかし、彼らの空港に降りている姿を記者たちのカメラによって露出されたことがきっかけで、彼らの自然に着こなす服装をみた聴衆が好印象をうけ流行した単語となった。この部分は実際にファッション関連 PR 会社が作ったキーワードだという話もある。放送で間接広告、PPL(Product Placement) をすれば費用が多くかかったり自然ではないが、空港ファッションで露出されれば実際にスターたちが多く着用する楽なアイテムという認識を作ることができ、自然にマーケティングされる効果を上げたため、最近は空港に降りる時に悩む有名人が多くなったという。

3 スマートな消費力、化粧品を解剖する「和解」。そして「グローピック」。

韓国から出た化粧品が世界の人々に認められる理由とは、もちろん美しくしてくれるからであるのが一番大きな理由である。しかし最近注目されている理由の一つは肌に良い成分を多く使うということです。これは韓国消費者のスマートな消費力が可能な大きな理由である。韓国女性たちが製品を買う時、実際に化粧品の成分を分析した YOUTUBE のコンテンツや化粧品の成分を分析したアプリケーションを使いながら、肌に悪いパラベン（防腐剤）やフェノキシエタノール（殺菌保存剤）などが入っていないか確認して購入する。それが可能な理由が化粧品を分析し、使用機を共有する専門アプリの情報を几帳面にチェックして購入するためです。そして毎年化粧品アワードを通じて市中に出てきた製品を全て分析して使用した後、成分を詳しく分析する「ディレクターパイ」等のビューティー専門家のコンテンツを多く見るからだ。

그리고 제품의 성분이 데이터베이스로 정리되어 있고 소비자들의 후기가 많이 올라와 있는 화장품 전문 애플리케이션을 사용해 보면 보다 더 현명한 소비를 할 수 있다. 앱스토어에서 "화해(화장품의 해석)"와 "글로우픽(Glow Pick)" 을 내려받아서 비교해 보자.

각 제품명을 넣고 비교해 보면서 양쪽 고객들의 반응을 확인하면 나에게 맞는 좋은 성분의 화장품인지 확인할 수 있다. 이러한 한국 고객들의 스마트한 소비 성향 덕분에 한국의 화장품 회사들은 항상 더 좋은 화장품을 만들어 내고 있다.

化粧品関連情報チャンネル及びアプリ紹介
화장품 관련 정보 채널 및 애플리케이션 소개

ディレクターパイユーチューブ 디렉터파이 유튜브 https://www.youtube.com/@director_pihyunjung	和解（化粧品の解釈） 화해 (화장품의 해석) https://zrr.kr/ngBy	グローピック 글로우픽 https://zrr.kr/B8XL

1. **디렉터파이** : ELLE 에디터에서 출발하여 다양한 활동을 해온 한국 미용업계의 전문가. 유튜브를 통해 다양한 제품에 관한 콘텐츠를 만날 수 있다.
2. **화해** : "화장품의 해석"을 "화해"로 약어로 만든 브랜드명. 화장품 분석 앱으로 시작하여 현재 쇼핑몰을 운영한다. 정보 확인 후 구매까지 가능한 서비스.
3. **글로우픽** : 100% 소비자 평으로 만들어진 화장품 순위 애플리케이션. 화해와 더불어 많은 인기를 얻고 있음.

このようなスマートな消費のために自然に「悪い成分」が入った製品は購買対象から除外され失敗することになるため、製造会社も危険なく安全な成分を検証し検証して製品を改善し続けなければ生き残れないためである。実際に「ディレクターパイ」が分析した映像を確認してみると、名品だからといって良い成分だけを使うわけではないことが確認できる。

そして製品の成分がデータベースに整理されており、消費者のレビューが多く上がっている化粧品専門アプリケーションを使ってみると、より賢明な消費ができる。AppStoreで「和解（化粧品の解釈）」と「グローピック（Glow Pick）」をダウンロードして比較してみよう。

各製品名を入れて比較しながら、両方の顧客の反応を確認すれば、自分に合う良い成分の化粧品なのか確認できる。このような韓国顧客のスマートな消費性向のおかげで、韓国の化粧品会社は常により良い化粧品を作り出している。

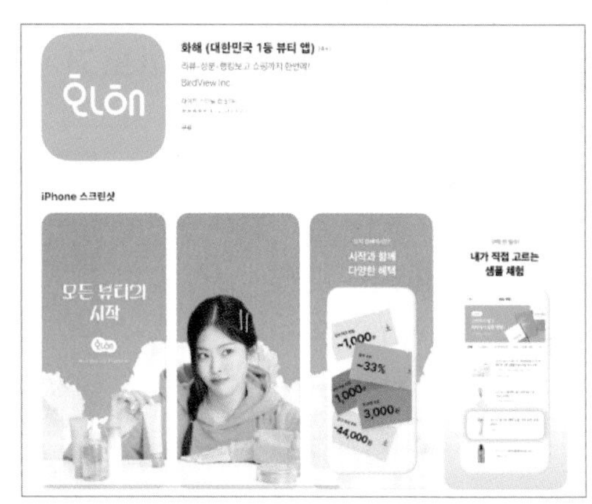

화해 https://zrr.kr/ngBy

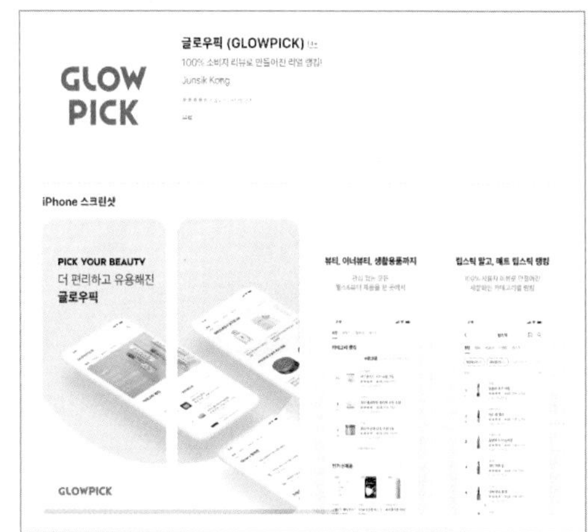

글로우픽 : https://zrr.kr/B8XL

1. **ディレクターパイ：** ELLEエディターから出発し、様々な活動を行ってきた韓国ビューティー業界の専門家。ユーチューブを通じて多様な製品に関するコンテンツを見ることができる。
2. **和解：**「化粧品の解釈」を「和解」と略語にしたブランド名。化粧品分析アプリでスタートし、現在ショッピングモールを運営している。情報確認後、購入まで可能なサービス。
3. **グローピック：** 100%消費者レビューで作成された化粧品ランキングアプリケーション。和解と共に多くの人気を得ている。

 새로운 트렌드를 알아보고 싶으면 팝업 스토어로!

イニスフリー聖水洞ポップアップストア
이니스프리가 서울 성수동 이구성수에서 ' 더 : 뉴아일'
팝업스토어를 운영한다 . 사진 = 이니스프리

팝업 스토어는 짧은 기간에 운영되는 매장을 말한다. 짧은 기간 동안 운영되므로 이벤트 성향이 강하고. 체험 마케팅 장소의 역할이 강하다. 실제 고객들의 반응을 확인하는 곳이기도 하다. 그렇기 때문에 사람들이 모이는 유명한 거리, 그리고 다양한 쇼핑이 가능한 거리를 중심으로 만들어지고 사라진다. 특히 특별판, 한정판 등이 판매되므로 그 제품을 위해 방문하는 고객들이 많다. 팝업스토어가 많이 열리는 거리나 장소가 가장 Hot하고 Trendy 한 거리라고 생각할 수 있다. 예전에는 강남의 "가로수길"이 그런 곳이었다면 지금은 "성수동", "연남동" 등이 유명한 팝업 스토어 장소로 사용되고 있다. 그러므로 팝업스토어가 많은 곳에 가면 현재의 K-STYLE을 제대로 체험하고 한정 상품도 구매할 수 있으니 새로운 체험에 도전해 보자.

4 新しいトレンドを調べたいならポップアップストアへ！

ポップアップストアは短期間で運営される店舗をいう。短い期間運営されるため、イベント性向が強く、体験マーケティングの場としての役割が強い。実際、顧客の反応を確認する場所でもある。そのため、人々が集まる有名な街、そして多様なショッピングができるだけそこを中心に作られ消える。特に特別版、限定版などが販売されるので、その製品のために訪問する顧客が多い。ポップアップストアが多く開かれる通りや場所が最も流行を感じる通りだと考えられる。以前は江南の「カロスキル」がそのようなところだったとすれば、今は「聖水洞(ソンスドン)」、「延南洞(ヨンナムドン)」等が有名なポップアップストアの場所として使われている。そのためポップアップストアが多いところに行けば、現在のK-STYLEをきちんと体験し、限定商品も購入できるので、新しい体験に挑戦してみよう。

考えて話してみましょう。
생각하고 이야기해 봅시다.

1. 韓国のファッションまたは化粧品ブランドで知っていたり、使用したことがありますか？
   한국의 패션 또는 화장품 브랜드 중 알고 있거나 사용해 본 것이 있나요?

2. K-STYLEと関係のある単語は何ですか？ 教科書にある単語の中で気に入ったのがあったら話してみてください。
   K-STYLE과 관련이 있는 단어는 무엇인가요? 교과서에 있는 단어 중에 마음에 드는 것이 있다면 이야기해 보세요.

3. K-STYLEが体験できる場所を調べて紹介してください。
   K-STYLE을 경험해 볼 수 있는 장소를 조사하고 소개해 주세요.

日本で楽しめる韓国スタイルショッピング
일본에서 즐길 수 있는 한국 스타일 쇼핑

1 무신사 : https://global.musinsa.com/jp/main

韓国最大規模のオンライン編集ショップ、韓国 10 番目のユニコーン企業。2019 年、日本にもローンチし、現在日本でもサービスを利用できる。
대한민국 최대규모의 온라인 편집숍, 대한민국의 10번째 유니콘 기업. 2019년부터 일본에서도 서비스를 이용할 수 있다.

2 ジェキシミックス 젝시믹스 : https://www.xexymix.jp/(일본) / https://www.xexymix.com/

(한국) ジャージと日常着を MIX するコンセプトのブランド。ヨガウェアやアスレジャー分野で有名なブランド。2019 年 10 月に日本進出。2020 年 8 月の楽天ヨガカテゴリー部門 1 位。オッシュマンズ (OSHMAN' S) 店にショップインショップとして入店。
운동복과 일상복을 MIX 하는 컨셉의 브랜드. 요가복과 애슬레저 분야에서 유명한 브랜드. 2019년 10월에 일본 진출. 2020년 8월 라쿠텐 요가 카테고리 부분 1위. 오쉬맨즈(OSHMAN'S)점에 숍인숍으로 입점.

参考サイトおよび参考文献
참고 사이트 및 참고 문헌

★ musinsa 무신사 : https://global.musinsa.com/jp/main (일본) / https://www.musinsa.com/app/(한국)

★ innisfree イニスフリー 이니스프리 : https://www.innisfree.jp/ (일본) / https://www.innisfree.com/kr/ko/Main.do(한국)

★ xexymix ジェキシミックス 젝시믹스 : https://www.xexymix.jp/(일본) / https://www.xexymix.com/ (한국)

5

즐기면서 알아보자

楽しみながら調べてみよう

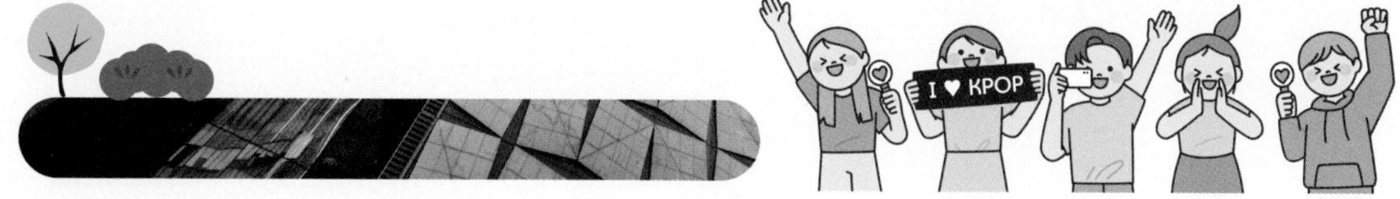

K-POP 현재 어디에 있나?

1 2023년 국제음악업계 단체인 IFPI가 발표한 리포트에 따르면

글로벌 음악시장 규모 면에서는 가장 큰 시장은 미국, 2위는 일본, 3위 영국, 한국이 7위에 자리하고 있다.

표에서 보는 바와 같이 1999년 음악시장은 음반 판매 수입이 100%였다면 지금은 스트리밍, 다운로드, 그리고 관련 저작권사업 등 다양한 분야에서 매출이 일어나고 있다. 특히 스트리밍 시장이 크게 성장하고 있는데 그 안에서 가장 빛나는 음악 장르 중 하나는 역시 K-POP이다.

IFPI Global Music Report 2023 Ranking https://globalmusicreport.ifpi.org/

2021년 IFPI 리포트에 따르면 2021년 가장 많은 매출을 기록한 팀은 한국의 BTS로 기록되어 있다. 2023년 현재는 BTS 멤버들이 군대 입대 등으로 활동하고 있지 않기 때문에 2위를 차지하고 있지만 세븐틴이 6위, 스트레이키즈가 7위로 10위권 안에 3개의 한국 그룹이 들어가 있음을 확인할 수 있다.

사실 이렇게 다양한 세계 음악 시장에 새로운 영향을 끼치고 있는 한국의 K-POP이 가장 많은 인기를 끌고 있는 곳은 역시 일본이다. 수출 통계에 따르면 한국 음반 수입이 가장 많은 나라는 일본이며 그다음 순위가 중국, 미국으로 이어지고 있다.

14 K-POP は現在どこにあるの？

1 2023年に国際音楽業界団体 (IFPI) が発表したレポート

グローバル音楽市場の規模面では最も大きな市場は米国、2位は日本、3位は英国、韓国が7位に位置している。

表で見るように1999年の音楽市場はアルバム販売収入が100%だったとすれば、今はストリーミング、ダウンロード、そして関連著作権事業など多様な分野で売上が起きている。特にストリーミング市場が大きく成長しているが、その中で最も輝く音楽ジャンルの一つはやはりK-POPである。

2021年 国際音楽業界団体 (IFPI) レポートによると、2021年に最も売り上げを上げたチームは韓国のBTSと記録されている。2023年現在はBTSメンバーが軍隊入隊などで活動していないため2位を占めているが、SEVENTEENが6位、Stray Kidsが7位で10位圏内に3つの韓国グループがランクインされていることが確認できる。

実はこのように多様な世界音楽市場に新たな影響を及ぼしている韓国のK-POPが最も人気を集めているのはやはり日本である。輸出統計によると、韓国アルバムの輸入が最も多い国は日本であり、その次が中国、米国と続いている。

IFPI 소개 IFPI 紹介
https://www.ifpi.org/about-us/what-we-do/

2 K-POP의 특징

K-POP에 대한 여러 가지 정의가 있지만, 가장 대중적인 정의는 "대한민국에서 만들어져서, 한국어가 들어가고, 한국인들이 향유하고 있는 가요"를 말한다. 즉 부르는 사람의 국가, 인종보다는 한국의 문화와 스타일이 담긴 것이라고 표현할 수 있다. 실제로 현재의 트렌드는 K-POP의 블랙핑크의 "리사"는 태국 출신이며 트와이스의 "쯔위"는 대만 출신이며 "모모", "사나", "미나"는 일본인이다. 이처럼 가수의 국가와 인종만 보아도 알 수 있을 뿐만 아니라 작곡가, 안무가 등을 확인해 보면 업계 전반에 걸쳐 다양한 외국인이 참여하여 K-POP을 만들고 있다는 것을 확인할 수 있다.

최근 다양한 K-POP에 대한 연구도 진행되고 있는데 그러한 연구나 서적에서 나온 다양한 정의와 특징을 정리하여 보면,

K-POP은 음악만이 아닌 "스타일"이다. 듣는 음악에서 보는 음악으로.

실제로 음악 자체뿐이 아니라 발표되는 곡의 콘셉트에 따라 퍼포먼스, 비주얼, 댄스의 루틴. 그리고 의상의 스타일 또는 무대의 연출 등이 전부 고려된 통합 문화 콘텐츠로 만들어진다. 그러므로 곡이 발표되는 순간, 그들의 스타일이 패션 아이템이 되거나, 유행 스타일이 되고, 댄스의 루틴은 다양한 "밈"이나 "챌린지", "쇼트" 클립 등으로 이어진다.

K-POP은 "신생산 방법의 도입(아이돌 제작 시스템)"으로 만들어진다.

K-POP은 Total Management System을 통해 마치 공장에서 반도체가 만들어지듯이 아이돌 관련 전 공정을 시스템에 따라 수행한다. 기존 음원 중심 사업에서 탈피해 아이돌 자체를 상품으로 하는 새로운 비즈니스 모델을 만들고 다양한 콘텐츠로 확산하도록 전략적으로 구성된다. 일본의 아이돌이 "그들의 성장 과정에서 함께 응원하고 즐기면서 성장해 가는 모습을 보면서 느끼는 즐거움"이 중심인 데 반해 한국의 아이돌은 긴 연습생 시간을 거쳐 다양한 전문가들에 의해 제대로 기획된 상품으로 만들어지는 과정을 거친다. 그러므로 처음부터 음악, 댄스, 스타일 등의 실력이 없다면 실제 데뷔가 불가능하다. 오디션과 훈련을 통해 신인을 개발하고 A & R(A & R(Artists & Repertoire)팀)을 통해 음반 제작 전체 프로세스를 만들고 다양한 상품과 콘텐츠를 기획하고 만들어 낸다. 온라인 플랫폼 등을 통해 전 세계적으로 확산한 "팬"을 관리하는 다양한 서비스까지 사전에 기획되고 만들어서 최상의 성과를 만들어 내는 준비된 과정을 거치게 된다.

2 K-POPの特徴

K-POPに対する様々な定義があるが、最も大衆的な定義は「韓国で作られ、韓国語が入り、韓国人が享有している歌謡」のことである。すなわち、韓国の文化とスタイルが込められたものだと表現できる。実際、現在のトレンドはK-POPのBLACK-PINKの「リサ」はタイ出身でTWICEの「ツウィ」は台湾出身で「モモ」、「サナ」、「ミナ」は日本人である。このように歌手の国と人種だけを見ても分かるだけでなく、作曲家、振付師などをみれば、業界全般にわたって多様な外国人が参加してK-POPを作っている。

最近、様々なK-POPに関する研究も行われているが、そのような研究や書籍から出てきた様々な定義と特徴をまとめてみると次のようである。

K-POPは音楽だけでなく「スタイル」だ。聞く音楽から見る音楽へ。

実際、音楽自体だけでなく発表される曲のコンセプトに沿ってパフォーマンス、ビジュアル、ダンスのルーチンがある。そして衣装のスタイルまたは舞台の演出などが全て考慮された統合文化コンテンツとして作られる。そのため曲が発表される瞬間、彼らのスタイルがファッションアイテムになったり、流行スタイルになったり、ダンスのルーチンは多様な「ミーム」や「チャレンジ」、「ショート」クリップなどにつながる。

K-POPは「新生産方法の導入（アイドルプロデュースシステム）」で作られる。

K-popはTotal Management Systemを通じてまるで工場で半導体が作られるようにアイドル関連の全工程をシステムによって遂行する。従来の音源中心事業から脱皮し、アイドル自体を商品とする新しいビジネスモデルを作り、多様なコンテンツに拡散するよう戦略的に構成される。日本のアイドルが「彼らの成長過程で一緒に応援し楽しみながら成長していく姿を見ながら感じる楽しさ」が中心であるのに対し、韓国のアイドルは長い練習生時間を経て多様な専門家によってきちんと企画された商品として作られる。したがって、最初から音楽、ダンス、スタイルなどの実力がなければ実際のデビューが不可能なことである。

オーディションとトレーニングを通じて新人を開発し、A&R[A&R(Artists & Repertoire)チーム]を通じてアルバム製作全体プロセスを作り、多様な商品とコンテンツを企画して作り出す。オンラインプラットフォームなどを通じてグローバルに拡散した「ファン」を管理する多様なサービスまで事前に企画・製作し、最上の成果を作り出す準備が整う。

K-POP은 온라인 플랫폼에 최적화된 그림으로 만들어지고 유통된다.

첫 번째 특징에서 언급한 바와 같이 듣는 음악에서 "보는 음악" 만들어진 K-POP은 Youtube뿐만 아니라 다양한 짧은 영상에서도 빠르게 유통된다. 팬들은 그들의 콘텐츠를 같이 만들고 공유하고, 추천하여 그들의 문화로 만들어 낸다. "K-POP 챌린지 쇼트 클립 영상 속성이 시청자 만족 및 행동 의도에 미치는 영향(2022)연구"에 따르면 K-POP 챌린지 쇼트 클립 영상에서 무엇보다 중요한 것은 콘텐츠 자체이다. 콘텐츠 우수성은 시청자 만족은 물론, 관련 콘텐츠 시청 의도 및 모방 의도에 모두 긍정적인 영향을 미쳤으며 콘텐츠 유희성은 시청자 만족 및 관련 콘텐츠 시청 의도에 긍정적인 영향을 미쳤고, 콘텐츠 적시성 또한 관련 콘텐츠 시청 의도의 긍정적인 영향을 미치는 것으로 나타났다. 즉 함께 즐기는 과정 "유희"의 과정이 자연스럽게 홍보 효과를 만들어 내며 Trend를 형성하는 것이다.

BLACKPINK ジス「花」チャレンジ 블랙핑크 지수 " 꽃 " 챌린지
https://www.youtube.com/results?search_query=%EC%A7%80%EC%88%98+%EA%BD%83+%EC%B1%8C%EB%A6%B0%EC%A7%80

K-POP 콘서트는 지금도 전 세계, 다양한 곳에서 진행된다. 특히 2012년부터 시작되어 올해로 11주년이 된 케이콘(KCON)은 코로나로 인해 열리지 못하다가 2022년 다시 시작되었다. 전 세계적으로 인기를 끌고 있거나 이제 막 주목받기 시작한 K팝 그룹들의 공연을 비롯해 한국의 음식과 상품을 알리는 세계 최대 한류 마케팅 행사이다.

KBS 뉴스에 따르면 2022년 케이콘은 미국, 일본, 태국, 프랑스, 멕시코 호주 등 전 세계 9개 도시에서 개최되고 현장 관객만 113만 명으로 추산되어 있으며 오프라인뿐 아니라 온라인에서도 진행되며 전 세계 176개 국가에서 708만 명이 참여했다고 한다.

2023년 5월 12~14일까지 일본에서 개최된 KCON JAPAN 2023은 역대 최대 규모로 일본에서만 누적 관객 48만 명을 기록했다. (CJ ENM 제공). 그리고 월드와이드로 송출된 온라인 공연을 즐긴 관객도 567만 명에 이른다.

K-POP はオンラインプラットフォームに最適化された絵で作られ流通される。

最初の特徴で述べたように、聞く音楽から「見る音楽」として作られたK-popはYouTubeだけでなく多様なショートフォームプラットフォームでも急速に流通される。ファンはコンテンツを一緒に作って共有し、推して文化にする。「K-POPチャレンジショートクリップ映像属性が視聴者満足および行動意図に及ぼす影響(2022)研究」によると、K-POPチャレンジショートクリップ映像で何よりも重要なのは「コンテンツそのものである。コンテンツの優秀性」は視聴者の満足はもちろん、「関連コンテンツ視聴意図および模倣意図」にも肯定的な影響を及ぼし、「コンテンツ遊戯性」は視聴者満足および関連コンテンツ視聴意図に肯定的な影響を及ぼし、「コンテンツ適時性」もまた関連コンテンツ視聴意図に肯定的な影響を及ぼすことが分かった。すなわち、一緒に楽しむ過程「遊戯」の過程が自然に広報効果を作り出しTrendを引き出すのだ。

CJ ENM KCON YOUTUBE

K-POP コンサートは今も世界中、様々な場所で行われている。特に 2012 年から始まり、今年で 11 周年になった KCON は、新型コロナウイルス感染症によって開かれなかったが、2022 年に再び始まった。世界的に人気を集めているか、注目され始めたばかりの K-POP グループの公演をはじめ、韓国の食べ物や商品を PR する世界最大の韓流マーケティングイベントでもある。

KBS ニュースによると、2022 年 KCON は米国、日本、タイ、フランス、メキシコ、トオーストラリアなど全世界 9 都市で開催され、現場観客だけで 113 万人と推算されており、オフラインだけでなくオンラインでも進行され全世界 176 ヶ国から 708 万人が参加したという。

2023 年 5 月 12~14 日まで日本で開催された KCON JAPAN 2023」は歴代最大規模で、日本だけで累積観客 48 万人を記録した。(CJ ENM 提供)。そしてワールドワイドで配信されたオンライン公演を楽しんだ観客も 567 万人に達する。

K-POP을 다양하게 즐길 수 있는 콘텐츠 소개

최근에는 K-POP 산업 또는 아티스트들에 대한 이야기가 다양한 다큐멘터리로 만들어지고 있다. BLACKPINK를 다룬 넷플릭스((www.netflix.com)의 "블랙핑크: 세상을 밝혀라(BLACKPINK : Light Up the Sky, 2020)",는 이미 많은 사람이 관람했으며 디즈니+(www.disneyplus.com)의 "BTS 더 모뉴먼트: 비욘드 더 스타." 또한 2023년 개봉을 대기하고 있다. 그 외에도 NCT 127 월드투어 과정을 소개하는 등 다양한 다큐멘터리를 통해서도 K-POP을 즐길 수 있다.

3 K-POPを多彩に楽しめるコンテンツ紹介

最近はK-POP産業またはアーティストに対する話が多様なドキュメンタリーで作られている。BLACKPINKを扱ったネットフリックス(www.netflix.com)の「BLACKPINK: 世界を照らす(BLACKPINK : Light Up the Sky、2020)」はすでに多くの人が観覧し、ディズニー+(www.disneyplus.com)の「BTSザ・モニュメント：ビヨンド・ザ・スター」も2023年公開を待機している。その他にもNCT127ワールドツアーの過程を紹介するなど多様なドキュメンタリーを通じてもK-POPが楽しめる。

K-POPを楽しめる様々なサービス
K-POP을 즐길 수 있는 다양한 서비스

KCON Youtube https://www.youtube.com/channel/UC2aul0Y3jUJ9sMzOhWPT9AA	Mnet MAMA https://www.mwave.me/kr/mama	weverse https://weverse.io/

考えて話してみましょう。
생각하고 이야기해 봅시다.

1 自分が考えるK-POPの特徴を話してみましょう。
자신이 생각하는 K-POP의 특징을 말해 봅시다.

2 Netflix、YouTubeなど様々な映像プラットフォームでK-POPドキュメンタリーまたはショートフォームを見てJ-POPなどとの違いなどを話してみましょう。
Netflix, YouTube 등 다양한 영상 플랫폼에서 K-POP 다큐멘터리 또는 숏폼을 보고 J-POP과의 차이점 등을 이야기해 봅시다.

3 その他に、自分がK-POPを楽しんでいるなら、おすすめの歌手またはチームを紹介していただき、おすすめする理由を話してみましょう。
그 외에 자신이 K-POP을 즐기고 있다면 추천 가수 또는 팀을 소개해 보고 그 이유를 이야기해 봅시다.

参考サイトおよび参考文献
참고 사이트 및 참고 문헌

★ REPORT : IFPI GLOBAL MUSIC REPORT 2021, 2023 : https://globalmusicreport.ifpi.org/

★ イ・ジャンウ(2021)、韓流(K-POP)の成功と未来、ソウル大学アジア研究所、アジアブリブ、14号。
이장우(2021), 한류(K-POP)의 성공과 미래, 서울대학교 아시아 연구소, 아시아 브리브, 14호.

★ ダイウォン、チャン·ユジン、イム·ソンジュン(2022)、K-POPチャレンジショートクリップ映像属性が視聴者満足および行動意図に及ぼす影響、京城大学産業開発研究所産業革新研究vol.38、no.4
다이이원, 장유진, 임성준(2022), K-POP 챌린지 쇼트 클립 영상 속성이 시청자 만족 및 행동의도에 미치는 영향, 경성대학교 산업개발연구소 산업혁신연구 vol.38, no.4

★ 記事:【特派員レポート】3年ぶりの「KCONLA」…BTSが来たら？KBSニュース 2022.8.23
기사 : [특파원 리포트] 3년 만에 열린 'K콘 LA'…BTS가 왔다면? KBS뉴스 2022.8.23
https://news. kbs.co.kr/news/view.do?ncd=5539301

★ キム·チョルウ(2021)、『K-POP成功方程式』、21世紀ブックス。
김철우(2021),『K-POP 성공방정식』, 21세기북스.

15 한국 스타일 드라마의 특징

1 2003년 "겨울연가" 그로부터 20년

한국 드라마를 이야기할 때 빼놓을 수 없는 두 개의 작품이 있다. 하나는 2003년 "겨울연가", 그리고 2005년 "대장금"이다. "겨울연가"의 경우는 일본에서 큰 인기를 얻었고, "대장금"은 일본뿐 아니라 중국, 홍콩, 대만 등 다양한 아시아의 국가와 멀리 중남미 국가에서도 큰 인기를 얻었다. "한류"라는 키워드가 등장한 것도 실제로는 드라마에서 시작된 것이다. 1999년 중국의 매체가 처음으로 쓰기 시작한 신조어지만 이제는 어디에서나 사용하고 있는 단어이기도 하다. 특히 2003년 4월 일본 NHK 위성채널로 방송된 "겨울연가"가 인기를 끌자 2005년까지 지상파 채널과 위성 채널에서 4번이나 재편성이 되었다. 신드롬처럼 배용준과 최지우는 "욘사마", "지우히메"라 불리며 일본에서 인기스타가 되었다. 촬영지였던 "남이섬"은 2004년에 27만 명, 2005년에 30만 명이 다녀갔다(한국관광공사 2005). 이 밖에도 2014년 중국을 강타한 "별에서 온 그대"는 2,000억~3,000억 원의 경제적 효과를 얻었다고 추정하며 드라마에서 나온 "치맥"은 현재 많은 사람이 알고 있는 한국어 단어가 되었다.

2 chat GPT에 물어본 K-드라마의 특징은 어떤 것이 있나요?

K-드라마를 평가하고 다룬 많은 논문과 연구 결과들이 있지만 이번에는 최근 많이 사용되고 있는 Chat GPT에 질문해 보았다.

Q1 . "K-드라마의 특징은 어떤 것이 있나요?" 그리고 "각 항목의 추천 작품은 무엇이 있을까요?"
프롬프트 엔지니어링과 같은 상세 항목의 추가 질문을 해 보았다.

특징 1) 드라마는 감정과 감성에 중점을 둡니다. 주인공들의 내면세계와 감정 표현에 큰 비중을 둡니다. 이에 따라 주로 로맨스, 가족 이야기, 우정 등 사람 간의 관계에 초점을 맞춘 플롯을 가지고 있습니다.

15 韓国スタイルのドラマの特徴

2003年「冬のソナタ」から20年

韓国ドラマを語る時に欠かせない2つの作品がある。一つは2003年「冬のソナタ」、そして2005年「宮廷女官チャングムの誓い」だ。「冬のソナタは日本で大きな人気を得て、『宮廷女官チャングムの誓い』は日本だけでなく中国、香港、台湾など多様なアジア諸国と遠く中南米諸国でも大きな人気を得た。「韓流」というキーワードが登場したのも実際はドラマから始まったものだ。1999年、中国メディアが初めて使い始めた新造語だが、今はどこでも使われている単語でもある。特に2003年4月、日本NHK衛星チャンネルで放送された「冬のソナタ」が人気を集めると、2005年までに地上波チャンネルと衛星チャンネルで4回も再編成された。シンドロームのようにペ・ヨンジュンとチェ・ジウは「ヨン様」「ジウ姫」と呼ばれ、日本で人気スターになる。ロケ地だった「南怡島」は2004年に27万人、2005年に30万人が訪れた（韓国観光公社2005)、他にも2014年に中国を襲った「星から来たあなた」は2,000億~3,000億ウォンの経済的効果を得たと推定し、ドラマから出てきた「チメク」は現在多くの人々が知っている韓国語単語となった。

2 chat GPTに聞いたK-ドラマの特徴は何ですか？

K-ドラマを評価し扱った多くの論文と研究結果があるが、今回は最近多く使われているChat GPTに質問してみた。

◇◇

Q1.「K-ドラマの特徴はどんなものがありますか？」そして「各項目のおすすめ作品は何がありますか？」

プロンプトエンジニアリングなどの詳細項目の追加質問をしてみた。

特徴1) ドラマは感情と感性に重点を置きます。主人公たちの内面世界と感情表現に大きな比重を置きます。これにより、主にロマンス、家族の物語、友情など、人との関係に焦点を当てたプロットを持っています。

Q1-1 예가 되는 작품은 어떤 것들이 있을까요? (조금 더 구체적으로 질문해 보기)

→ "태양의 후예" (Descendants of the Sun): 군인과 의사 사이의 로맨스를 중심으로 한 작품으로, 사랑과 병역, 인간관계 등 다양한 감정과 가치를 다룹니다.

→ "응답하라 1988" (Reply 1988): 1980년대 서울에서 사는 다섯 가족의 이야기를 그린 작품으로, 가족 간의 사랑과 우정, 성장과 변화를 다룹니다.

→ "도깨비" (Goblin): 영원한 삶을 살아가는 도깨비와 그와 인연을 맺은 여인 사이의 이야기를 통해 사랑과 운명, 세월과 인간관계를 다룹니다.

→ "별에서 온 그대" (My Love From the Star): 외계인과 인간 여배우 사이의 로맨스를 그린 작품으로, 사랑과 이별, 운명의 연결을 강조합니다.

→ "사랑의 불시착" (Crash Landing on You): 남한과 북한 사이에서 벌어지는 사랑 이야기를 다룬 작품으로, 사랑과 희생, 사회적 경계를 다루며 감정적인 면을 강조합니다.

위처럼 다양한 최근의 작품들을 추천해 주는 결과를 얻을 수 있다. 일본어로도 영어로도 질문하고 답변 받을 수 있으니 실제로 추가 질문을 해보자.

특징 2) 다양한 장르를 다룹니다. K-드라마는 로맨스, 코미디, 액션, 판타지, 스릴러 등 다양한 장르를 포괄하며, 종종 장르 간의 혼합을 시도하기도 합니다. 이는 시청자들에게 새로운 스토리와 재미를 제공합니다.

특징 3) 긴박한 스토리와 클리프행어(Cliff-hanger)가 일반적입니다. K-드라마는 종종 복잡한 플롯과 예기치 못한 전개로 시청자들의 관심을 사로잡습니다. 각 에피소드가 끝날 때마다 미스터리한 상황이나 궁금증을 남기며, 다음 회를 기다리는 흥미를 유발합니다.

Q3-1 질문 "긴박한 스토리와 클리프행어가 일반적입니다. K-드라마는 종종 복잡한 플롯과 예기치 못한 전개로 시청자들의 관심을 사로잡습니다. 각 에피소드가 끝날 때마다 미스터리한 상황이나 궁금증을 남기며, 다음 회를 기다리는 흥미를 유발합니다."의 세 번째 특징에 대해서 예를 들어서 일본어로 설명해 주세요."

→ K-드라마는 긴장감 있는 스토리와 클리프행어가 일반적입니다. 복잡한 플롯과 예측 불가능한 전개를 통해 시청자들의 관심을 사로잡습니다. 매 에피소드가 끝날 때마다 미스터리한 상황이나 의문을 남기며 다음 회를 기다리는 흥미를 유발합니다.

예를 들어, 한 K-드라마의 시나리오를 생각해 봅시다. 주인공은 한 사건의 진상을 밝히기 위해 분투하고 있습니다. 그는 정보를 추구하고 증거를 모아가지만, 점차 사건이 복잡하게 얽혀가는 것을 알게 됩니다. 에피소드의 끝에는 주인공이 중요한 단서를 찾거나 새로운 의혹이 불거질 것입니다. 그로 인해 시청자들은 이야기의 행방이나 진상에 대한 흥미와 호기심을 불러일으킵니다.

Q1-1: 例となる作品はどんなものがありますか？（もう少し具体的に質問をしてみる）

➜「太陽の末裔」(Descendants of the Sun)：軍人と医師のロマンスを中心にした作品で、愛と兵役、人間関係など多様な感情と価値を扱っています。

➜「応答せよ 1988」(Reply 1988)：1980 年代ソウルに住む 5 家族の物語を描いた作品で、家族間の愛と友情、成長と変化を扱っています。

➜「トッケビ」(Goblin)：永遠の人生を生きていくトッケビと彼と縁を結んだ女性との間の物語を通じて愛と運命、歳月と人間関係を扱います。

➜「星から来たあなた」(My Love From the Star)：宇宙人と人間女優のロマンスを描いた作品で、愛と別れ、運命のつながりを強調します。

➜「愛の不時着」(Crash Landing on You)：韓国と北朝鮮の間で繰り広げられる恋物語を描いた作品で、愛と犠牲、社会的境界を扱い、感情的な面を強調します。

このように多様な最近の作品を推薦する結果が得られる。日本語でも英語でも質問して答えることができるので、実際に追加質問をしてみよう。

特徴 2) 様々なジャンルを扱っています。K-ドラマはロマンス、コメディー、アクション、ファンタジー、スリラーなど多様なジャンルを包括し、しばしばジャンル間の混合を試みることもあります。これは、視聴者に新しいストーリーと楽しみを提供します。

特徴 3) 緊迫したストーリーとクリフハンガー (Cliff-hanger) が一般的です。K-ドラマはしばしば複雑なプロットと予期せぬ展開で視聴者の関心を引き付けます。各エピソードが終わるたびにミステリーな状況や疑問を残し、次回を待つ興味をそそります。

Q 3-1： 質問” 緊迫したストーリーとクリフハンガーが一般的です。K-ドラマはしばしば複雑なプロットと予期せぬ展開で視聴者の関心を引き付けます。各エピソードが終わるたびにミステリーな状況や疑問を残し、次回を待つ興味をそそります。」の3番目の特徴について、たとえば日本語で説明してください。

➜ K-ドラマは緊張感のあるストーリーとクリフハンガーが一般的です。複雑なプロットや予測不可能な展開を通じて、視聴者の関心を引きつけます。各エピソードが終わるたびにミステリアスな状況や疑問を残し、次回を待ちわびる興味を引き起こします。

例えば、ある K-ドラマのシナリオを考えてみましょう。主人公はある事件の真相を解明するために奮闘しています。彼は情報を追求し、証拠を集めていきますが、次第に事件が複雑に絡み合っていくことに気づきます。エピソードの終わりには、主人公が重要な手がか

예를 들어 한 에피소드의 막판에 주인공이 사건의 열쇠를 쥐고 있는 중요한 인물을 만나는 장면이 있습니다. 하지만 그 인물이 무엇을 알고 있는지, 주인공과 어떤 관계에 있는지는 밝혀지지 않습니다. 이대로 에피소드가 끝나버려 시청자들은 그 수수께끼나 의문에 대해 답을 찾게 되는 것입니다.

이에 따라 다음 에피소드에 대한 기대감이 높아지고 시청자들은 다음 전개를 기대하며 기다리게 됩니다. 이러한 클리프 행어는 시청자들의 흥미를 끌며 드라마의 서스펜스와 긴장감을 증폭시키는 중요한 요소가 되고 있습니다.

특징 4) 고급스러운 제작과 화려한 비주얼이 특징입니다. K-드라마는 높은 제작 퀄리티와 아름다운 비주얼을 자랑합니다. 특히 한국의 풍경, 음식, 패션 등 한국 문화와 관련된 다양한 요소들이 주목받습니다.

※ K-드라마의 경우 CG 기술을 근간으로 다양한 시도를 해왔고 최근 가상 스튜디오에서 촬영하여 실제 제작비는 절감하면서도 실제 우주와 같은 공간을 만들어 낸 작품으로 공유 주연의 "고요의 바다"가 있다. 도시다운 화려한 비주얼도 중요하지만, 다양한 기술을 접목해 내므로 인하여 새로운 제작 시스템을 만들고 있는 것도 주목할 만하다.

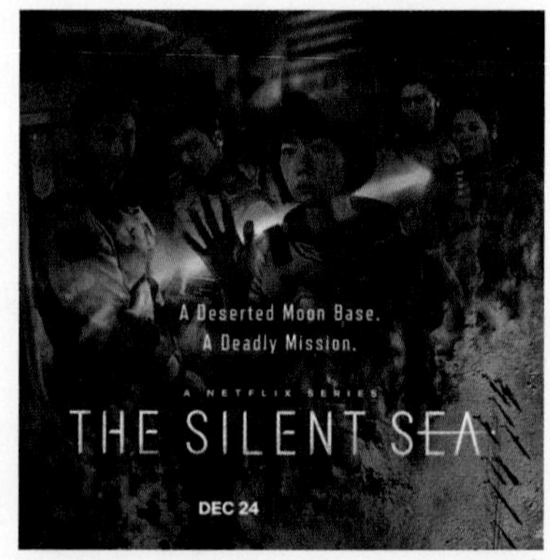

THE SILENT SEA, 2021

특징 5) 사회적인 이슈와 현실적인 설정을 다룹니다. K-드라마는 종종 사회 문제나 현실적인 상황을 다루며, 이를 통해 관객들에게 메시지를 전달하기도 합니다. 사회적 이슈에 대한 민감성과 현실성을 반영하는 측면이 있습니다.

<u>Q5-1 질문 "예"가 되는 작품을 알려주세요.</u>

→ "미스터 션샤인" (Mr. Sunshine): 19세기 말 조선과 일본 간의 역사적 배경을 바탕으로 한 작품으로, 국가적 독립과 정의를 주제로 다룹니다.

→ "도깨비" (Goblin): 영원한 존재인 도깨비와 인간들의 이야기를 통해 사회적인 문제와 인간 삶의 의미를 다루고 있습니다.

→ "남자친구" (Encounter): 사회적인 계층과 차이로 인한 어려움을 극복하며 사랑을 향해 나아가는 이야기를 다룹니다.

→ "응답하라 1988" (Reply 1988): 1980년대 서울에서 살아가는 가족들의 이야기를 통해 사회적인 변화와 가치관을 탐구합니다.

→ "스카이캐슬" (Sky Castle): 교육의 경쟁과 사회적인 압력이 높은 상류층 가정의 이야기를 다루면서, 현대 사회에서의 교육과 가족 관계의 문제를 논의합니다.

りを見つけたり、新たな疑惑が浮上したりするでしょう。それによって視聴者は物語の行方や真相についての興味と好奇心をかき立てられます。

例えば、あるエピソードの終盤で主人公が事件の鍵を握る重要な人物に出会うシーンがあります。しかし、その人物が何を知っているのか、主人公とどのような関係にあるのかは明かされません。このままエピソードが終わってしまい、視聴者はその謎や疑問に対して答えを求めることになるのです。

これによって次回のエピソードへの期待感が高まり、視聴者は次の展開を楽しみに待つことになります。こうしたクリフハンガーは視聴者の興味を引きつけ、ドラマのサスペンスや緊張感を増幅させる重要な要素となっています。

特徴 4) 高級感あふれる制作と華やかなビジュアルが特徴です。K-ドラマは高い制作クオリティと美しいビジュアルを誇ります。特に韓国の風景、食べ物、ファッションなど韓国文化と関連した多様な要素が注目されます。

※ K-ドラマの場合、CG 技術を根幹に多様な試みをしてきたし、最近仮想スタジオで撮影して実際の製作費は節減しながらも実際の宇宙と同じ空間を作り出した作品でコン・ユ主演の「静けさの海」がある。都会らしい華やかなビジュアルも重要だが、多様な技術を融合させることで新しい制作システムを作っているのも注目に値する。

特徴 5) 社会問題と現実的な設定を扱います。K-ドラマはしばしば社会問題や現実的な状況を扱い、これを通じて観客にメッセージを伝えることもあります。社会問題に対する敏感性と現実性を反映する側面があります。

Q5-1: 質問「例」になる作品を教えてください。

➜「ミスター・サンシャイン」(Mr. Sunshine):19 世紀末の朝鮮と日本の歴史的背景を基にした作品で、国家的独立と正義をテーマに扱っています。

➜「トッケビ」(Goblin): 永遠の存在であるトッケビと人間の物語を通じて、社会的な問題と人間の人生の意味を扱っています。

➜「ボーイフレンド」(Encounter): 社会的な階層と違いによる困難を克服し、愛に向かって進む物語を扱います。

➜「応答せよ 1988」(Reply 1988):1980 年代、ソウルで暮らす家族の話を通じて社会的変化と価値観を探求します。

➜「スカイキャッスル」(Sky Castle): 教育の競争と社会的な圧力が高い上流層家庭の物語を取り上げながら、現代社会における教育と家族関係の問題を議論します。

※ 실제로 이 외에도 일본에서도 방영되었던 "미생(일본 드라마 제목은 HOPE)의 경우 만화를 원작으로 만들어진 작품인데 실제 한국 사회의 회사 생활에 특징과 현실을 아주 리얼하게 담고 있는 작품으로 평가받고 있다. 일본판과 한국판을 비교해 가면서 보는 재미도 있다.

특징 6) 강렬한 연기력과 인기 배우들이 출연합니다. K-드라마는 훌륭한 배우들의 연기력으로 알려져 있습니다. 많은 K드라마가 배우들의 연기에 큰 비중을 두며, 이를 통해 감정의 깊이와 복잡성을 표현합니다. 몇몇 K드라마는 배우들의 연기로 인해 국제적으로도 인정받고 있으며, 해외에서도 큰 인기를 얻고 있습니다.

특징 7) 가족과 친구의 중요성을 강조합니다. K-드라마는 가족과 친구 관계에 큰 비중을 두는 경우가 많습니다. 가족의 사랑과 결속, 친구들 간의 지지와 협력이 중요한 요소로 자주 다뤄지며, 이를 통해 시청자들에게 공감과 위로를 전달합니다.

특징 8) 사랑과 우정의 성장을 다룹니다. K-드라마는 주로 주인공들의 사랑과 우정에 초점을 맞춥니다. 주인공들이 서로를 향한 감정을 발견하고 성장하며, 동시에 갈등과 시련을 겪으며 성장하는 과정을 그려냅니다. 이러한 성장 과정은 시청자들에게 용기와 희망을 전해줍니다.

특징 9) 음악의 중요성을 강조합니다. K-드라마는 주요 장면과 감정을 강조하기 위해 음악을 적극적으로 활용합니다. 특히 드라마의 OST(Original Sound Track)는 많은 사람에게 사랑받으며, 드라마의 감성과 기억에 강한 인상을 남깁니다.

Q9-1 질문 구체적으로 어떤 작품에서 확인할 수 있을까요? 자세히 이야기해 주세요.

→ "태양의 후예" (Descendants of the Sun): 이 작품은 감정적인 장면과 주요 시점에서 음악을 효과적으로 활용합니다. 특히, 드라마의 주제곡인 "Always"는 드라마의 인기와 함께 많은 사람에게 사랑받았으며, 장면과 캐릭터의 감성과 기억에 강한 인상을 남깁니다.

→ "도깨비" (Goblin): 이 드라마는 매우 감성적인 멜로드라마로, 매 에피소드의 시작과 끝에 다양한 OST를 활용하여 감정을 고조시킵니다. "첫눈처럼 너에게 가겠다"와 "죽을 만큼 아파서" 등의 OST는 드라마의 분위기와 주요 장면을 감성적으로 연출하는 데 큰 역할을 합니다.

→ "별에서 온 그대" (My Love From the Star): 이 작품은 외계인과 인간 여배우 사이의 로맨스를 다루는데, OST가 드라마의 감성을 크게 부각합니다. "별에서 온 그대"의 주제곡인 "별에서 온 그대"와 "너에게 난, 나에게 넌" 등은 드라마의 인기를 한층 더 높였으며, 많은 사람의 기억에 오랫동안 남게 되었습니다.

※ 実際、この他にも日本でも放映された「未生」（日本ドラマのタイトルは HOPE）の場合、漫画を原作に作られた作品だが、実際の韓国社会の会社生活に特徴と現実をとてもリアルに盛り込んでいる作品と評価されている。日本版と韓国版を比較しながら見る楽しみもある。

特徴 6) 強烈な演技力と人気俳優が出演します。K-ドラマは立派な俳優たちの演技力で知られています。多くの K-ドラマが俳優たちの演技に大きな比重を置き、これを通じて感情の深さと複雑性を表現します。いくつかの K-ドラマは俳優の演技によって国際的にも認められており、海外でも大きな人気を集めています。

特徴 7) 家族や友人の重要性を強調します。K-ドラマは家族や友人関係に大きな比重を置くことが多いです。家族の愛と結束、友人間の支持と協力が重要な要素としてよく扱われ、これを通じて視聴者に共感と慰労を伝えます。

特徴 8) 愛と友情の成長を扱います。K-ドラマは主に主人公たちの愛と友情に焦点を合わせます。主人公たちがお互いに向けられた感情を発見して成長し、同時に葛藤と試練を経て成長する過程を描き出します。このような成長過程は、視聴者に勇気と希望を伝えてくれます。

特徴 9) 音楽の重要性を強調します。K-ドラマは主要場面と感情を強調するために音楽を積極的に活用します。特にドラマの OST(Original Sound Track) は多くの人に愛され、ドラマの感性と記憶に強い印象を残します。

Q 9-1: 質問は具体的にどの作品で確認できますか？詳しく話してください。

➜「太陽の末裔」(Descendants of the Sun): この作品は感情的なシーンと主要な視点で音楽を効果的に活用します。特に、ドラマのテーマ曲である「Always」はドラマの人気と共に多くの人々に愛され、シーンやキャラクターの感性と記憶に強い印象を残します。

➜「トッケビ」(Goblin): このドラマはとても感性的なメロドラマで、毎エピソードの始まりと終わりに多様な OST を活用して感情を高めます。「初雪のように君に行く」や「死ぬほど痛くて」などの OST はドラマの雰囲気と主要場面を感性的に演出する上で大きな役割を果たします。

➜「星から来たあなた」(My Love From the Star)」: この作品は宇宙人と人間女優のロマンスを扱っていますが、OST がドラマの感性を大きく引き立てています。「星から来たあなた」のテーマ曲である「星から来たあなた」や「君にとって僕は、僕にとって君は」などはドラマの人気をさらに高め、多くの人々の記憶に長く残るようになりました。

→ "응답하라 1988" (Reply 1988): 이 작품은 1980년대 서울에서 살아가는 가족들의 이야기를 그린 드라마입니다. 1980년대의 히트곡들을 비롯하여 드라마 내에서 사용되는 음악들은 그 시대의 분위기를 잘 살려주며, 주인공들의 성장과 가족의 이야기와 함께 강한 인상을 남깁니다.

→ "슬기로운 의사생활" (Hospital Playlist): 이 작품은 의사들의 일상과 이야기를 그리는데, 음악은 그들의 감정과 관계를 나타내는 중요한 역할을 합니다. 드라마는 에피소드마다 다양한 OST를 소개하며, 각각의 음악은 캐릭터들의 감정과 이야기에 조화롭게 어울리며 시청자들에게 큰 인상을 줍니다.

→ "이태원 클라쓰" (Itaewon Class): 이 드라마는 사회적인 이슈와 현실적인 문제를 다루는 동시에 음악을 통해 주인공의 감정과 성장을 표현합니다. "Start Over"와 "Still Fighting It"과 같은 OST는 드라마의 주요 순간에서 사용되며, 주인공의 결단력과 의지를 강조하는 데 큰 역할을 합니다. K드라마에서 음악은 단순히 배경음악으로만 사용되지 않고, 각 장면과 캐릭터의 감정을 강조하고 이야기에 깊이를 더해줍니다. OST는 많은 사람들에게 사랑받으며, 드라마의 감성과 기억에 오랫동안 남는 요소로 자리 잡고 있습니다.

※ 특히 "이태원 클라쓰"의 경우는 일본에서는 "롯폰기 클라쓰"로 리메이크되었으며 OST는 한국 곡을 그대로 번안하여 드라마에 삽입하여 같은 분위기를 만들어 내고자 했다.

특징 10) 재미와 감동을 제공합니다. K-드라마는 흥미로운 이야기와 감동적인 장면을 통해 시청자들에게 즐거움을 선사합니다. 흥미진진한 플롯, 예측 불가능한 전개, 감정적인 순간들은 K드라마의 매력 중 하나입니다.

이러한 특징들이 K-드라마를 독특하고 매력적인 콘텐츠로 만들어 주며, 한국 드라마 산업의 성공과 세계적인 인기에 큰 영향을 미쳤습니다.

◇◇

여기까지가 Chat GPT를 사용하여 K-드라마에 대해 질문하고 답변받은 내용이다. 실제로 최근 유명해진 "오징어게임", "지금 우리 학교는" 등의 다양한 OTT 채널의 콘텐츠까지 다루고 있지는 않지만, 한국의 문화를 담고 있는 K-드라마의 추천작에 대해서는 많은 정보를 확인 할 수 있다.

다양한 언어로 질문하고 답변받을 수 있어 "언어의 장벽"이라고 할 것이 없는 서비스인만큼 한국 드라마에 대한 다양한 질문을 해보고, 실제 나온 답변을 두고 다 같이 이야기를 나누어 보자.

➜「応答せよ 1988」(Reply 1988): この作品は 1980 年代、ソウルで暮らす家族の物語を描いたドラマです。1980 年代のヒット曲をはじめ、ドラマ内で使われる音楽はその時代の雰囲気をよく生かし、主人公たちの成長と家族の物語とともに強い印象を残します。

➜［賢い医師生活］（Hospital Playlist）：この作品は医師たちの日常と物語を描くのに、音楽は彼らの感情と関係を表す重要な役割を果たします。ドラマは毎エピソードごとに様々な OST を紹介し、それぞれの音楽はキャラクターの感情や物語に調和し、視聴者に大きな印象を与えます。

➜「梨泰院クラス」(Itaewon Class): このドラマは社会問題と現実的な問題を扱うと同時に、音楽を通じて主人公の感情と成長を表現します。「Start Over」や「Still Fighting It」などの OST はドラマの主要瞬間で使われ、主人公の決断力と意志を強調するのに大きな役割を果たします。K ドラマでは音楽は単に BGM としてだけでなく、各シーンやキャラクターの感情を強調し、物語に深みを与えます。OST は多くの人に愛され、ドラマの感性と記憶に長く残る要素として位置づけられています。

※ 特に「梨泰院クラス」の場合は、日本では「六本木クラスで」リメイクされ、OST は韓国曲をそのまま翻案してドラマに挿入して同じ雰囲気を作り出そうとした。

特徴 10) 楽しさと感動を提供します。K-ドラマは興味深い話と感動的な場面を通じて視聴者に楽しさを与えます。興味深いプロット、予測不可能な展開、感情的な瞬間は K ドラマの魅力の一つです。このような特徴が K-ドラマを独特で魅力的なコンテンツにし、韓国ドラマ産業の成功と世界的人気に大きな影響を及ぼしました。

◇◇

ここまでが Chat GPT を使って K-ドラマについて質問し、回答を受けた内容だ。実際に最近有名になった「イカゲーム」、「今我が学校は」等の多様な OTT チャンネルのコンテンツまで扱っていないが、韓国の文化を含んでいる K-ドラマの推薦作については多くの情報を確認することができる。

多様な言語で質問して答えることができ、「言語の障壁」というものがないサービスであるだけに、韓国ドラマに対する多様な質問をしてみて、実際に出てきた回答を持って皆で話を交わしてみよう。

参考サイトおよび参考文献
참고 사이트 및 참고 문헌

★ ネイバー知識百科「韓流を先導するドラマ」情報

네이버 지식백과 "한류를 선도하는 드라마" 정보

★ Chat GPT:質問と回答 질문과 답변

考えて話してみましょう。
생각하고 이야기해 봅시다.

1 Chat GPTを活用してK-ドラマについて自分が知りたいことを質問してみましょう。質問した内容を一緒に話して、追加質問を作って質問してみましょう。

ex) Q-1、2022年の「イカゲーム」はK-ドラマですか？（A. 典型的な韓国ドラマではありません。）

Q-2、でも韓国人のスタイルとジャンルを持っていて、韓国の会社で作られていて、韓国の俳優が出てきて、韓国語で演じていたらK-ドラマだと言えるのではないでしょうか？

Chat GPT를 활용하여 K-드라마에 대해 자신이 궁금한 내용을 질문해 봅시다. 질문한 내용을 같이 이야기하고 추가 질문을 만들어서 질문해 봅시다.

ex) Q-1, 2022년 "오징어게임"은 K-드라마인가요? (A. 전형적 한국 드라마는 아니다.)

Q-2, 그렇지만 한국인의 스타일과 장르를 가지고 있고 한국 회사에서 만들어졌고, 한국 배우가 나오고, 한국어로 연기하였다면 K-드라마라고 볼 수 있지 않을까요?

2 見たいジャンルと俳優などの条件を入れておすすめ作品を探して情報を共有してみましょう

보고 싶은 장르와 배우 등의 조건을 넣어서 추천 작품을 찾아보고 정보를 공유해 보자.

16 만화, 웹툰 무엇이 다른가요?

웹툰이란?

웹툰(Webtoon)은 네이버, 다음 등의 각종 플랫폼 매체에서 연재(連載)되는 디지털 만화를 말한다. World Wide Web의 "WEB"과 Cartoon의 "Toon"이 합쳐진 단어로 이제는 디지털 만화 형식을 말하는 고유명사가 되었다. 일반 만화는 작가가 책을 써서 책으로 독자에게 전달되지만, 웹툰은 작가가 웹페이지에 만화를 게시하여 이용자가 그 페이지를 읽고 보는 방식이다.

구분	웹툰	만화
매체	웹사이트 / 애플리케이션	만화책 / 또는 잡지 등 지면 매체
구매 방법	무료 / 유료 등	서적과 동일한 구매(서점 & E-Book)
보는 방법	세로 스크롤 / 선명한 디지털	가로, 또는 세로의 텍스트 주로 흑백판 / 특정 페이지 컬러
연출적 특징	음향, 움직임, 음악 등을 활용한 멀티미디어 연출 가능	칸과 칸을 활용하여 연출. 효과성이나 효과음의 표기
유통 주기	정해진 날짜에 업데이트 / 짧은 구독 사이클	일반 출판과 같이 한 권 단위로 출간, 시간이 걸림
장소적 특징	언제 어디서나 웹 또는 모바일	서적으로 구매 / 책으로 소지
독자 피드백	실시간 댓글. 쌍방향의 소통	책 구매 사이트 내의 댓글
One Source Multi Use	웹툰, 만화 동일하게 OSMU로 다양한 드라마, 영화, 게임 등으로 만들어지는 부분은 비슷. 다양한 플랫폼으로 확장됨.	

웹툰 또는 만화처럼 OSMU 방식으로 활용되므로 이를 제공하는 서비스와 제작, 유통, 이용 등과 관련해서 한 산업을 웹툰 산업이라고 부를 수 있다. 특히 최초의 콘텐츠 제공이 이루어지는 웹툰 플랫폼은

16 漫画、ウェブトゥーンって何が違いますか？

1 ウェブトゥーンとは？

ウェブトゥーン (Webtoon) はネイバー、ダウムなどの各種プラットフォームメディアで連載されるデジタル漫画をいう。WorldWide Web の "WEB" と Cartoon の "Toon" が合わさった単語で、今ではデジタル漫画形式を指す固有名詞となっている。一般漫画は作家が本を書いて本で読者に伝えられるが、ウェブトゥーンは作家がウェブページに漫画を掲示して利用者がそのページを読んで見る方式である。

区分	ウェブトゥーン	漫画
メディア	メディアウェブサイト / アプリケーション	コミック / または雑誌などの紙面メディア
購入方法	無料 / 有料など	書籍と同一購入（書店 &E-Book）
見方	縦スクロール / 鮮明なデジタル	横、または縦のテキスト主に白黒版 / 特定ページカラー
演出的特徴	音響、動き、音楽などを活用したマルチメディア演出可能	マスとマスを活用して演出。効果性や効果音の表記
流通周期	決まった日にアップデート / サブスクリプションサイクル	一般出版のように 1 冊単位で出版され、時間がかかる
場所的特徴	いつでもどこでもウェブまたはモバイル	書籍で購入 / 本として所持
読者フィードバック	リアルタイムコメント双方向のコミュニケーション	本購入サイト内のコメント
One Source Multi Use	ウェブトゥーン、漫画同様に OSMU で多様なドラマ、映画、ゲームなどで作られる部分は似ている。 様々なプラットフォームに拡張	

2010년경까지는 "네이버 웹툰", "다음 웹툰", "야후 웹툰" 등 포털사를 중심으로 발전해 오다가 2013년 "레진코믹스"가 성공적인 유료화 서비스를 시작하는 등 다양화되고 있다.

 전 세계에서 만날 수 있는 웹툰 플랫폼

한국의 웹툰 플랫폼은 세계 여러 나라로 수출되어 사용되고 있는데 우리가 알고 있는 "라인망가", "픽코마" 등은 한국의 서비스가 현지화된 이름으로 출시하여 성공한 사례이다.

https://piccoma.com/web/

"라인망가"는 일본 디지털 만화시장에서 점유율 38%로 1위를 차지하고 있고, 다양한 일본 출판사들과 파트너십을 맺고 서비스하고 있으며 "픽코마"도 카카오계열의 회사로 3년 연속 두 배 이상 성장하였다. 실제 대학에서 사전에 실시되었던 설문조사에서도 일주일에 2회 이상 웹툰 서비스를 사용하는 학생이 80% 이상으로 나타났다.

일본의 만화를 근간으로 다양한 애니메이션과 영화, 드라마가 만들어지듯이 한국의 "웹툰"도 다양한 콘텐츠의 근간이 되고 있다. 한국에서는 "다음 웹툰"을 통해 연재되었던 웹툰 "미생(未生)"은 한국에서는 드라마 미생으로 만들어졌고, 일본에서는 드라마 "HOPE- 期待ゼロの新入社員"으로 만들어졌다. 이처럼 다양한 웹툰들이 드라마 등으로 만들어졌다.

未生 tvN 미생 2014

특히 넷플릭스를 통해 보였던 "지금 우리 학교는", "이태원 클라쓰"는 일본 내에서도 많은 인기를 보여주었던 작품이다. 그리고 여성들에게 인기가 많았던 "여신강림(女神降臨)" 또한 라인망가에서는 웹툰으로 볼 수 있으며 넷플릭스를 통해 드라마로 방영되었다.

ウェブトゥーンまたは漫画のようにOSMU方式で活用されるため、これを向上させるサービスと製作、流通、利用などと関連した産業をウェブトゥーン産業と呼ぶことができる。特に最初のコンテンツ提供が行われるウェブトゥーンプラットフォームは、2010年頃までは：ネイバーウェブトゥーン」、「ダウムウェブトゥーン」、「ヤフーウェブトゥーン」などポータル会社を中心に発展してきたが、2013年「レジンコミックス」が成功的に有料化サービスを始めるなど多様化している。

2 全世界で見られるウェブトゥーンプラットフォーム

韓国のウェブトゥーンプラットフォームは世界各国に輸出され使用されているが、私たちが知っている「ライン漫画」、「ピッコマ」等は韓国のサービスが現地化された名前で発売し成功した事例である。

「ラインマンガ」は日本デジタル漫画市場で占有率38%で1位を占めており、多様な日本出版社とパートナーシップを結んでサービスをしており「ピッコマ」もカカオ系列の会社で3年連続2倍以上成長した。実際、金沢工業大学と岩手大学で事前に実施されたアンケート調査でも、週に2回以上ウェブトゥーンサービスを使用する学生が80%以上だった。

現在、世界でサービスされている「ウェブトゥーン」ブランドサービスは以下の通りである。

日本の漫画を根幹に多様なアニメーションと映画、ドラマが作られるように、韓国の「ウェブトゥーン」も多様なコンテンツの根幹となっている。韓国では「ダウムウェブトゥーン」を通じて連載されていたウェブトゥーン「未生」は、韓国ではドラマ「未生」として作られ、日本ではドラマ「HOPE-期待ゼロの新入社員」として制作された。このように多様なウェブトゥーンがドラマなどで作られた。

特にネットフリックスを通じて見られた「今我が学校は」、「梨泰院クラス」は日本国内でも多くの人気を示した作品である。そして女性に人気が高かった「女神降臨」もライン漫画ではウェブトゥーンで見ることができ、ネットフリックスを通じてドラマとして放映された。

日本の漫画を根幹に多様なアニメーションと映画、ドラマが作られるように、韓国の「ウェブトゥーン」も多様なコンテンツの根幹となっている。韓国では「ダウムウェブトゥーン」を通じて連載されていたウェブトゥーン「未生」は、韓国ではドラマ「未生」として作られ、日本ではドラマ「HOPE-期待ゼロの新入社員」として制作された。このように多様なウェブトゥーンがドラマなどで作られた。

特にネットフリックスを通じて見られた「今我が学校は」、「梨泰院クラス」は日本国内でも多くの人気を示した作品である。そして女性に人気が高かった「女神降臨」もライン漫画ではウェブトゥーンで見ることができ、ネットフリックスを通じてドラマとして放映された。

웹툰의 현재 그리고 미래

웹툰의 종주국이 한국이며 새로운 디지털 유통 방식을 개발하여 온 만큼 글로벌 경쟁력을 강화하기 위하여 지금도 노력하고 있다. 실제로 교육 기관이 만들어지기도 하고 다양한 시스템을 가진 스튜디오들이 운영되고 있다. 일본과 합작 스튜디오들도 만들어지고 있다.

웹툰의 IP 확장 사례

IP확장 영역	사례
OTT (오리지널 영상콘텐츠)	넷플릭스: 〈킹덤〉, 〈스위트홈〉, 〈지금 우리 학교는〉, 〈승리호〉 등 아이치이: 〈간 떨어지는 동거〉 등
게임	〈덴마〉, 〈마음의 소리〉, 〈와라! 편의점〉, 〈삼국전투기〉, 〈신의 탑〉 등
애니메이션	〈신의 탑〉, 〈갓 오브 하이스쿨〉, 〈노블레스〉 등
영화	〈부산행〉, 〈이끼〉, 〈신과 함께〉, 〈내부자들〉, 〈은밀하게 위대하게〉 등
드라마	〈타인은 지옥이다〉, 〈쌉니다 천리마트〉, 〈비질란테〉, 〈여신강림〉, 〈금수저〉, 〈내일〉, 〈연의 편지〉, 〈피에는 피〉, 〈이태원 클라쓰〉, 〈미생〉 등

출처 : 양지훈 (2021), 웹툰산업 해외진출 진흥 방안 연구 , 한국문화관광연구원

이렇게 관련 산업이 확장되는 만큼 2023년에도 다양한 웹툰을 활용하여 만든 드라마가 여러 채널을 통해 개봉되고, 영화나 게임으로도 만들어지고 있다. 새로움을 향해 항상 노력하여 새로운 플랫폼을 만든 것과 같이 글로벌 고객들이 좋아할 수 있는 국제적이고 보편적인 콘텐츠를 만들어 내는 것이 이후의 과제라고 할 수 있다. 좋은 작품이 더 많이 만들어지고 지금처럼 다 함께 언제 어디서나 즐길 수 있길 바란다.

3 ウェブトゥーンの現在、そして未来

ウェブトゥーンの発信元が韓国であり、新しいデジタル流通方式を開発してきただけに、グローバル競争力を強化するために今も努力している。実際に教育機関が作られたり、多様なシステムを持ったスタジオが運営されて日本との合作スタジオも作られている。このように関連産業が拡張されるだけに2023年にも多様なウェブトゥーンを活用して作ったドラマが色々なチャンネルを通じて公開され 映画やゲームにも作られている。新しさに向かって常に努力して新しいプラットフォームを作ったように、グローバル顧客が喜ぶ国際的で普遍的なコンテンツを作り出すことが今後の課題と言える。良い作品がもっとたくさん作られ、今のように皆でいつどこでも楽しめることを願う。

ウェブトゥーンを見ることができる日本のプラットフォーム
웹툰을 볼 수 있는 일본 플랫폼

ピッコマ 픽코마 https://piccoma.com/web/	ラインマンガー 라인만화 https://manga.line.me/	コミコ 코미코 https://www.comico.jp/

考えて話してみましょう。
생각하고 이야기해 봅시다.

1 末生、梨泰院クラス、女神降臨などのウェブトゥーンやドラマを見たことがありますか？あったら紹介してマンガと違う点を話してみましょう。

"미생", "이태원 클라쓰", "여신 강림" 등의 웹툰 및 드라마를 본 적이 있나요? 있다면 소개하고 만화책과 다른 점을 이야기해 봅시다.

2 日本のマンガと韓国のウェブトゥーンの違いと共通点を話してみましょう。

일본의 만화와 한국의 웹툰의 다른 점과 공통점을 이야기해 봅시다.

3 ウェブトゥーンが見られるピッコマ、ラインマンガ、コミコをダウンロードして使っていますか？やっているならどんな理由か、やっていないならどんな理由か紹介してください。

웹툰을 볼 수 있는 픽코마, 라인망가, 코미코를 다운로드받아서 사용하고 있나요? 하고 있다면 어떤 이유인지, 하지 않는다면 어떤 이유인지 소개해 주세요.

参考サイトおよび参考文献
참고 사이트 및 참고 문헌

★ ヤン·ジフン、イ·ジヨン、ホン·ソンウ(2016)、ウェブトゥーン(Webtoon)の興行決定要因に関する研究、延世大学情報大学院
양지훈, 이지영, 홍성우(2016), 웹툰(Webtoon)의 흥행 결정 요인 연구, 연세대학교 정보대학원
https://scienceon.kisti.re.kr/commons/util/originalView.do?cn=JAKO201616853628399&oCn=JAKO201616853628399&dbt=JAKO&journal=NJOU00292001

★ ヤン·ジフン、パク·チャンウク、キム·ビョンス、パク·ソクファン（2021)、ウェブトゥーン産業海外進出振興案研究。韓国文化観光研究院
양지훈, 박찬욱, 김병수, 박석환(2021), 웹툰산업 해외진출 진흥 방안 연구, 한국문화관광연구원

★ ピッコマ: https://piccoma.com/web/

★ ラインマンガー : https://manga.line.me/

★ コミコ : https://www.comico.jp/

6

걸으면서 알아보자

歩きながら調べてみよう

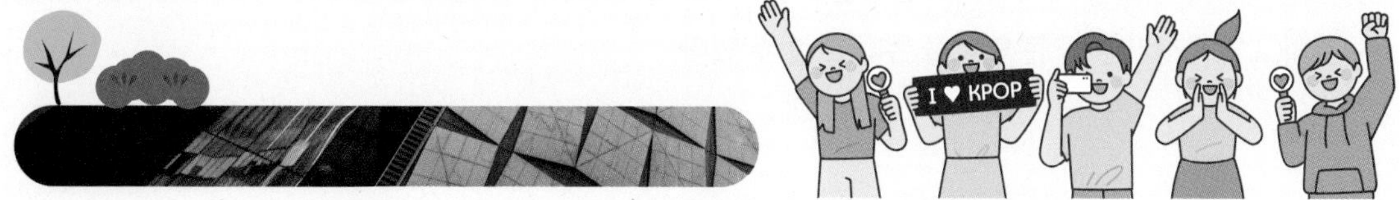

17 한국의 유네스코 세계문화유산

유네스코 등재 유산 중 한국의 세계유산에 대해 알아보도록 하자.

유네스코(UNESCO)는 전 세계의 교육, 과학, 문화의 보급과 교류를 위해 설립된 유엔의 전문기구이다. 유네스코가 하는 일 중에 가장 대표작인 것은 세계유산을 지정하는 것이다. 세계유산은 세계문화유산과 세계자연유산, 그리고 이 둘의 특징을 동시에 지닌 복합 유산으로 구분되며 2023년 2월 현재 전 세계의 세계유산은 등재 1,157건(세계문화유산 900건, 세계자연유산 218건, 세계 복합유산 39건)으로 55건이 위기 유산, 3건이 세계유산 목록에서 말소되었다.

"우리나라는 전 국토가 박물관이다." 1993년 베스트셀러 "나의 문화 유산답사기" 중

한국은 전 국토가 박물관이라고 할 정도로 다른 나라에 비하면 국토가 좁지만, 후손에게 물려줄 수많은 문화유적이 존재하고 있다. 기록을 보존하고 문화유적을 잘 가꾸는 국민성을 가지고 있다. 1993년 5월 출간된 대의 유홍준 님의 "나의 문화 답사기"라는 책은 현재 총 5권이 출간되어 있으며 대한민국뿐만이 아니라 북한의 문화유산도 소개하고 있다. 책 안에 실린 답사 일정표는 실제 답사 여행을 하는데 훌륭한 가이드를 제공해 준다.

그리고 '김치와 김장 문화'는 2013년 유네스코 인류 무형유산으로 등재됐고 지금은 K컬처 인기와 함께 세계인들의 사랑을 받고 있다.

또한 아시아 인삼 중 한국에서 재배 생산되고 있는 인삼을 '고려인삼(高麗人蔘)'이라고 하여 예로부터 가장 고귀하게 여겨왔다. 오랜 역사와 전통이 있는 고려인삼은 인삼 문화 보전을 위해 유네스코 인류 무형문화유산 등재를 위해 노력하고 있다. 2020년 이미 국내에서는 '인삼 재배와 약용문화'가 농경 분야로는 처음 국가무형문화재로 지정되었으며, 국내는 물론, 해외에서 인정받는 대표적인 K-건강식품으로 문화적 가치도 높다.

그 외에 2022년에는 강원도 DMZ 등재를 위해 주민 설명회를 개최하는가 하면, 경북 고령군에 있는 지산동 고분군을 포함한 가야 고분군이 유네스코 세계유산에 등재될 전망이다. 이처럼 문화에 관심이 높은 한국인의 인식이 세계에서도 인정받고 있는 세계유산(자연 및 인류의 역사를 미래에 전하는 것)을 보존하고 발전시키는 데 큰 역할을 했다고 할 수 있다.

17 韓国のユネスコ世界文化遺産

ユネスコ登録遺産のうち、韓国の世界遺産について見てみよう。

ユネスコ (UNESCO) は、世界中の教育、科学、文化の普及と交流のために設立された国連の専門機関である。ユネスコの仕事の中で最も代表作なのは世界遺産を指定する。世界遺産は世界文化遺産と世界自然遺産、そしてこの二つの特徴を同時に持つ複合遺産に分けられ、2023 年 2 月現在、全世界の世界遺産は登録 1157 件 (世界文化遺産 900 件、世界自然遺産 218 件、世界複合遺産 39 件) で 55 件が危機遺産、3 件が世界遺産リストから抹消されている。

我が国は国土全体が博物館である。1993 年ベストセラー「私の文化遺産踏査記」より

韓国は全国土が博物館だと言われるほど他国に比べると国土が狭いが、先祖代々受け継がれる数多くの文化遺跡が存在している。そして、記録を保存し、文化遺跡をよく保全する国民性を持っている。1993 年 5 月に出版された大義ユ・ホンジュンさんの「私の文化踏査記」という本は現在、計 5 冊が出版されており、大韓民国だけでなく北朝鮮の文化遺産も紹介している。本の中に載せられた踏査日程表は、実際の踏査旅行をするのに十分なガイドを提供してくれる。

そして「キムチとキムジャン文化」は 2013 年にユネスコ人類無形遺産に登録され、今は K カルチャーの人気とともに世界の人々に愛されている。

また、アジア高麗人参のうち、韓国で栽培・生産されている人参を「高麗人参」といい、昔から最も尊いものとされてきた。 長い歴史と伝統がある高麗人参は、高麗人参文化の保全のためにユネスコ人類無形文化遺産の登録のために努力している。2020 年にすでに国内では「高麗人参栽培と薬用文化」が農耕分野としては初めて国家無形文化財に指定され、国内はもちろん海外で認められる代表的な K- 健康食品として文化的価値も高い。

その他に 2022 年には江原道 DMZ 登録のために住民説明会を開催する一方、慶尚北道高霊郡にある芝山洞古墳群を含む伽耶古墳群がユネスコ世界遺産に登録される見通しである。このように文化に関心の高い韓国人の認識が世界でも認められている世界遺産 (自然および人類の歴史を未来に伝えること) を保存し発展させるのに大きな役割を果たしたと言える。

1) 세계유산이란?

유네스코 세계유산은 1972년 유네스코(국제연합 교육과학문화기관)의 총회에서 채택된 세계유산 협약(공식적으로는 세계문화유산 및 자연유산 보호에 관한 협약이라고 한다.)을 근거로 보존할 가치가 있다고 판단하여 지정하는 전 세계의 문화 및 자연유산 등재 목록에 등재된 물건을 말한다. 한국은 2022년 현재 17곳이 지정되어 있다. 세계유산 14점, 자연유산 2점, 북한지역 2점이 있다.

● 세계 유산의 종류

문화유산	중요한 건축물, 기념비, 유적의 것(오래된 건축물이나 유적)
자연유산	중요한 자연경관, 생물서식지 (숲, 산, 들, 풍경)
복합유산	문화적, 자연적 양면에서 볼 때 중요한 것 (문화와 자연 모두)세계무형문화유산: (인류의 구전 및 무형의 문화)

2) 한국의 세계 문화유산 소개

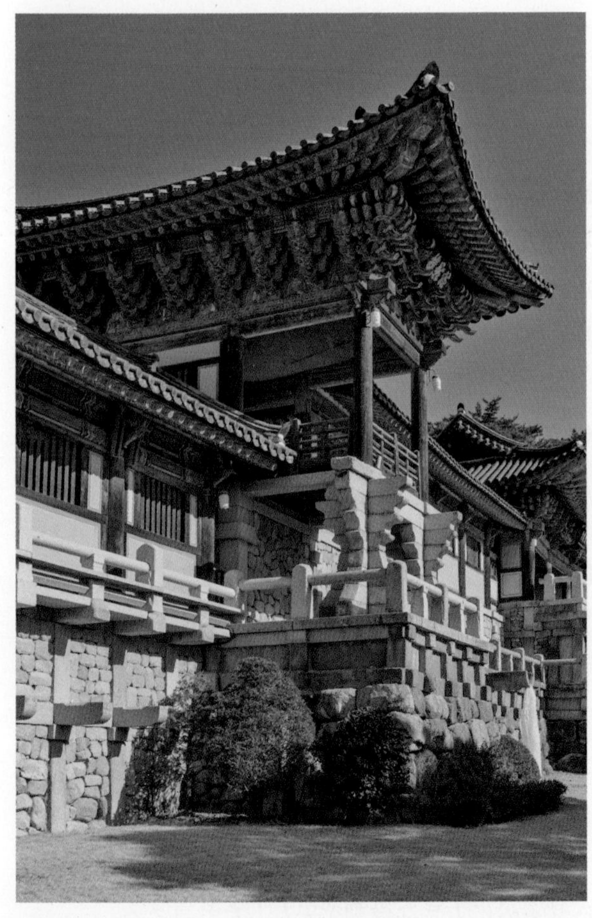

佛國寺 불국사

불국사(佛國寺)는 한국의 대표적인 절로서 눌지왕(訥祇王) 때 아도화상(阿道和尙)에 의해 처음 지어졌으며 경덕왕 때 재상 김대성에 의해 크게 확장되었다. 불국사 자체가 보물이라고 할 수 있다. 특히 석굴암에 가면 벽면 조각들이 앞쪽에서 부처님에게로 향하면서 점차 촘촘해지는 것을 느낀다.

석굴암은 신라 경덕왕 때의 재상 김대성이 전생의 부모를 위해 지었다. 축도(縮図) 과정에서 보여준 신라인들의 높은 문화 수준과 과학 기술, 그리고 종교성은 세계적으로 자랑할 수 있을 만큼 높고 훌륭한 경지를 달성하였다. 특히 석굴암 석굴은 신라 불교 예술의 전성기에 이룩된 최고 걸작으로 건축, 수리, 기하학, 종교, 예술 등이 유기적으로 결합하여 더욱 돋보인다. 현재 석굴암 석굴은 국보 제24호로 지정되어 관리되고 있으며, 석굴암은 1995년 12월 불국사와 함께 유네스코 세계문화유산으로 등록되었다.

1) 世界遺産とは？

ユネスコ世界遺産とは、1972 年にユネスコ (国際連合教育科学文化機関) の総会で採択された世界遺産条約 (公式には世界文化遺産及び自然遺産保護に関する条約という。) を根拠に保存する価値があると判断し、指定する全世界の文化及び自然遺産登録リストに登録されたものをいう。韓国は 2022 年現在、17 ヵ所が指定されている。世界遺産 13 点、自然遺産 2 点、北朝鮮地域 2 点がある。

● 世界遺産の種類

文化遺産	重要な建築物、記念碑、遺跡のもの（古い建築物や遺跡）
自然遺産	重要な自然景観、生物生息地 (森、山、野原、風景)
複合遺産	文化的、自然的両面から見て重要なこと (文化と自然の両方) 世界無形文化遺産 :(人類の口承及び無形の文化)

2) 韓国の世界文化遺産紹介

仏国寺は韓国の代表的な寺として訥祇王の時に阿道和尚によって初めて建てられ、景徳王の時に宰相キム・デソンによって大きく拡張された。仏国寺自体が宝物といえる。

石窟庵 석굴암

特に石窟庵に行くと壁面の彫刻が前方から仏様に向かい、次第に細かくなることを感じる。石窟庵は新羅景徳王の時の宰相キム・デソンが前世の両親のために建てた。縮図過程で見せてくれた新羅人の高い文化水準と科学技術、そして宗教性は世界的に誇るものである。特に石窟庵石窟は新羅仏教芸術の全盛期に成し遂げた最高傑作で、建築、修理、幾何学、宗教、芸術などが有機的に結合されており、さらに目立っている。現在石窟庵石窟は国宝第 24 号に指定され管理されており、石窟庵は 1995 年 12 月仏国寺とともにユネスコ世界文化遺産に登録された。

- 世界文化遺産に指定された世界唯一の人工石窟 /- 石窟庵から垣間見られる新羅人の科学技術 /- リアルでありながら幻想的な彫刻の芸術性 /- 内部構造は単なる美学ではなく、緻密な計算と建築知識の結果物

● 한국의 세계문화유산 목록

석굴암과 불국사 (1995)	종묘 (1995)	해인사 장경판전 (1995)	창덕궁 (1997)
수원화성 (1997)	경주역사유적지구 (2000)	고창,화순,강화의고인돌 유적(2002)	조선왕릉 (2009)
하회와 양동마을 (2010)	남한산성 (2014)	백제역사유적지구 (2015)	산사 한국의 산지 승원 (2018)
한국의 서원 (2019)	가야 고분군 (2023)		

● 한국의 자연 유산 목록

제주 화산섬과 용암동굴 (2007)	https://www.youtube.com/watch?v=ip7EaLWJmec http://www.jejusori.net/news/articleView.html?idxno=408517
한국의 갯벌 (2021)	https://www.lecturernews.com/news/articleView.html?idxno=113174

● 북한지역 유산 목록

고구려 고분 군 (2004)	https://ko.wikipedia.org/wiki/%EA%B3%A0%EA%B5%AC%EB%A0%A4_%EA%B3%A0%EB%B6%84%EA%B5%B0
개성 역사 유적지구 (2015)	https://www.cha.go.kr/newsBbz/selectNewsBbzView.do?newsItemId=155698271§ionId=b_sec_1

● 韓国の世界文化遺産一覧

石窟庵と仏国寺 (1995)	宗廟 (1995)	海印寺大蔵経板殿 (1995)	昌徳宮 (1997)
水原華城 (1997)	慶州歴史遺跡地区 (2000)	高敞・和順・江華の支石墓遺跡 (2002)	朝鮮王陵 (2009)
河回村と良洞村 (2010)	南漢山城 (2014)	百済歴史遺跡地区 (2015)	山寺 韓国の産地僧院 (2018)
韓国の書院 (2019)	伽耶古墳群 (2023)		

● 韓国の自然遺産一覧

済州火山島と溶岩洞窟 (2007)	https://www.youtube.com/watch?v=ip7EaLWJmec http://www.jejusori.net/news/articleView.html?idxno=408517
韓国の干潟 (2021)	https://www.lecturernews.com/news/articleView.html?idx-no=113174

● 北朝鮮地域の遺産リスト

高句麗古墳群 (2004)	https://ko.wikipedia.org/wiki/%EA%B3%A0%EA%B5%AC%EB%A0%A4_%EA%B3%A0%EB%B6%84%EA%B5%B0
開城歴史遺跡地区 (2015)	https://www.cha.go.kr/newsBbz/selectNewsBbzView.do?news-ItemId=155698271§ionId=b_sec_1

세계유산이 많은 나라 순위

2023년 2월 현재

순위	나라명	세계유산수	문화유산수	자연유산수	복합유산수	위기유산수
1	이탈리아	58	53	5	0	-
2	중국	56	38	14	4	-
3	독일	51	48	3	0	-
4	프랑스	49	42	6	1	-
4	스페인	49	43	4	2	-
6	인도	40	32	7	1	-
7	멕시코	35	27	6	2	1
8	영국	33	28	4	1	-
9	러시아	28	17	11	0	-
10	이란	26	24	2	0	-
11	일본	25	20	5	0	-
21	한국	15	14	2	0	-

3) 한국의 세계 세계유산 잠정목록

잠정 목록은 세계유산에 등재되기 전의 후보군이라고 할 수 있다. 이 단계는 등재가 보류되거나 불가 판정이 나온 경우도 있지만 대개는 등재가 된다.

잠정목록 13건(2022년 기준)

● 문화유산

① 강진도요지(1994)
② 대곡천 암각화군(2010)
③ 중부내륙 산성군(2010)
④ 염전(2010)
⑤ 외암마을(2011)
⑥ 낙안읍성(2011)
⑦ 서울 한양도성(2012)
⑧ 화순 운주사 석불석탑군(2017)
⑨ 가야고분군(2019)

● 자연유산

⑩ 가야고분군(2019)
⑪ 설악산천연보호구역(1994)
⑫ 남해안일대 공룡화석지(2002)
⑬ 우포늪(2011)

世界遺産の多い国ランキング

2023年2月時点

順位	国名	世界遺産数	文化遺産数	自然遺産数	複合遺産数	危機遺産数
1	イタリア	58	53	5	0	-
2	中国	56	38	14	4	-
3	ドイツ	51	48	3	0	-
4	フランス	49	42	6	1	-
4	スペイン	49	43	4	2	-
6	インド	40	32	7	1	-
7	メキシコ	35	27	6	2	1
8	イギリス	33	28	4	1	-
9	ロシア	28	17	11	0	-
10	イラン	26	24	2	0	-
11	日本	25	20	5	0	-
21	韓国	15	14	2	0	-

3) 韓国の世界遺産暫定リスト

暫定リストとは世界遺産に登録される前の候補群といえる。この段階は登録が保留か不可判定が出た場合もあるが、大抵は登録される。

世界遺産をクリックしてみましょう。
세계문화 유산을 클릭해 봅시다.

ユネスコ韓国委員会 유네스코 한국위원회 heritage.unesco.or.kr/	文化財庁 문화재청 www.cha.go.kr/	世界遺産地図 세계문화유산 지도 https://heritage.unesco.or.kr/%EB%AC%B8%EC%84%9C%EC%9E%90%EB%A3%8C/?uid=30&mod=document&pageid=1	韓国文化財団 한국문화재단 https://www.chf.or.kr/

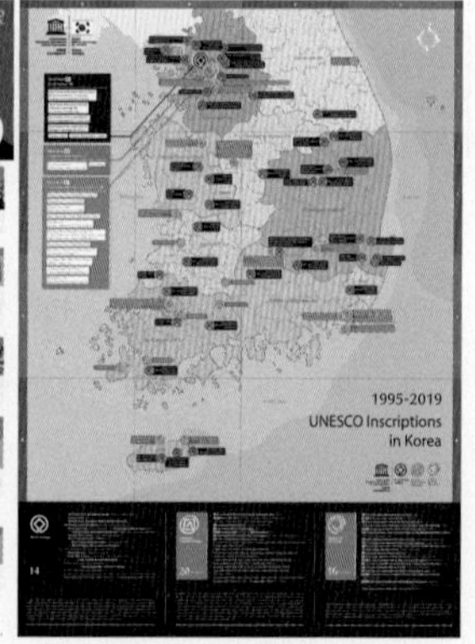

https://heritage.unesco.or.kr/%EB%AC%B8%EC%84%9C%EC%9E%90%EB%A3%8C/?uid=30&mod=document&pageid=1

世界文化遺産に会いに行きましょう。
세계 문화 유산을 만나러 갑시다.

支石墓 고인돌	仏国寺 불국사	石窟庵 석굴암	大蔵経板 대장경판	書院 서원
https://www.dolmen.or.kr/	http://www.bulguksa.or.kr/	http://www.seokguram.org/	https://www.heritage.go.kr/main/?v=1706581202125	https://encykorea.aks.ac.kr/Article/E0028091

考えて話してみましょう。
생각하고 이야기해 봅시다.

1 日本と韓国の文化遺産の似ている点と違う点について話してみる。
일본과 한국의 문화유산의 비슷한 점과 다른 점에 대해 이야기해 보자.

2 韓国の建築物と日本の建築物を比較分析してみる。
한국의 건축물과 일본의 건축물을 비교분석해 보자.

3 日本のお寺と韓国のお寺の違いについて調べる。
일본의 절과 한국의 절의 차이점에 대해 알아보자.

4 新羅人はなぜこのような石窟庵を作ったのでしょうか？
신라인들은 왜 이런 석굴암을 만든 것일까요?

参考サイトおよび参考文献
참고 사이트 및 참고 문헌

★ ユネスコ遺産 유네스코와 유산 : https://heritage.unesco.or.kr/?ckattempt=1

★ 文化財庁 문화재청: www.cha.go.kr/

★ 国家文化遺産ポータル 국가문화유산포털:
https://www.heritage.go.kr/main/?v=1702623348851

★ 세계문화유산 및 자연유산의 보호에 관한 협약 : (Convention for the Protection of the World Cultural and Natural Heritage)
[발효일 1988. 12. 14] [다자조약, 제966호, 1988. 12. 20]
https://www.law.go.kr/LSW/trtyInfoP.do?trtySeq=236

★ 韓国文化財団 한국문화재단 : https://www.chf.or.kr/

★ 仏国寺 불국사 : http://www.bulguksa.or.kr/bbs/content.php?co_id=history

★ 石窟庵 석굴암 : http://www.seokguram.org/

★ 百済世界遺産センター 백제세계유산센터 : http://www.baekje-heritage.or.kr/kr/

★ 崔英成(2017)、石窟庵石窟 重修上棟文(1891)研究 -譯註を兼して- 崔英成(2017)석굴암 석굴 重修上棟文(1891)연구 -譯註를 겸하여

★ 世界文化遺産及び自然遺産の保護に関する条約 세계문화유산 및 자연유산의 보호에 관한 협약:
Convention Concerning the Protection of the World Cultural and Natural Heritage
https://unescokor.cafe24.com/assets/data/standard/JACSJj09UhCmeGiHlpINso6Fbk-Mqrr_1216825200_1.pdf

18 주거문화

주택과 주거・거주의 의미

주택은 주거를 전제로 해야 되며 이때 주택이라는 것은 개인의 주택만이 아니고 이 사회에 세워져 있는 아파트, 다세대주택, 다가구주택, 이 모두를 일컫는 말이다. 즉 우리 주변에 있는 많은 건물과 그리고 사람들 사이에서 살게 된다. 이것을 주거라고 한다.

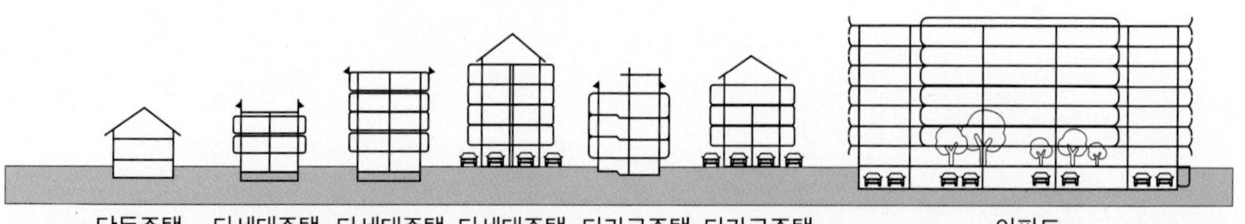

	중간주택 1.0	중간주택 2.0					중간주택 3.0
용도	단독주택	다세대주택			다가구주택		아파트
시기	~1990	1985-1990	1990-2000	2000~	1990~2000	1990~2000	2012~
대지		200㎡내외 단독필지					1만㎡ 이하 블록
층수	2층+(지하)	2층+반지하	4층+반지하	4개층+필로티+다락	3층+반지하+옥탑방	3개층+필로티+다락	7층+지하
용적률(지하 포함)	100%(150%)	100%(150%)	240%(300%)	200%(200%)	180%(240%)	180%(180%)	200%(260%)
건폐율	50%	50%	60%이하				약 40%
주차장	옥외	옥외	옥외	필로티	옥외	필로티	지하

□ 시대별로 동네에서 가장 많이 지어진 중간주택

중간주택의 변천사
출처 : [박기범]. (2022). 다시 생각하는 우리의 주거문화: 어떤 집에 살고 싶습니까?. 건축과 도시공간, Vol.46 Summer 2022. 건축공간연구원.

18 住居文化

住宅と住居・居住の意味

住宅は住居を前提にしなければならず、この時住宅というのは個人の住宅だけでなく、この社会に建てられているアパート、多世帯住宅一棟、多世帯住宅、この全てを指す言葉である。すなわち、私たちの周辺にある多くの建物とそして人々の間で暮らすことになる。これを住居という。

住宅は家を強調し、住居はその家と生活を強調し、居住はそこに位置していることを強調する。1970 年 ~80 年代には既存の都市概念に反対する田園都市が登場し、消えていくコミュニティを生かして環境にやさしい居住環境を造成し、1980 年代に入っては環境の重要性による生態都市、グリーン都市の概念が登場した。最近は主に再生可能エネルギーおよび新エネルギーを利用して居住環境を造成する方法が注目されている。

住居文化

住居文化は地域住民が作り出す特性を反映した地域共同体の精神文化の産物だ。これはある住居地域構成員をどんな姿で形成させ、住民たちが価値観や信念などを共有し、居住環境を克服して生存し生活の価値を高めようとする一つの適応戦略と言える。

韓民族は寒くて冷たい風が吹き、雪がたくさん降る長い冬を過ごすために、部屋の床を暖かくしてくれる「オンドル」という暖房施設を使用し、暑くて雨がよく降り、湿気の多い夏を過ごすために、床が涼しい「マル」を使用した。 寒い北側地方ではオンドル部屋が発達し、暑い南側地方では床が発達した。かまどで火をおこすと熱気を含んだ熱い煙が生成されオンドルを温めて暖房ができる。

주택은 집을 강조하고 주거는 그 집과 생활을 강조하며 거주는 그곳에 있음을 강조한다. 1970년대~80년대에는 기존 도시 개념에 반대하는 전원도시가 등장하면서 사라져가는 커뮤니티를 살려 친환경 거주 환경을 조성하였고, 1980년대 들어서는 환경의 중요성에 따른 생태 도시, 녹색 도시의 개념이 등장하였다. 최근에는 주로 재생 가능 에너지 및 신에너지를 이용하여 거주 환경을 조성하는 방법이 주목받고 있다.

현재 우리나라의 일반적인 주거 형태는 단독주택, 연립주택, 아파트, 다가구 · 다가구주택, 중정 주택(한옥) 등이 있다. 그중에서도 가장 일반적이고 대표적인 주거 유형은 아파트와 다가구 · 다가구 주택, 그리고 새로 생긴 대학가 주변에 밀집한 다가구 주택의 일종인 원룸 또는 고시원*이다. 현대 문명이 아무리 발달해도 전통의 미가 가진 매력을 대체할 수 없다. 그래서 현대문명의 성과다.

주거문화

주거문화는 지역주민들이 만들어 내는 특성을 반영한 지역공동체의 정신문화 산물이다. 이것은 어떤 주거지역 구성원을 어떤 모습으로 형성시키고, 주민들이 가치관이나 신념 등을 공유하고, 거주환경을 극복하여 생존하고 삶의 가치를 높이려는 하나의 적응전략이라 할 수 있다.

한민족은 춥고 찬 바람이 불고 눈이 많이 내리는 긴 겨울을 지내기 위해서 방바닥을 따뜻하게 해 주는 '온돌'이라는 난방시설을 사용하였고, 덥고 비가 자주 내리고 습기가 많은 여름을 지내기 위해서 바닥이 시원한 '마루'를 사용하였다. 추운 북쪽 지방에서는 온돌방이 발달하였고, 더운 남쪽 지방에서는 마루가 발달하였다.

아궁이에서 불을 피우면 열기를 머금은 뜨거운 연기가 생성되어 구들장을 데워 난방이 된 현재 한국의 한국의 보편적인 주거 형태는 단독주택, 연립주택, 아파트, 다세대 다가구주택, 중정 주택(한옥) 등이 있다. 그중에서도 가장 보편적이고 대표적인 주거유형은 아파트와 다세대 다가구주택, 그리고 새로 생겨난 대학가 주변에 밀집된 다가구주택의 일종인 원룸 또는 고시원이다. 현대 문명이 아무리 발달해도 전통의 미가 갖고 있는 매력을 대체할 수 없다. 그래서 현대 문명의 결실인 아파트 등을 소개하기 전에 한국의 전통주택인 한옥에 대해서 알아보자.

現在の韓国の一般的な住居形態は一戸建て、集合住宅、アパート、多世帯・多世帯住宅、中庭住宅(韓屋)などがある。その中でも最も一般的で代表的な住居タイプはアパートと多世帯・多世帯住宅、そして新しくできた大学街周辺に密集した多世帯住宅の一種であるワンルームまたは考試院(コシウォン)* である。現代文明がいくら発達しても、伝統の美が持っている魅力に取って代わることはできない。そこで現代文明の成果であるアパートなどを紹介する前に、韓国の伝統住宅である韓屋について調べてみよう。

* **考試院(コシウォン):** 区画された室の中に学習者が勉強できる施設を備え、宿泊または宿泊を提供する形態の営業を意味する。

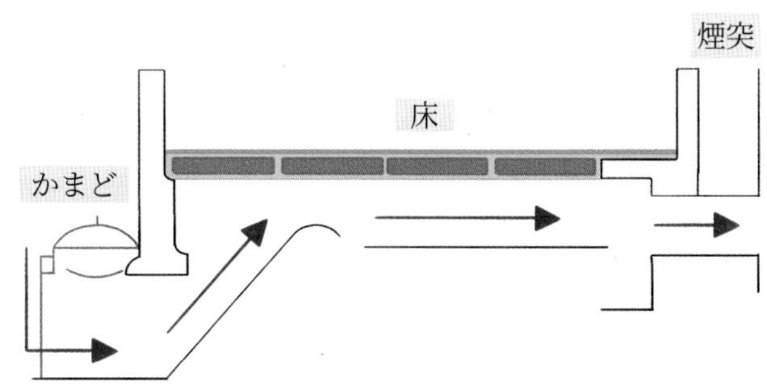

オンドルの構造 온돌의 구조

마루

마루는 여름에는 덥고 습하므로 실내의 바닥을 지면에서 높게 만들어 온·습도를 시원하게 유지토록 한 것이다. 마루에 문이 있건 없건 마루 밑은 통풍이 잘되도록 뚫려 있고 온돌과 천장 역시 없다. 통풍이 잘되는 마루 공간은 온돌방보다 자연과 적극적으로 연계된 개방 공간이다.

チョン・ヨチャン古宅
사랑 누마루 일두 정여창 고택

전통 한옥의 마루에 대한 연구는 일제강점기 일인 학자들에 의해 본격화되었다. 일본학자들은 대부분은 마루를 한국에서 저절로 발생한 바닥으로 파악하지 않고 중국, 동남아시아 등지로부터 전래하여 온 외래적인 요소로 보았다. 그 대표적인 연구자로 岩槻善之, 藤島亥治郎, 野村孝文 등이 있다. 장경호는 마루라 함은 지온(地溫)과 지습(地濕), 그리고 유해 동·식물을 피하거나 또 채광, 통풍 등을 위하여 지면상에서 띄워 널로 짜서 바닥을 형성한 것을 의미한다고 했다. 마루의 원래 뜻은 높다, 최고, 으뜸 등으로 사용되었다. 예를 들면 용마루 산마루 등의 단어가 있고, 신라 왕의 호칭 중 하나였던 마립간 역시 마루와 어원이 같다고 보는 견해가 있다.

온돌(구들)

韓屋 한옥

온돌은 추운 겨울을 나기 위해 방바닥을 따뜻하게 데워 열기를 방 전체에 퍼지게 한 후 온기를 최대한 보존하는 것이 핵심이다. 세계 지역별로 겨울을 따뜻하게 보내는 방법은 다양하다. 예를 들어 일본의 코다츠, 러시아의 페치카, 에스키모의 이글루, 서양의 벽난로 등 문화와 특색에 맞게 난방 문화가 자리 잡았다. 한국에도 특별한 문화가 있는데 바로 온돌이다. 방바닥 전체를 덮은 온돌의 역사는 늦어도 고려시대 말기에서 조선시대 초기에 등장한 것으로 알려져 있으며, 17세기 이후부터 대중적으로 사용되기 시작하였는데 홍대용의 을병연행록 (1756) 에 의하면 조선의 도성 바깥의 집들은 8~9할이 초가집이었는데 침실은 모두 온돌로 되어 있다고 하는 사실을 확인할 수 있다.

床

床は夏には暑くて湿っぽいので室内の床を地面から高くして温・湿度を涼しく維持するようにした。床にドアがあってもなくても床の下は風通しが良いように開いており、オンドルと天井もない。風通しの良い床空間はオンドル部屋より自然と積極的に連携した開放空間である。

密陽嶺南楼 밀양 영남루 (嶺南樓),
우물마루 보물 제 147 호

伝統韓屋の床に関する研究は、日本による韓国併合時代一人の学者によって本格化した。日本の学者たちは、床を韓国で自然発生的に発生した床と把握せず、中国、東南アジアなどから伝来してきた外来的な要素と考えた。その代表的な研究者として岩崎善之、藤島槻治郎、野村孝文などがいる。チャン・ギョンホは「マルとは地温と地湿、そして有害動・植物を避けたり、また採光、通風などのために地面上から浮かせて板で編んで床を形成したことを意味する」と話した。板の間の本来の意味は高い、最高、最高などと使われた。例えば龍丸山丸などの単語があり、新羅王の呼称の一つだった麻立干もやはり丸と語源が同じだと見る見解がある。

オンドル

オンドルは寒い冬を過ごすために部屋の床を温めて熱気を部屋全体に広めた後、温もりを長時間保つためのものである。世界の各地域別に冬を暖かく過ごす方法は多様で例えば、日本のこたつ、ロシアのペチカ、エスキモーのイグルー、西洋の暖炉など文化と特色に合わせて暖房文化が定着した。韓国にも特別な文化があり、オンドルだ。部屋の床全体を覆ったオンドルの歴史は遅くとも高麗時代末期から朝鮮時代初期に登場したと知られており、17 世紀以降から大衆的に使われ始めたが、ホン・デヨンの乙丙連行録 (1756) によると、朝鮮の都城外の家は8~9割が藁葺き屋根だったが､寝室はすべてオンドルになっていることが確認できる。

オンドルの核心は、流体力学的な特徴を利用して熱を保温することであり、ここにはベルヌーイの法則が作用して広いところから狭いところに移動する熱気の移動速度は速くなり圧力は低くなって入った熱気が渦流を形成することになる。従来の火を利用した暖房は煙を出すと熱気も一緒に消えてすぐ寒くなる反面、オンドルは熱がオンドルに伝わる伝導現象とオンドル床に伝わる熱が広がる輻射現象、床の熱気と部屋の冷たい空気が循環する対流現象で、暖かい空気がまんべんなく循環しながら快適な温度を維持できる。

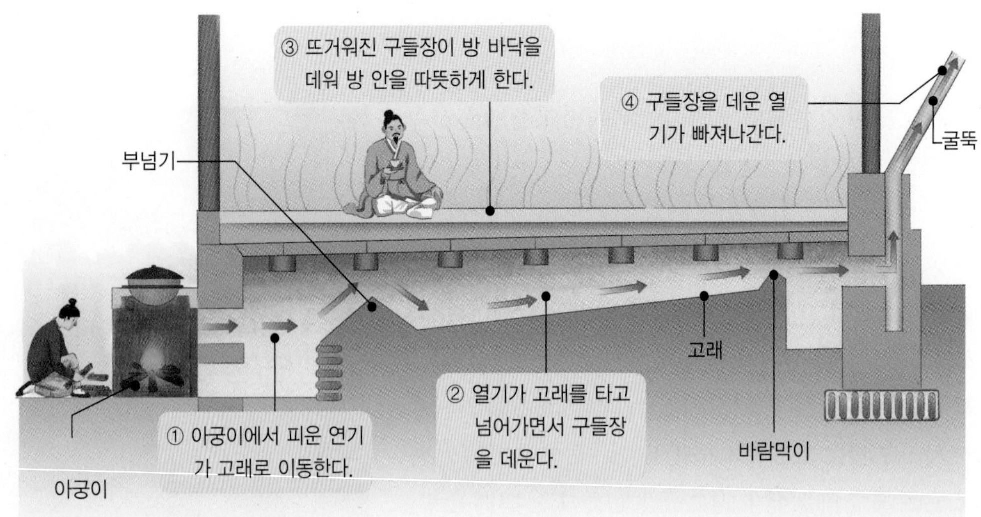
③ 뜨거워진 구들장이 방 바닥을 데워 방 안을 따뜻하게 한다.
④ 구들장을 데운 열기가 빠져나간다.
굴뚝
부넘기
고래
② 열기가 고래를 타고 넘어가면서 구들장을 데운다.
① 아궁이에서 피운 연기가 고래로 이동한다.
바람막이
아궁이

オンドルの構造　온돌의 구조

온돌의 핵심은 유체역학적인 특징을 이용해 열을 간직하는 것이며, 여기에는 베르누이의 법칙이 작용하여 넓은 곳에서 좁은 곳으로 이동하는 열기의 이동속도는 빨라지고 압력은 낮아져 고래에 들어간 열기가 와류를 형성하게 된다. 기존의 불을 이용한 난방은 연기를 내보내면 열기도 함께 사라져서 바로 추워지지만, 온돌은 고래의 열기가 구들로 전달되는 전도현상과 구들로 전달되는 열이 온돌바닥으로 퍼져 나가는 복사 현상, 바닥의 열기와 방안의 찬 공기가 순환하는 대류현상으로 따뜻한 공기가 골고루 순환되면서 쾌적한 온도를 유지할 수 있다.

온돌은 한국인의 생활관습에도 변화를 끼쳤으며 대표적으로 실내에서 신발을 벗고 앉아서 생활하는 맨발 좌식문화를 정착시켰을 뿐만 아니라 외국인들도 또한 온돌의 독특한 기술에 주목하기도 했다. 열기를 가두고 다룰 줄 알았던 선조들의 지혜로 만든 온돌은 창조적인 과학기술까지 축적된 자랑스러운 한국의 난방 문화이다. 미국의 프랭크 로이드 라이트(Frank Lloyd Wright, 1867년 - 1959) 건축가는 한국인의 방은 인류가 발명한 최고의 난방 방식이며, 이것은 태양열을 이용한 복사 난방보다도 훌륭하다고 했다.

온돌문화는 한국의 독창적인 주거문화로, 2018년 5월 2일 국가무형문화재 제135호로 지정되었다.

한옥

우리나라 주거 형태가 아파트나 빌라, 주택으로 많이 바뀌었지만, 전통 주거 방식은 바로 한옥이다. 한옥이란 한국 전통가옥의 형태를 말하며 한반도의 환경과 한국인의 도성 바깥 재래식 의식주 생활 패턴에 맞춰 발전한 여러 특징이 있다. 흔히 사진 속 목조 구조의 기와집을 떠올리지만, 볏짚과 황토로 지은 초가집도 한옥의 범위에 속한다. 현대 대한민국에서는 양옥에 밀려 그 수가 줄어들었지만, 사찰 건축 등으로 명맥을 계속 잇고 있다.

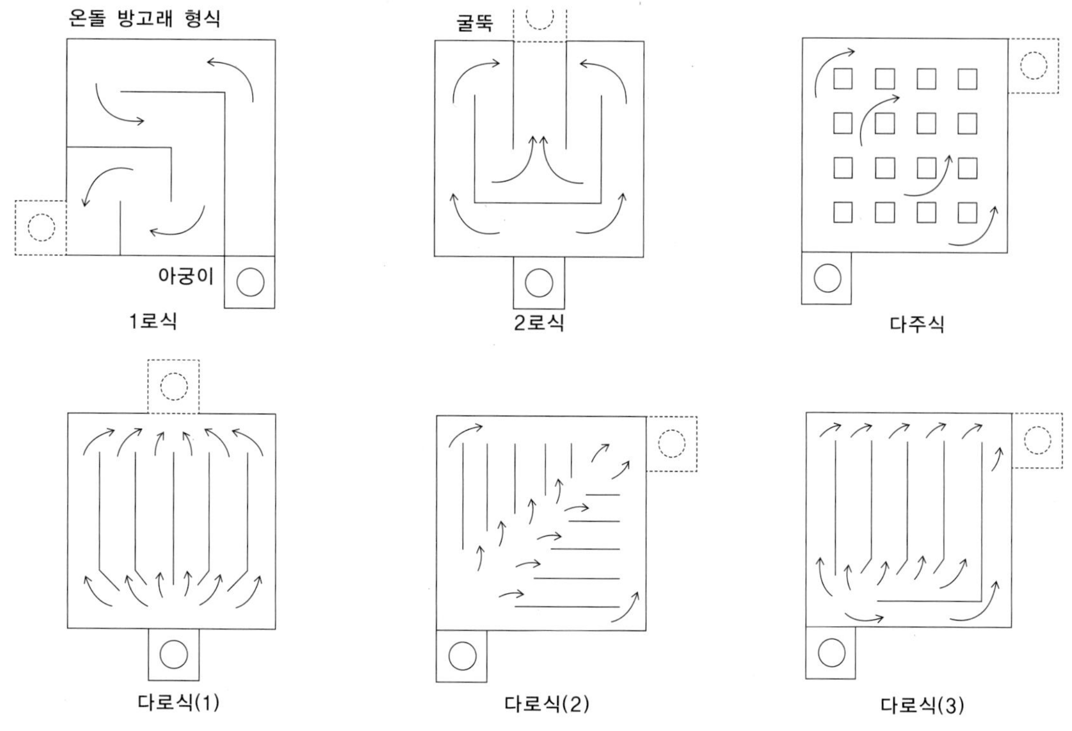

オンドルの種類 / 방구들의 종류

オンドルは韓国人の生活習慣にも変化を与え、代表的に室内で靴を脱いで座って生活する裸足座式文化を定着させたそれだけでなく、外国人もオンドルの独特な技術に注目した。熱気を閉じ込めて扱うことができた先祖たちの知恵で作ったオンドルは、創造的な科学技術まで蓄積された誇らしい韓国の暖房文化である。

米国のフランク・ロイド・ライト (Frank Lloyd Wright, 1867 年 –1959 年) 建築家は、「韓国人の部屋は人類が発明した最高の暖房方式であり、これは太陽熱を利用した輻射暖房よりも優れていると評した。

オンドル文化は韓国の独創的な住居文化で、2018 年 5 月 2 日に国家無形文化財第 135 号に指定された。

韓屋 한옥

한옥이 세계적으로 유명한 것은 온돌과 대청마루가 있다는 데 있다. 온돌과 대청이 어떻게 한집에 있게 됐을까? 이는 한국 특유의 환경 때문에 나온 건축구조이기 때문이다. 한국의 여름은 덥고 비가 많이 내리며, 겨울은 몹시 춥고 건조한 고온다습, 저온 저습의 대륙성 기후이며, 여름에는 불쾌지수가 높고 겨울에는 살을 에는 듯이 춥다. 마루와 온돌은 이러한 기후를 절묘하게 조화시켜 보다 쾌적한 삶을 유지할 수 있도록 만든 아이디어의 산물이다.

한옥마을

한옥은 석기시대 막집, 움집 같은 수혈식 구조에서 시작됐으며 역사 시대까지도 마한은 비슷한 형태의 주거가 이뤄졌다고 한다. 다른 지역에서는 가야의 고상 가옥, 만주 같은 북부에서는 구들이 사용된 원초적 한옥 구조들이 등장하기 시작했다. 역사적 의미나 건축의 문화재적 가치와는 무관하게 한옥이 밀집되어 있는 공간을 '한옥마을'이라고 부르고 있다.

한옥마을은 하회마을이나 양동마을 같은 민속 마을과는 달리, 한옥마을의 경우 비교적 최근에 지어진 건물들이 많다. 한옥마을은 다양한 장소들에 조성되고 있지만, 대부분은 역사적 의미가 있는 곳이나 사적지 근처에 많이 조성되고 있는 편이다. 가장 유명한 한옥마을인 전주한옥마을도 풍남문, 경기전, 전주향교 인근에 조성되어 있듯이, 사실 모두 합쳐서 '한옥마을'이라고 부르지만, 북촌한옥마을처럼 근현대 시기의 모습을 비교적 그대로 간직한 한옥마을, 오래된 고택들을 인위적으로 모아 조성한 남산골 한옥마을, 새로운 상업용 한옥들을 지으며 관광용으로 확장된 전주한옥마을도 있고, 처음부터 상업용으로 시작한 송도 한옥마을, 아예 주거용으로 조성된 은평한옥마을도 있다.

아파트

아파트의 어원은 18세기 프랑스 귀족의 저택을 여러 곳으로 나뉜 독립공간을 의미하는 아파르트망(Apartement)에서 기원하였다. 프랑스 혁명 후 아파르트망을 쪼개 시민들에게 임대하면서 저택이 아닌 임대 목적의 공동주택으로 그 의미가 변화되었다. 19세기경 미국에서 아파트먼트(Apartment)라는 명칭으로 건축적 재해석과 상품화를 했다. 20세기 초반 일본은 미국의 다층 공동주택의 개념은 받아들이면서 명칭을 아파트로 줄이고 고급형이 아닌 보급형으로 뿌리를 내렸다.

韓屋

韓国の住居形態がアパートやビラ、住宅に大きく変わったが、伝統住居方式はまさに韓屋である。韓屋とは韓国の伝統家屋の形態をいい、韓半島の環境と韓国人の都城外の伝統式衣食住生活パターンに合わせて発展した様々な特徴がある。よく写真の中の木造構造の瓦葺き屋根の家を思い浮かべるが、藁と黄土で建てられた藁葺き屋根の家も韓屋の範囲に属する。現代の大韓民国では洋館に押されてその数は減ったが、寺院建築などで命脈をつないでいる。

韓屋が世界的に有名なのはオンドルと板の間があることにある。オンドルと板の間がどうやって一つの家にあるようになったのか？これは韓国特有の環境のために作られた建築構造だからだ。韓国の夏は暑くて雨がたくさん降り、冬はとても寒くて乾燥した高温多湿、低温低湿の大陸性気候であり、夏には不快指数が高く冬には身を切るように寒い。床とオンドルはこのような気候を絶妙に調和させ、より快適な生活を維持できるように作ったアイデアの産物である。

韓屋村

韓屋は石器時代の小屋、穴蔵のような竪穴式構造から始まり、歴史時代までも馬韓は似たような形の住居が行われたという。他の地域では伽耶の古商家屋、満州のような北部では韓屋が使われた原初的な韓屋構造が登場し始めた。 歴史的意味や建築の文化財的価値とは関係なく韓屋が密集している空間を「韓屋村」と呼んでいる。

韓屋村は河回村や良洞村のような民俗村とは異なり、韓屋村の場合、比較的最近建てられた建物が多い。韓屋村は多様な場所に造成されているが、大部分は歴史的意味があるところや史跡の近くに多く造成されている方だ。最も有名な韓屋村である全州韓屋村も豊南門、慶基殿、全州郷校近くに造成されているように… 総称して「韓屋村」と呼ばれているが、北村韓屋村のように近現代期の姿を比較的そのまま維持している韓屋村、古い古宅を人為的に集めて造成した南山コル韓屋村、新しい商業用韓屋を建て観光用に拡張された全州韓屋村もあり、最初から商業用に始まった松島韓屋村、最初から住居用に造成された恩平韓屋村もある。

キョンウォンジェアンバサダー仁川全景 경원재 앰배서더 인천 전경

ソウル市のマンション全景 서울시 아파트 전경

현재 한국 아파트 규정은 660㎡ 초과 5층 이상, 빌라는 4개 이하 층수를 가지고 한 동이 660㎡ 이하인 건축물이다.
대한민국은 '아파트 공화국'으로 불릴 정도로 아파트가 많다. 전국적으로 1만 8천여 개의 아파트 단지가 있으며, 거주 세대는 1천 128만 세대에 달한다. 통계로 보면 우리나라 인구의 약 65%가 아파트에 살고 있다.

오랜 세월이 흐르며 역사 속으로 사라진 아파트도 많은데 그렇다면 우리나라에서 가장 오래된 아파트는 어디일까? 1937년에 지어진 서울 도심 한복판에 자리한 80여 년의 역사를 자랑하는 서울 서대문구 충정로 3가에 위치한 '충정 아파트'이다. 1937년 일제강점기에 준공된 이 아파트는 당시 일본 건축가인 도요타 다네오의 이름을 따서 '도요타 아파트'로 불렸다. 광복 후에는 미군 숙소와 호텔 등으로 쓰이기도 했다.

1975년부터 다시 아파트로 돌아와 일반인들에게 분양된 것이 오늘날까지 이어지고 있다. 서울과 경기도 등 주요 도심의 아파트는 50층 이하를 찾아보기 어려울 정도로 고밀도 · 초고층으로 변하고 있다. 국회미래연구원은 2050년 한국 수도권 모습에 대해 급속한 고령화와 인구 감소, 수도권 집중의 가속화로 양극화는 심화하고 지방은 붕괴하며, 수도권 외곽으로 밀려난 직장인들의 삶은 더 팍팍해진다고 예측하였다.

MZ세대의 주거문화

MZ세대(1980~2000년대 출생 세대) 등 젊은 세대의 주거 욕구에서도 미래의 주거 문화를 엿볼 수 있다. MZ세대는 디지털 환경에 익숙하며 최신 트렌드와 남과 다른 이색적인 경험을 추구한다. 특징으로 모바일을 먼저 사용해 SNS를 기반으로 유통시장에서 강력한 영향력을 발휘하는 소비 주최로 부상하고 있다.

> ※MZ세대란
>
> M(밀레니얼세대)+Z세대를 묶어 부르는 용어
>
> 1981년-1996년생을 통칭하는 "M세대",
>
> 1997년-2010년생을 통칭하는 "Z세대"

MZ세대는 집단보다는 개인의 행복을, 소유보다는 공유를, 상품보다는 경험을 중시하는 소비 특징을 보이며, 자신의 신념을 표출하는 "플렉스"와 "미닝아웃" 소비를 하기도 한다. 자신이 거주하는 공간에 나만의 자아와 취향을 담고자 하는 (페르소나 원픽) 열망이 있으며 공간에까지 취향을 반영한다.

マンション

アパートの語源は18世紀、フランス貴族の大邸宅をいくつかに分かれた独立空間を意味するアパルトマン(Appartement)に由来した。フランス革命後、アパルトマンを市民に賃貸し、大邸宅ではなく賃貸目的の共同住宅にその意味が変化した。19世紀頃、米国でマンションメント（Apartment）という名称で建築的再解釈と商品化を行った。20世紀初頭、日本は米国の多層共同住宅の概念を受け入れながら名称をマンションにし、高級型ではなく普及型として定着した。

現在、韓国アパート規定は660㎡超過5階以上、ビラは4階以下の階数を持って一棟が660㎡以下の建築物である。

韓国は「アパート共和国」と呼ばれるほどアパートが多い。全国的に1万8千余りのアパート団地があり､居住世帯は1千128万世帯に達する。統計で見れば､韓国人口の約65%がアパートに住んでいる。

長い歳月が流れ歴史の中に消えたアパートも多いが、韓国で最も古いアパートはどこだろうか？ 1937年に建てられたソウル都心の真ん中に位置する80年余りの歴史を誇るソウル西大門区忠正路3街に位置する「忠正アパート」だ。1937年日本による植民地時代に竣工したこのマンションは、当時日本の建築家であった豊田種夫にちなんで「トヨタアパート」と呼ばれた。光復後は米軍宿舎とホテルなどに使われた。

1975年から再びマンションに戻り、一般人に分譲されたのが今日まで続いている。ソウルと京畿道など主要都心のアパートは50階以下を探すのが難しいほど高密度･超高層に変わっている。国会未来研究院の2050年韓国首都圏の予測によれば、急速な高齢化と人口減少、首都圏集中の加速化で両極化は深化し、地方は崩壊する。首都圏外郭に押し出された会社員たちの暮らしはさらに厳しくなる。

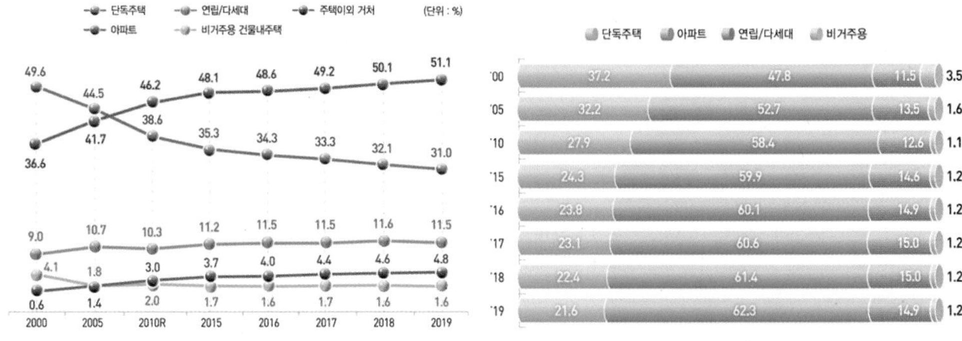

韓国の年度別住居種類別居住世帯変化(左)と住宅種類推移 ⓒ 統計庁

대한민국은 연도별 거처 종류별 거주가구 변화(왼쪽)와 주택 종류 추이 © 통계청

집을 소유하지 못해도 개인 취향을 담은 공간이 늘어나고 감성을 담은 물건이 사람들의 공간 한 곳을 차지하게 된다. 방을 단순히 머물고 취침하는 공간이 아닌 자신이 원하는 취미생활을 할 수 있도록 하는 룸앤룸 룸인룸(Room and Room, Room in Room)으로 공간을 꾸민다. 또한 슬세권, 몰세권, 병세권 등 자신이 좋아하는 것들이 집 근처에 있는 주거 환경을 선호한다.

※ 여기서 슬세권은 슬리퍼 차림의 편한 복장으로 각종 편의 시설을 도보로 이용할 수 있는 입지.
몰세권은 백화점, 대형마트 등 대형 상업시설 등이 가까이 있어 도보로 이용할 수 있는 입지.
병세권은 의원, 병원 등이 가까이 있어 양질의 의료서비스를 받을 수 있는 입지를 말한다.

미래의 주거문화

생산연령인구(15~64세)는 지속해서 감소하고 국민 10명 중 4명은 고령인구가 된다. 고령자 주거 문제가 심각한 경제 · 사회적 문제로 떠오른다.

국회미래연구원이 2050년 대한민국 전망과 대응 전략보고서에 의하면 6대 분야별 선호 미래, 중장기 전략, 최우선 정책의 주요 내용 중, 주거환경에서 '어디에 살든 안전하고 건강한 삶'을 선호 미래상으로 제시, 이를 위해 중장기 전략으로 돌봄, 건강, 자연환경 보존 중심으로 전환, 5년 내 실현해야 할 정책으로 소멸 도시의 관리, 지역 간 인프라 격차 해소 등을 제시하고 있다.

미래 한국의 주거 형태와 문화를 예측하는 민·관의 주요 기준은 '인구 구성'이다. 국회미래연구원의 '경고'도 고령자 증가와 총인구 감소 추세를 근거로 한다. 한국 출산율은 2000년에 이미 1.48 명대로 떨어졌고 경제협력개발기구(OECD) 회원국 가운데 꼴찌이자 역대 최저로 곤두박질쳤다. 만 15~49살 가임여성 1명이 평생 낳을 것으로 예상하는 아이 숫자를 나타내는 합계출산율은 2022년 0.78명으로 또다시 사상 최저치를 경신하며 한국의 미래를 어둡게 하고 있다. 경제협력개발기구 38개 회원국의 합계출산율 평균인 1.59명(2020년 기준)의 두 배 수준이다. 향후 10년간 총인구는 연평균 6만 명 내외로 감소할 것으로 추정된다. 통계청에 따르면 2030년 인구는 5,120만 명, 2040년 5,019만 명, 2050년 4,736만 명, 2060년 4,262만 명, 2070년 3,766만 명 등으로 급감한다고 예상한다.

반면 만 65세 이상의 고령인구는 지속해서 늘어난다.

고령자 인구 추이

총인구 ■65세 이상 ○비중

	2020	2025	2030	2040	2050
총인구	5184만	5145만	5120만	5019만	4736만
65세 이상	815만	1059만	1306만	1724만	1900만
비중	15.7%	20.6%	25.5%	34.4%	40.1%

資料 : 統計庁（将来人口推計 :2020-2070 年）
単位 : 人

MZ 世代の住居文化

MZ 世代（1980~2000 年代生まれの世代）など若い世代の住居欲求からも未来の住居文化を垣間見ることができる。

MZ 世代はデジタル環境に慣れており､最新のトレンドとは違うユニークな経験を追求する。特徴としてモバイルを優先的に使用し、SNS を基盤に流通市場で強力な影響力を発揮する消費主催として浮上している。

MZ 世代は集団よりは個人の幸せを、所有よりは共有を、商品よりは経験を重視する消費特徴を示し、自分の信念を表出する「フレックス」と「ミニングアウト」消費もする。自分が居住する空間に自分だけの自我と趣向を盛り込もうとする (ペルソナワンピック) 熱望があり、空間にまで趣向を反映する。

家を所有できなくても個人の好みを盛り込んだ空間が増え、感性を込めた物が人々の空間一ヵ所を占めることになる。部屋を単純に滞在し就寝する空間ではなく、自分が望む趣味生活ができるようにするルーム & ルームインルーム (Room and Room、Room in Room) で空間を作る。また、スルセ圏、モールセ圏、ビョンセ圏など自分が好きなものが家の近くにある住居環境を好む。

※ここでスルセ券はスリッパ姿の楽な服装で、各種アメニティを徒歩で利用できる立地。

モールセ圏はデパート、大型マートなど大型商業施設などが近くにあり徒歩で利用できる立地。

ピョンセ圏は医院、病院などが近くにあり、良質の医療サービスを受けられる立地をいう。

未来の住居文化

生産年齢人口（15~64 歳）は持続的に減少し、国民 10 人中 4 人は高齢人口となる。高齢者住居問題が深刻な経済・社会的問題として浮上する。

国会未来研究院が 2050 年大韓民国未来展望と対応戦略報告書によれば、6 大分野別選好未来、中長期戦略、最優先政策の主要内容の中で住居環境で「どこに住んでも安全で健康な暮らし」を選好未来像として提示し、そのため中長期戦略として介護・健康・自然環境保存中心に転換、5 年内に実現すべき政策として消滅都市の管理・地域間インフラ格差解消などを提示している。

未来韓国の住居形態と文化を予測する官民の主な基準は「人口構成」である。国会未来研究院の「警告」も高齢者増加と総人口減少傾向を根拠にしている。

韓国の出生率は 2000 年にすでに 1.48 人に下がり、経済協力開発機構（OECD）加盟国の中で最下位であり、歴代最低に低迷している。

2024년 1,000만 명을 넘고, 2050년엔 1,900만 명에 달할 것으로 보인다. 고령인구 구성비는 2020년 15.7%에서 빠르게 증가해 2050년엔 40%를 넘어설 전망이다. 고령인구가 총인구에서 차지하는 비율이 7% 이상이면 고령화사회, 14% 이상이면 고령사회, 20% 이상이면 초고령사회로 분류한다.

満 15~49 歳の可妊女性 1 人が一生産むと予想する子供数を示す合計出生率は 2022 年 0.78 人で、再び史上最低値を更新し、韓国の未来を暗くしている。経済協力開発機構（OECD）加盟 38 ヵ国の合計出生率平均である 1.59 人（2020 年基準）の 2 倍水準で今後 10 年間、総人口は年平均 6 万人前後に減少するものと推定される。統計庁によると、2030 年の人口は 5,120 万人、2040 年 5,019 万人、2050 年 4,736 万人、60 年 4,262 万人、2070 年 3,766 万人などと急減すると予想している。

反面、満 65 歳以上の高齢人口は持続的に増える。 2024 年には 1,000 万人を超え、2050 年には 1,900 万人に達するものとみられる。高齢人口構成比は 2020 年の 15.7% から急速に増加し、2050 年には 40% を超える見通しで高齢人口が総人口に占める割合が 7% 以上なら高齢化社会、14% 以上なら高齢社会、20% 以上なら超高齢社会に分類している。

韓国の住居文化に関するコンテンツを楽しみましょう。
한국의 주거문화 알아보기 콘텐츠를 즐겨 봅시다.

韓国初のマンション、ソウル·チュンジョン (忠正)マンシ 한국 최초의 아파트 , 서울충정아파트 https://ncms.nculture.org/legacy/story/7877	ダウムペディアオンドル 다음백과 온돌 https://100.daum.net/encyclopedia/view/b16a1784b	建築空間研究院 건축공간연구원 https://www.auri.re.kr/

韓屋 한옥 https://hanok.seoul.go.kr/front/kor/info/infoHanok.do?tab=2	国会未来研究院 국회미래연구원 https://nafi.re.kr/new/index.do	文化財庁、「オンドルについて」 문화재청 “온돌과 아랫목” https://www.cha.go.kr/cop/bbs/selectBoardArticle.do?nttId=28784&bbsId=BBSMSTR_1008

考えて話してみましょう。
생각하고 이야기해 봅시다.

1 住宅と住居・居住の意味は何か？
주택과 주거 · 거주의 의미는 무엇인가?

2 板の間の種類と形について調べてみよう。
마루의 종류와 형태에 대해서 조사해 보자.

3 オンドルの起源と変遷について調べてみよう。
온돌의 기원과 변천에 대해 알아보자.

4 韓屋とアパートの長所と短所は何か？
한옥과 아파트의 장단점은 무엇인가?

5 MZ世代の住居文化の特徴は？
MZ세대의 주거문화의 특징은?

6 未来の住居文化の形を考えて話してみましょう。
미래 주거 문화의 형태를 생각해보고 이야기해 봅시다.

参考サイトおよび参考文献
참고 사이트 및 참고 문헌

★ [ネイバー知識百科]住居文化[住居文化] (不動産用語辞典、2020.09.10.チャン·ヒスン、キム·ソンジン)国家記録院 - 記録で見る衣食住文化
[네이버 지식백과] 주거문화 [住居文化] (부동산용어사전, 2020. 09. 10., 장희순, 김성진) 국가기록원 - 기록으로 살펴보는 의식주 문화
https://terms.naver.com/entry.naver?docId=3331501&cid=62011&categoryId=62018

★ ダウム百科オンドル 다음백과 온돌:
https://100.daum.net/encyclopedia/view/24XXXXX15630

★ 国会未来研究院·オジュンホ(2020)、2050大韓民国未来報告書、(株)イハクサ【未来報告書】「国家未来戦略Insight」2050年大韓民国未来展望と対応戦略
국회미래연구원・오준호(2020), 2050 대한민국미래보고서, (주) 이학사 [미래보고서]「국가미래전략 Insight」2050년 대한민국 미래전망과 대응 전략
https://nafi.re.kr/new/report.do?mode=view&articleNo=4118&article.offset=0&arti2021

★ 国家知能情報化白書(2021) 韓国知能情報社会振興院
2021국가지능정보화백서(2021), 한국지능정보사회진흥원

★ 京郷新聞30年後の住居文化、どう変わるだろうか？
경향신문 30년 후 주거 문화, 어떻게 달라질까?
https://m.khan.co.kr/economy/economy-general/article/202205220946001

★ 週刊傾向1529号、30年後の住居文化、どう変わるだろうか？
주간경향 1529호 30년 후 주거 문화, 어떻게 달라질까?
http://weekly.khan.co.kr/khnm.html?mode=view&art_id=202205201542301

★ 韓国人の住居文化、穴蔵からオンドルまで - すべて研究所、オールラップ20181009
한국인의 주거문화, 움집에서 온돌까지 - 모든 것 연구소, 올랩 2018 1009
https://www.youtube.com/watch?v=vWJLk7QZq9Y

参考サイトおよび参考文献
참고 사이트 및 참고 문헌

★ LH韓国土地住宅公社 LH 한국토지주택공사
구독자 10만명 더불어 사는 공동주택 주거문화 캠페인 바이럴 | Episode. 층간소음
https://www.youtube.com/watch?v=JaWqLWRB0DM

★ KNNニュース時代の流れ「住宅」の歴史
KNN 뉴스 시대의 흐름 '주택'의 역사 https://www.youtube.com/watch?v=1tn_HnblGkc
https://100.daum.net/encyclopedia/view/24XXXXX15630

★ チュ·ナムチョル(2019)オンドルの起源と変遷
주남철(2019), 온돌의 기원과 변천 https://blog.naver.com/ss920527/222308441970

★ 姜榮煥(1991)、『韓國 住居文化의 歷史』韓屋の特徴の一つであるマルの種類と形
한옥의 특징 중 하나인 마루의 종류와 형태 https://blog.naver.com/kooni/223094258507

★ ペク·ジョンチョル(2015)、伝統韓屋板の間の床枠構成および結具手法に関する研究、釜山大学修士論文
백종철(2015), 전통한옥 대청의 마루틀 구성 및 결구수법에 관한 연구, 부산대 석사논문

★ チャン·ギョンホ、ペ·ビョンソン(1989)、特集-韓国住宅史研究の現況と展望：住居地の発掘とその成果、大韓建築学会、建築第33巻第2号、7-13(8page)
장경호, 배병선(1989), 특집 - 한국주택사연구의 현황과 전망 : 주거지의 발굴과 그 성과, 대한건축학회, 건축 제33권 제2호, 7 - 13 (8page)

일본 15~25세 여성들이 가장 가고 싶어 하는 여행지 한국은 어떤 매력이?

2023년 2월 15일 발표된 일본 관광청 조사에 따르면 일본 Z세대 여성층이 가장 가고 싶은 해외 여행지는 1위가 한국으로 나타났다. 남학생들의 경우는 "하와이"가 가장 높았다. 특히 약 36.5%의 여성들이 한국을 1위로 꼽아 프랑스나 이탈리아보다 높은 선호도를 기록했다.

2023年に行きたい海外旅行先TOP10

男性の1位は「ハワイ（30.0%）」、女性の1位は「韓国(36.5%)」

図表3：2023年に行きたい海外旅行先　TOP10

全国の19～25歳の男女　各200名（複数回答）

男性TOP10	女性TOP10
1位　ハワイ（30.0%）	1位　韓国（36.5%）
2位　フランス（26.0%）	2位　フランス（33.5%）
3位　台湾（22.0%）	3位　イタリア（30.5%）
4位　イタリア（21.5%）	4位　台湾（23.0%）
5位　ニューヨーク（20.5%）	5位　ハワイ（22.0%）
6位　ロサンゼルス（18.0%）	6位　ドイツ（15.5%）
7位　オーストラリア（16.0%）	7位　オーストラリア（13.5%）
7位　韓国（16.0%）	8位　シンガポール（12.0%）
9位　ドイツ（15.5%）	9位　タイ（10.0%）
10位　スペイン（14.0%）	9位　グアム（10.0%）

出典：『観光庁「ツアーセーフティーネット」調べ』

일본의 젊은 여성들이 한국에 가고 싶은 이유는 과연 무엇일까?

이들의 여행지 선정 기준 중에 치안 부분과 맛있는 먹거리 부분에 중요도를 두고 있고 여행 회사의 패키지여행보다는 숙박, 교통만 여행사에 32.3%, 전부 자유여행 29.5%로 약 60% 이상이 한국 내의 자유로운 여행을 즐기고 싶어 하는 것으로 나타났다. 그렇다면 현재의 한국 관광지 중에서 이들에게 추천하고 싶은 여행지는 과연 어디일지 이제부터 "문화관광부"의 추천 장소, 그리고 외국인들이 추천하는 한국 여행지, 그리고 마지막으로 최근 한국의 트렌드를 가장 잘 느낄 수 있는 곳은 어디일지 조금 더 알아보기로 하자.

문화체육관광부와 한국관광공사가 선정 발표한 "2023-2024 한국 관광 100선"

한국 관광 100선은 외국인뿐만 아니라 한국인에도 추천하는 관광지 리스트로 2년에 한 번씩 발표해 오고 있다. 유적지, 건축물, 유원시설, 등 문화관광자원이 61개소, 숲, 바다, 습지 등 자연관광 자원 39개소가 선정되었다.

日本の15~25歳の女性たちが一番行きたがっている旅行地、韓国はどんな魅力が？

2023年2月15日に発表された日本観光庁の調査によると、日本のZ世代女性層が最も行きたい海外旅行先は1位が韓国であることが分かった。男子生徒の場合は「ハワイ」が最も高かった。特に約36.5%の女性が韓国を1位に挙げ、フランスやイタリアより高い選好度を記録した。

日本の若い女性たちが韓国に行きたい理由は果たして何だろうか？

ソウルの夜景 서울의 야경

彼らの旅行先選定基準の中で治安部分とおいしい食べ物部分に重要度を置いており、旅行会社のパッケージ旅行よりは宿泊、交通だけ旅行会社に32.3%、全部自由旅行29.5%で約60%以上が韓国内の自由な旅行を楽しみたいということが分かった。それでは現在の韓国観光地の中で彼らにおすすめしたい旅行地は果たしてどこなのか、これから"文化観光部"のおすすめスポット、そして外国人がお勧めする韓国の旅行地、そして最後に最近の韓国のトレンドを一番よく感じられる場所はどこなのかもう少し調べてみよう。

1 文化体育観光部と韓国観光公社が選定発表した「2023-2024韓国観光100選」

韓国観光100選は外国人だけでなく韓国人にも推薦する観光地リストとして2年に1度ずつ発表している。遺跡地、建築物、遊園施設など文化観光資源が61ヶ所、森、海、湿地など自然観光資源39ヶ所が選定された。

구분	선정지
수도권_서울	서울 5대 고궁, 홍대거리, 서울숲, 동대문디자인플라자, 서울스카이&롯데월드, 남산 N서울타워, 청와대앞길&서촌마을, 익선동, 코엑스(스타필드)
수도권_인천	개항장문화지구-인천차이나타운(송월동동화마을), 강화 원도심 스토리워크, 백령도·대청도, 송도센트럴파크
수도권_경기	수원화성, 한국민속촌, 용인 에버랜드, 서울대공원, 광명동굴, 임진각과 파주 DMZ, 농협경제지주 안성팜랜드, 두물머리, 파주 헤이리 예술마을, 자라섬, 재인폭포 공원
강원권	남이섬, 도째비골스카이밸리&해랑전망대, 무릉계곡, 삼악산호수케이블카, 강릉 커피거리, 대관령, 한탄강유네스코 세계지질공원, 간현관광지(소금산출렁다리), 뮤지엄 산, 원대리 자작나무숲
충청권	- **대전** : 한밭수목원 - **세종** : 국립세종수목원 - **충북** : 중앙탑사적공원&탄금호무지개길, 속리산법주사&테마파크, 도담삼봉, 청풍호반케이블카, 만천하스카이워크&단양강 잔도 - **충남** : 수덕사, 대천해수욕장, 안면도 꽃지해변, 부여 백제유적지(부소산성, 궁남지), 공주 백제유적지(공산성, 송산리고분군), 서산해미읍성
전라권	- **광주** : 무등산국립공원, 국립아시아문화전당, 양림동역사문화마을, 5.18기념공원 - **전북** : 전주 한옥마을, 마이산도립공원, 내장산국립공원, 반디랜드&태권도원, 고인돌운곡습지마을, 고군산군도, 왕궁리유적 - **전남** : 죽녹원, 섬진강기차마을, 목포 근대역사문화공간&해상케이블카, 여수세계박람회장&돌산도 해상케이블카, 천은사 상생의길&소나무숲길, 순천만습지(순천만국가정원)
경상권	- **부산** : 태종대유원지, 해운대&송정해변, 용두산·자갈치 관광특구, 감천문화마을, 오시리아관광단지, 엑스더스카이&그린레일웨이, 광안리해변&SUP존, 용궁구름다리&송도해변 - **대구** : 수성못, 서문시장&동성로, 앞산공원 - **울산** : 태화강 국가정원, 영남알프스, 대왕암공원, 장생포고래문화특구
경북권	경주 대릉원(동궁과 월지,첨성대)&황리단길, 불국사&석굴암, 울릉도&독도, 죽변스카이레일, 문경 단산모노레일, 포항 스페이스워크, 소수서원, 주왕산과 주산지
경남권	김해가야테마파크, 통영 디피랑, 고성 당항포, 여좌천(벚꽃), 거창 항노화힐링랜드, 황매산군립공원, 진주성
제주권	성산일출봉, 한라산국립공원, 제주올레길, 우도, 비자림, 제주돌문화공원

出典 : 2023~2024 韓国観光 100 選 (文化体育観光部 / 韓国観光公社)

区分	選定地
首都圏_ソウル	ソウル5大古宮、弘大通り、ソウルの森、東大門デザインプラザ、ソウルスカイ＆ロッテワールド、南山Nソウルタワー、青瓦台前の道＆西村村、益善洞、COEX(スターフィールド)
首都圏_仁川	開港場文化地区 - 仁川チャイナタウン(松月洞童話村)、江華遠原都心ストーリーワーク、白翎島・大青島、松島セントラルパーク
首都圏_京畿道	水原華城、韓国民俗村、龍仁エバーランド、ソウル大公園、光明洞窟、臨津閣と坡州DMZ、農協経済地区、安城ファームランド、 トゥムルモリ、坡州ヘイリ芸術村、チャラ島、ジェイン滝公園
江原圏	南怡島、トチェビゴルスカイバレー＆海浪展望台、武陵渓谷、三岳山湖ケーブルカー、江陵コーヒー通り、大関嶺、漢灘江ユネスコ世界地質公園、澗峴観光地(塩山吊り橋)、ミュージアム山、ウォンデリ白樺の森
忠清圏	- **大田 :** ハンバッ樹木園 - **世宗 :** 国立世宗樹木園 - **忠清北道 :** 中央塔史跡公園＆弾琴湖虹の道、俗離山法住寺＆テーマパーク、トダムサムボン、清風湖畔ケーブルカー、満天下スカイウォーク＆丹陽江桟道 - **忠清南道 :** 水徳寺、大川海水浴場、安眠島コッチ海辺、扶余百済遺跡地(扶蘇山城、宮南池)、公州百済遺跡地(公山城、松山里古墳群)、瑞山海美邑城
全羅圏	- **光州 :** 無等山国立公園、国立アジア文化殿堂、陽林洞歴史文化村、5.18記念公園 - **全北 :** 全州韓屋村、馬耳山道立公園、内蔵山国立公園、バンディランド＆テコンドー院、支石墓雲谷湿地村、古郡山群島、王宮里遺跡 - **全南 :** 竹緑園、蟾津江汽車村、木浦近代歴史文化空間＆海上ケイブルカ、麗水世界博覧会場＆突山島海上ケーブルカー、天恩寺共生の道＆松林の道、順天湾湿地(順天湾国家庭園)
慶尚圏	- **釜山 :** 太宗台遊園地、海雲台＆松亭海辺、龍頭山・チャガルチ観光特区、甘川文化村、オシリア観光団地、エックスザスカイ＆グリーンレールウェイ、広安里海辺&SUPゾーン、龍宮雲橋＆松島海辺 - **大邱 :** 寿城池、西門市場＆東城路、前山公園 - **蔚山 :** 太和江国家庭園、嶺南アルプス、大王岩公園、長生浦クジラ文化特区
慶尚北道圏	慶州大陵苑(東宮と月池、瞻星台)&ファンリダンキル、仏国寺＆石窟庵、鬱陵島＆独島、竹辺スカイレール、聞慶丹山モノレール、浦項スペースウォーク、素水書院、周王山と主産地
慶尚南道圏	金海伽倻テーマパーク、統営ディピラン、高城堂項浦、汝佐川(桜),居昌港老化ヒーリングランド、黄梅山郡立公園、晋州城
済州圏	城山日出峰、漢拏山国立公園、済州オルレ道、牛島、ビザ林、済州ドル文化公園

2 올해 새롭게 선정된 신규 선정지와 즐길 거리 소개

특히, 올해 처음으로 선정된 서울권의 "서울숲", 청와대앞길 & 서촌마을" 등은 새로운 관광 콘텐츠 및 연결된 쇼핑, 체험 등의 즐길 거리가 많은 추천 장소이다. 몇 가지 추천 장소를 소개해 보면.

구분	선정지
서울숲	18만 평 규모의 서울시민의 휴식 공간, 주변에 떠오르고 있는 "성수동" 일대를 즐기면서 녹색 쉼터를 즐길 수 있는 장소
청와대앞길 & 서촌마을 (사진)	청와대가 개방되면서 아름다운 청와대와 주변을 산책할 수 있는 곳이다. 오래된 상점과 한옥 등 현재와 과거가 공존하는 장소
자라섬	북한강 가운데 있는 자연생태 관광지이다. 이곳은 행사가 많이 열리는데 "가평세계캠핑 캐라바닝대회", "자라섬 재즈페스티벌" 등이 열린다. 자연과 문화 콘텐츠를 함께 즐길 수 있는 장소
삼악산 호수 케이블카	"겨울 연가"로 알려진 강원도 춘천 지역에 있는 케이블카. 의암호 상공에서 즐기는 하늘과 호수로 유명하다.
전북 고창 고인돌 운곡 습지 마을	고창 고인돌, 운곡 습지 마을에는 고인돌이 존재한다. 약 1665기의 고인돌이 분포하고 유네스코 세계문화유산으로 등재된 447기의 고인돌과 운곡습지는 2021년 세계 100대 관광지로 선정됨.

青瓦台前の道 청와대 앞길

西村村 서촌마을

https://korean.visitkorea.or.kr/detail/rem_detail.do?cotid=b9e81da2-8d36-422f-be01-147d68ba4314

3 새로운 컨셉의 숙박 공간과 한옥 체험

tvN의 프로그램 중에 "윤식당"과 "윤스테이"라는 프로그램이 있다. 윤식당은 해외에서 한국의 음식을 소개하는 예능 프로그램이고, "윤스테이"는 코로나 시기 해외에 나가거나 고향에 돌아갈 수 없는 외국인들에게 한국의 전통 집에서 숙박할 기회를 주는 프로그램이었다.

2 今年新たに選ばれた新規選定地と楽しみどころの紹介

特に、今年初めて選定されたソウル圏の「ソウルの森」、青瓦台前の道＆西村村などは新しい観光コンテンツおよび連結されたショッピング、体験などの見どころが多い推薦場所だ。いくつかおすすめの場所を紹介してみると。

区分	選定地
ソウルの森	18万坪規模のソウル市民の憩いの場、周辺に浮上している「聖水洞」一帯を楽しみながらグリーン憩いの場を楽しむことができる場所
青瓦台前の道＆西村村（写真）	大統領府が開放され、美しい大統領府と周辺を散策できる場所だ。古い商店や韓屋など、現在と過去が共存する場所
チャラ島	北漢江の真ん中にある自然生態観光地だ。ここはイベントが多く開かれるが、「加平世界キャンピングキャラバニング大会」、「チャラ島ジャズフェスティバル」などが開かれる。自然と文化コンテンツを一緒に楽しめる場所
三岳山湖ケーブルカー	「冬のソナタ」で知られる江原道春川地域にあるケーブルカー。 衣岩湖上空で楽しむ空と湖で有名
全羅北道高敞支石墓雲谷湿地村	高敞支石墓、雲谷湿地村には支石墓が存在する。約1665基の支石墓が分布し、ユネスコ世界文化遺産に登録された447基の支石墓と雲谷湿地は2021年、世界100大観光地に選定される。

3 新しいコンセプトの宿泊空間と韓屋体験

TVNの番組の中に「ユン食堂」と「ユンステイ」という番組がある。ユン食堂は海外で韓国の食べ物を紹介するバラエティ番組で、「ユンステイ」はコロナ時期に海外に出たり故郷に帰ることができない外国人に韓国の伝統家で宿泊できる機会を与える番組だった。この番組の中では夕食と朝食を提供する場面が出てくるが、実際に韓国のホテルや宿泊場所にはほとんど夕食を提供しない。下の表から日本にはあるが韓国にはないサービス部分を見てみよう。

そして、ほとんど送迎サービスもない。ホテル専用の衣服は洋風ガウンのみ提供される。温泉はほとんどない。大部分が韓国の伝統ホテルの特別な様式があるというよりは西洋式ホテル運営方式を適用する空間が多い。特別なコンセプトを持ついくつかの場所では、その空間だけの体験プログラムを運営することもあるので、情報ウェブサイトを通じて体験プログラムなどを申請して参加することも旅行のユニークな楽しみになりうる。

윤식당은 해외에서 이 프로그램 안에서는 저녁과 아침을 제공하는 장면이 나오지만, 실제 한국의 호텔이나 숙박 장소에는 대부분 저녁을 제공하지 않는다. 아래의 표를 통해 일본에는 있지만 한국에는 없는 서비스 부분을 살펴보자.

저녁은 제공되지 않는다. 그리고 대부분 송영 서비스도 많지 않다. 그리고 호텔 전용의 의복은 서양식 가운만 제공된다. 그리고 온천은 거의 없다. 대부분 한국의 전통 호텔의 특별한 양식이 있다기보다는 서양식 호텔 운영 방식을 적용하는 공간이 많다. 특별한 컨셉을 가지고 있는 몇 곳에서는 그 공간만의 체험 프로그램을 운영하기도 하므로 정보 웹사이트를 통해 체험 프로그램 등을 신청하여서 참가하는 것도 여행의 색다른 즐거움이 될 수 있다.

日本と韓国のホテル (旅館) サービス比較
일본과 한국의 호텔 (료칸) 서비스 비교

있음 O ㅣ없음 X ㅣ점포에 따라 다름▲	일본	한국
1. 저녁 제공 서비스	O	X
2. 송영 서비스	O	▲
3. 호텔 전용 의복 (ホテル専用ゆかた)	O	X
4. 방안에 샤워 / 화장실이 없는 곳	O	X
5. 이불 정리 서비스 (食前後)	O	X
6. 온천 (일부 지역 온천 전용 호텔 있음) 主にサウナ / 露天風呂無し	O	X

일본에 료칸(旅館)이 있다며 한국에는 전통 가옥을 활용한 색다른 숙박 장소 등이 있다. "윤스테이"처럼 한옥을 경험해 보고 싶다면 "전주한옥마을(http://hanok.jeonju.go.kr/)" 에 가봐도 좋다. 숙박뿐 아니라 다양한 한복 체험 등 전통문화를 즐길 수 있다. 그리고 서울 중심지에 위치한 "북촌 한옥마을(https://hanok.seoul.go.kr/front/index.do)"은 서울시에서 운영하는 공공 한옥도 준비되어 있으므로 정보 사이트에서 직접 확인해 보고 대관일을 신청하여 체험할 수 있다.

全州韓屋村 전주 한옥마을

日本に旅館があるように、韓国には伝統家屋を活用したユニークな宿泊場所などがある。「ユンステイ」のように韓屋を体験してみたいなら「全州韓屋村 (http://hanok.jeonju.go.kr/))」に行ってみてもいい。

宿泊だけでなく、様々な韓服体験など伝統文化を楽しむことができる。そしてソウルの中心地に位置する " 北村韓屋村 (https://hanok.seoul.go.kr/front/index.do))" は、ソウル市が運営する公共韓屋も用意されているので、情報サイトで直接確認し、貸館日を申請して体験できる。

韓国の観光情報を見ることができる情報サイト
한국 관광 정보를 볼 수 있는 정보 사이트

Visitkorea(日本語サイト) https://japanese.visitkorea.or.kr/jpn/index.kto	2023 - 2023 韓国観光 100 選 한국관광 100 선 https://korean.visitkorea.or.kr/detail/rem_detail.do?cotid=b9e81da2-8d36-422f-be01-147d68ba4314	全州韓屋村 전주 한옥 마을 http://hanok.jeonju.go.kr/

考えて話してみましょう。
생각하고 이야기해 봅시다.

1. 一番行ってみたい海外旅行地を選定して3泊4日間日程を組んでみましょう。自分がしたい旅行のコンセプトとスケジュールを説明してみましょう。
가장 가보고 싶은 해외 여행지를 선정하고 3박4일 동안 일정을 짜 봅시다. 자신이 하고 싶은 여행의 컨셉과 스케줄을 설명해 봅시다.

2. 韓国に行った経験があるなら「2023-2023 韓国観光100選中」どこに一番行きたいですか？理由と一緒に話してみましょう。
한국에 가 본 경험이 있다면 “2023-2023 한국 관광 100선 중” 어디에 가장 가고 싶습니까? 이유와 함께 이야기해 봅시다.

3. 韓国人におすすめしたい"日本観光10選"を作って理由を話してみましょう。
한국인들에게 추천하고 싶은 “일본 관광 10선”을 만들고 이유를 이야기해 봅시다.

参考サイトおよび参考文献
참고 사이트 및 참고 문헌

★ Visitkorea 韓国観光100選地図 한국 관광 100선 지도 : https://japanese.visitkorea.or.kr/jpn/img/contents/travel/must100_2023/23-24_100must-visit_map-jpn.pdf

★ Visit korea Site 大韓民国の隅々 대한민국 구석구석 : https://korean.visitkorea.or.kr/other/otherService.do?otdid=622bcd99-84fa-11e8-8165-020027310001

★ 全州韓屋村 전주 한옥 마을 : http://hanok.jeonju.go.kr/photo/life_view/1725

★ 北村韓屋村 북촌 한옥 마을 : https://hanok.seoul.go.kr/front/kor/exp/expTip.do

★ 調査資料:日本観光庁Z世代の「海外旅行に関する意識調査」2023年
조사 자료 : 일본 관광청 Z세대의「해외여행에 관한 의식조사」2023년 https://prtimes.jp/main/html/rd/p/000000001.000116113.html

7

함께 만드는 문화
ともに作る文化

20 한국의 축제 & 한국을 경험하는 큰 규모의 이벤트

축(祝)이 동반된 큰 제사(祭). 오늘날에는 굳이 축(祝) 또는 제(祭)와 관련이 없더라도 축제라 불러주지만, 기원은 대체로 고대사회에서 절기별로 변하는 자연이나 농경과 추수를 기념하는 내용이었다. 그러므로 축제는 사회 구성원들의 결속력을 강화하는 커뮤니케이션 수단이 되기도 했다. 축제가 많은 문화의 형태를 담고 있는 만큼 한국의 축제 문화는 한국의 독특한 특징들을 가지고 있다. 한국 축제의 특징을 살펴보면,

1 1990년대부터 관 주도의 축제 개발, 지역의 브랜드와 이미지를 만들어 왔다.

한국의 전통 축제는 역사적 변화를 거치면서 많이 사라졌으나 빠른 근대화 속도에 맞추어 관 주도의 형태로 지역 활성화에 기여하는 형태의 경제적이고 문화적인 형태로 다시 만들어져 왔다. 단순한 모임이나 이벤트적인 성격보다 지역의 문화적인 자연, 생태자원, 특산물, 역사, 예술, 전통문화 등을 소재로 개발되고 외부로부터 인적, 물적 자원의 유입을 통해 지역의 관광산업 활성화에 기여할 수 있는 목적을 가지고 개발되어 왔다. 그러므로 지역의 이미지와 브랜드 가치를 창출해 내기 위해 축제 이름에 지역명이 붙어 있는 것도 많이 볼 수 있다. "이천 쌀문화 축제", "보령머드축제" "영덕 대게 축제",등 지역명과 지역의 특징적 자연 또는 특산물 등을 연결하여 만든 것을 볼 수 있다.

2 콘텐츠 개발을 통해 새로운 지역 이미지와 산업을 만든다.

한국에서 유명한 "부산국제영화제"의 경우 부산이 영화와 관련이 있는 지역이라기보다는 항구도시의 거친 분위기를 세련된 문화도시, 감각적인 관광도시로 만들기 위해 만들어졌다. 1996년 제1회 부산 국제 영화제가 만들어진 이후 현재는 한국뿐 아니라 아시아에서 자리 잡은 영화제가 되었다. 프랑스의 칸 영화제, 독일의 베를린 영화제처럼 도시의 이름을 붙여 영화제 개최에 따른 도시 브랜딩 마케팅 결과를 만들어 내었다. 이러한 도시 브랜드형 축제는 "서울재즈페스티벌", "인천 펜타포트 록 페스티벌"에서도 볼 수 있다. 축제가 벌어지는 시기 이 도시들은 영화와 음악의 도시로 변화하고 들을 거리, 먹을거리,체

20 韓国の祭り & 韓国を経験する大規模なイベント

韓国の祭り & 韓国を経験する大規模なイベント。祝を伴った大祭。今日ではあえて祝または祭と関連がなくても祭りと呼んでくれるが、起源は概して古代社会で節気別に変わる自然や農耕と収穫を祈念する内容だった。そのため、祭りは社会構成員の結束力を強化するコミュニケーション手段にもなった。祭りが多くの文化形態を含んでいるだけに、韓国の祭り文化は韓国の独特な特徴を持っている。韓国祭りの特徴を見てみる。

1 1990年代から官主導の祭り開発、地域のブランドとイメージを作ってきた。

韓国の伝統祭りは歴史的変化を経て多く消えたが、早い近代化速度に合わせて官主導の形で地域活性化に寄与する形の経済的・文化的な形で再び作られてきた。単純な集まりやイベント的が性格より地域の文化的な自然、生態資源、特産物、歴史、芸術、伝統文化などを素材に開発され外部から人的・物的資源の流入を通じて地域の観光産業活性化に寄与できる目的を持って開発されてきた。したがって、地域のイメージとブランド価値を創出するために祭りの名前に地域名が付いているのも多く見られる。「利川米文化祭」、「保寧マッド祭り」、「盈徳ズワイガニ祭り」など地域名と地域の特徴的自然または特産物などを連結して作ったものが見られる。

祭り 축제

2 コンテンツ開発を通じて新しい地域イメージと産業を作る。

韓国で有名な「釜山国際映画祭」の場合、釜山が映画と関連のある地域というよりは港町の荒々しい雰囲気を洗練された文化都市、感覚的な観光都市にするために作られた。1996年に第1回釜山国際映画祭が作られて以来、現在は韓国だけでなくアジアで定着した映画祭となっている。

험 거리가 가득한 축제 도시가 된다. 또한 축제가 벌어지는 시기 부산에서는 "아시아 필름 마켓", "아시아 프로젝트 마켓", "아시아 영화 아카데미" 등의 산업적 역할을 하는 행사도 같이 진행되어 영화와 관객이 만나는 순간에 관련 자본과 산업이 더 발전할 수 있는 시스템을 만들어 낸다.

부산국제영화제　釜山国際映画祭

3 민간과 공공부문이 협력하여 축제를 통해 한국을 마케팅한다.

한국에서는 "한국방문의 해 위원회"라는 문화체육관광부 소관의 비영리재단법인이 있다. 이 법인은 민간 부분과 공공 부분의 협력을 통해 한국 관광의 발전을 위해 활동하는 민관협력 조직이다. 2010년~2012년 한국방문의 해 캠페인을 통해 시작되어 외래 관광객 1천만 명 목표 달성을 하였으며 2023년~2024년도 성공적인 관광객 방문을 위한 다양한 사업을 진행하고 있다. 여기서 제공하는 서비스를 잘 활용하면 한국의 축제와 이벤트를 편하고 쉽게 즐길 수 있다.

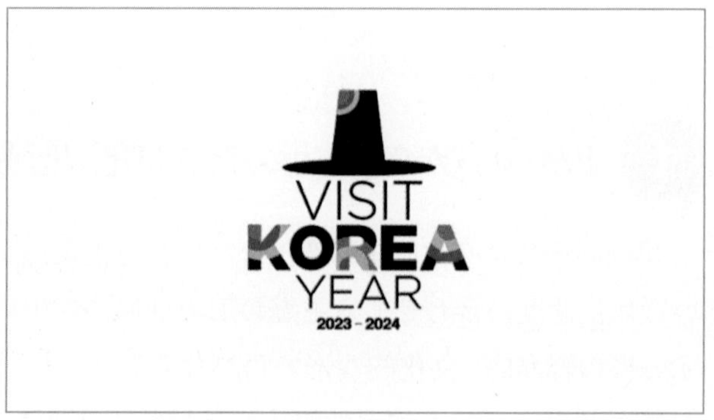

https://vkc.or.kr/content/visitkoreayear/

● **코리아 그랜드 세일 (매년 1월 셋째 주 목요일부터 2월까지)** : 외국인 대상 관광 축제로 관광과 한류가 결합한 관광 축제이다.

전 지역에서 쇼핑뿐 아니라 항공, 숙박, 뷰티, 엔터테인먼트, 관광지, 식음료 등 다양한 분야에서 혜택을 제공. 이벤트 센터를 설치하여 통역, 안내, 무료 인터넷, 경품 이벤트 등 다양한 편의 서비스를 제공한다.

https://vkc.or.kr/content/shopping_grandsale/

フランスのカンヌ国際映画祭、ドイツのベルリン映画祭のように、都市の名前を付けて映画祭開催に伴う都市ブランディングマーケティング結果を作り出した。このような都市ブランド型祭りは「ソウルジャズフェスティバル」、「仁川ペンタポートロックフェスティバル」でも見られる。祭りが開かれる時期、これらの都市は映画と音楽の都市に変化し、聞き物、食べ物、体験がいっぱいの祭り都市になる。

また、祭りが開かれる時期に釜山では「アジアフィルムマーケット」、「アジアプロジェクトマーケット」、「アジア映画アカデミー」等の産業的役割をする行事も同時に進行され、映画と観客が会う瞬間に関連資本と産業がさらに発展できるシステムを作り出す。

3 民間と公共部門が協力して祭りにつなげて韓国をマーケティングする。

韓国では「韓国訪問の年委員会」という文化体育観光部所管の非営利財団法人がある。この法人は民間部門と公共部門の協力を通じて韓国観光の発展に向けて活動する官民協力組織で 2010 年 ~2012 年の韓国訪問の年キャンペーンを通じて始まり、外来観光客 1 千万人を目標に達成し、2023 年 ~2024 年も成功的な観光客訪問のために多様な事業を進めている。ここで提供するサービスをうまく活用すれば、韓国の祭りやイベントを気軽に楽しむことができる。

● **コリアグランドセール (毎年 1 月第 3 木曜日から 2 月まで) :** 外国人対象の観光祭りで、観光と韓流が結合した観光祭り。

全地域でショッピングだけでなく、航空・宿泊・ビューティー・エンターテインメント・観光地・飲食物など様々な分野で特典を提供。イベントセンターを設置して通訳、案内、無料インターネット、景品イベントなど多様な便宜サービスを提供する。

● **코리아 투어 카드 :** 외국인 전용 관광교통 카드로 한국의 교통수단은 물론 전국 160여 개의 관광지, 공연장, 식당, 상점 등에서 다양한 혜택을 누릴 수 있다. 최근 모바일 투어카드 App 서비스도 제공하고 있다.

https://www.koreatourcard.kr/

● **스마트 관광 안내 시스템 :** 다국어를 지원하는 관광 안내 시스템.

한국 관광 통역 안내 "1330" 번 전화 서비스부터 음식점 예약 서비스, 다양한 관광 정보 안내. 관광 편의 시설 및 서비스에 대한 안내, 항공편 및 KTX 실시간 운영 정보 제공을 제공한다. 그리고 다국어 음성 인식을 통해 맞춤형 한국 여행 코스 추천 서비스도 제공한다. 전국 공항, 기차역, 항구, 버스 터미널, 쇼핑센터, 은행 등에 설치되어 있다.

한국 축제와 이벤트 정보를 알려면 한국 관광공사의 전국 축제 지도 서비스를 이용할 수 있다. Visit korea 사이트(https://japanese.visitkorea.or.kr)에 방문하면 다양한 여행 서비스와 다양한 축제 정보를 실시간으로 확인할 수 있다. 숙박 정보, 음식 정보, 쇼핑 정보까지 한국 관광과 축제를 즐길 수 있는 정보가 정리되어 있으니 방문하여 확인해 보자. (일본어 서비스 제공)

● **コリアツアーカード**：外国人専用観光交通カードで、韓国の交通手段はもちろん、全国160余りの観光地、公演場、食堂、商店などで様々な特典を享受できる。

最近、モバイルツアーカードのAppサービスも提供している。

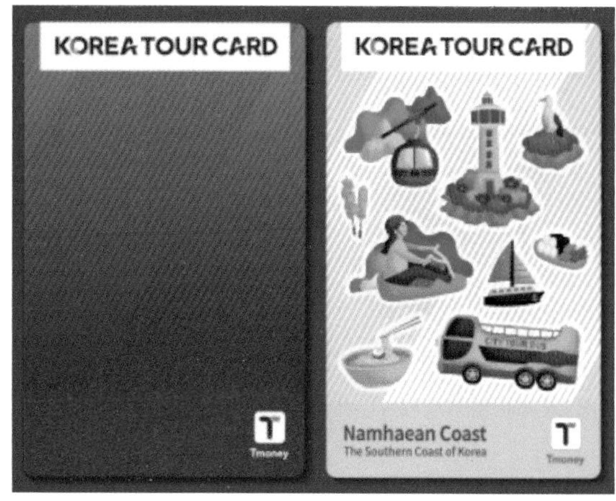

● **スマート観光案内システム**：多言語をサポートする観光案内システム。

韓国観光通訳案内「1330」番電話サービスから飲食店予約サービス、様々な観光情報案内。観光便宜施設およびサービスに関する案内、航空便およびKTXリアルタイム運営情報の提供を行う。また、多言語音声認識を通じてオーダーメード型韓国旅行コース推薦サービスも提供する。全国の空港、鉄道駅、港、バスターミナル、ショッピングセンター、銀行などに設置されている。

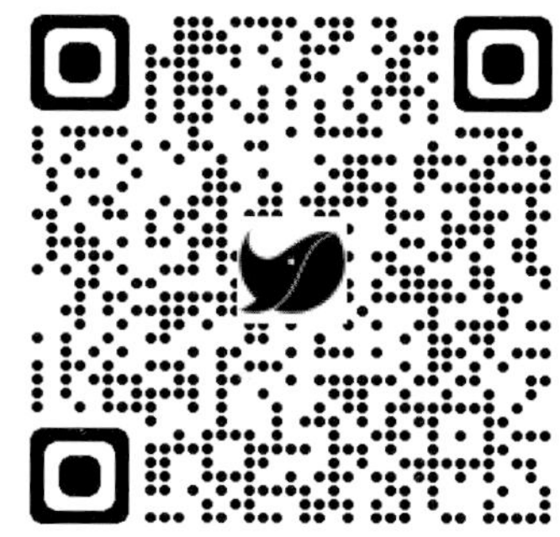

Smart tourist information system
https://vkc.or.kr/content/smart-tourist-information-system/

韓国祭りとイベント情報を知るためには、韓国観光公社の全国祭り地図サービスが利用できる。Visit Koreaサイト(https://japanese.visitkorea.or.kr)を訪問すれば、多様な旅行サービスと多様な祭り情報をリアルタイムで確認することができる。

宿泊情報、飲食情報、ショッピング情報まで韓国観光と祭りを楽しめる情報が整理されているので訪問して確認してみよう(日本語サービス提供)

매해 진행되는 대학 축제에서 아이돌 콘서트까지 볼 수 있다.

한국의 대학의 축제는 대동제(大同祭)라고 말하는 경우가 많다. 크게 하나가 된다는 의미로 예전부터 사용되었다. '대동제'라는 말은 고려대학교에서 처음 사용하면서 점차 대학 축제를 나타내는 명칭으로 확산되었다. 매해 5월이면 진행되는데 다양한 대학의 동아리 발표회, 그리고 학과별, 동아리별 주점(酒店), 그리고 예전에는 학교 안의 음악 동아리들의 공연이 주를 이루었으나 언제부터인가 연예인, 아이돌이 오는 콘서트 이벤트로 바뀌었다. 매해 가장 인기 있는 유명한 아이돌이 오기 때문에 재학생뿐 아니라 지역 주민도 참여하기도 한다. YouTube 등에서 "2023 대학 축제" 키워드를 입력하면 다양한 콘서트의 모습을 볼 수 있다. 한국의 독특한 젊음의 분위기를 느껴보고 싶다면, 한국의 대학 축제를 경험해보는 것도 즐거운 추억이 될 것이다.

4 毎年行われる大学祭でアイドルコンサートまで見ることができる

韓国の大学の祭りは大同祭と呼ばれることが多い。大きく一つになるという意味で昔から使われていた。高麗大学校で初めて使用し、大学祭の名前として広まった。毎年5月になると行われるが、多様な大学のサークル発表会、そして学科別、サークル別酒店、そして以前は学校内の音楽サークルの公演が主だったが、いつからか芸能人、アイドルたちが来るコンサートイベントが行われる。毎年最も人気のある有名なアイドルたちが来るため、在学生だけでなく地域住民も参加することもある。YouTubeなどで「2023大学祭」というキーワードを入力すると、様々なコンサートの様子が見られる。韓国独特の若さの雰囲気を感じてみたいなら、5月の韓国祭り旅行も楽しい経験になるだろう。

大学祭 대학 축제

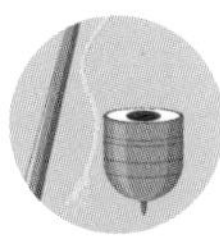

韓国の祭り情報と便宜サービスを確認してみよう。
한국의 축제 정보와 편의 서비스를 확인해 보자.

文化体育観光部地域祭り情報 문화체육관광부 지역 축제 정보 https://www.mcst.go.kr/kor/s_culture/festival/festivalList.jsp	財団法人韓国訪問の年委員会 한국방문의 해 위원회 https://vkc.or.kr/jp/	コリアツアーカード(交通) 코리아 투어카드 (교통) https://www.koreatourcard.kr/

考えて話してみましょう。
생각하고 이야기해 봅시다.

1. 韓国の祭りの特徴は何ですか？ 様々な情報を探して話してみましょう。

   한국 축제의 특징은 무엇인가요? 다양한 정보를 찾아보고 이야기해 봅시다.

2. 日本の祭りと韓国の祭りの違いと共通点を話してみましょう。

   일본의 마쓰리와 한국의 축제 다른 점과 공통점을 이야기해 봅시다.

3. 韓国の祭り情報サイトを確認して、韓国の祭りの中で参加したい祭りを言って、その理由を話してみましょう。

   한국의 축제 정보 사이트를 확인하고 한국의 축제 중 참가하고 싶은 축제에 대해 말해보고 그 이유를 이야기해 봅시다.

参考サイトおよび参考文献
참고 사이트 및 참고 문헌

★ イ·シネ(2021)、祭り経営時代と祭り環境の変化による韓国の地域祭りの核心要素把握に関する研究。培材大学校大学院、観光経営学科観光経営学専攻。
이신혜(2021), 축제경영시대와 축제환경변화에 따른 한국의 지역축제 핵심 요소 파악에 관한 연구. 배재대학교 대학원, 관광경영학과 관광경영학전공.

★ 大韓民国の隅々まで観光情報サイト 대한민국 구석 구석 관광 정보 사이트 : Visit korea (https://japanese.visitkorea.or.kr)
日本語サイト 일본어 사이트 : https://preview.japanese.visitkorea.or.kr/svc/main/index.do

★ 韓国訪問の年委員会 한국 방문의 해 위원회 : https://vkc.or.kr/jp/

다문화 하이브리드(Multicultural hybrid)

다문화란 여러 나라의 생활 양식을 말하며, 다문화 사회란 서로 다른 인종·민족·계급 등 여러 집단이 지닌 문화가 함께 존재하는 한 국가나 사회를 말한다. 지금까지 다문화를 개방한 나라 중에서 성공한 국가들은 대표적으로 미국과 캐나다, 호주 등의 영미권 국가와 유럽의 프랑스와 스위스가 있으며, 최근에는 일본과 독일이 다문화를 적극 수용하고 있다. 한국 역시 다문화와 공존하는 사회가 점점 다가오고 있다. 전 세계가 글로벌화가 되고 국제적인 교류 및 인터넷이 빠른 속도로 발달함에 따라 일부 국가들을 제외한 대부분의 선진국은 다문화 사회로 변모해 가고 있다.

특히, 선진국에서는 제조업, 농업, 어업, 서비스업 등 단순 노무 업종에서 외국인들을 차츰 수용하면서 지금의 모습으로 변화해 왔다.

2023년 4월 말 현재 체류 외국인은 2,354,083명으로 전월 2,335,596명보다 0.8%(18,487명) 증가하였다. 체류 외국인 중 등록외국인은 1,237,616명, 외국국적동포 국내거소신고를 한 사람은 506,195명, 단기 체류 외국인은 610,272명이다. 국적별 체류 외국인은 중국 37.7%(886,405명), 베트남 10.9%(256,750명), 태국 8.8%(207,169명), 미국 7.2%(169,653명), 우즈베키스탄 3.5%(81,972명) 등의 순이다.

● **연도별 출입국자 현황**

연도	출입국자 합계	입국			출국		
		소계	국민	외국인	소계	국민	외국인
'12년	50,322,102	25,200,757	14,071,452	11,129,305	25,121,345	14,065,176	11,056,169
'14년	61,652,158	30,614,046	16,349,538	14,264,508	31,038,112	16,372,830	14,665,282
'16년	79,987,974	40,072,565	22,654,258	17,418,307	39,915,409	22,659,640	17,255,769
'18년	88,908,420	44,544,745	28,914,223	15,630,522	44,363,675	28,945,447	15,418,228
'20년	14,701,831	7,529,423	4,869,578	2,659,845	7,172,408	4,301,903	2,870,505
'22년	19,414,228	9,699,030	6,309,021	3,390,009	9,715,198	6,580,145	3,135,053
'22년 1~4월	2,044,988	1,019,406	572,071	447,335	1,025,582	624,856	400,726

21 多文化ハイブリッド (Multicultural hybrid)

多文化とは様々な国の生活様式をいい、多文化社会とは異なる人種・民族・階級など様々な集団が持つ文化が共に存在する一国や社会をいう。これまで多文化を開放した国々の中で成功した国々は代表的に米国とカナダ、オーストラリアなどの英米圏国家と欧州のフランスとスイスがあり、最近は日本とドイツが多文化を積極的に受け入れている。韓国も多文化と共存する社会がますます近づいている。全世界がグローバル化し、国際的な交流やインターネットが急速に発達していることから、一部の国々を除いたほとんどの先進国は多文化社会へと変貌しつつある。特に先進国では製造業、農業、漁業、サービス業など単純労務業種で外国人を次第に受け入れながら今の姿に変化してきた。

2023 年 4 月末現在、滞在外国人は 2354,083 人で、前月の 2335,596 人より 0.8%(18,487 人) 増加した。在留外国人のうち登録外国人は 1,237,616 人、外国国籍同胞の国内居所申告者は 506,195 人、短期滞在外国人は 610,272 人だ。国籍別滞在外国人は中国 37.7%(88 万 6405 人)、ベトナム 10.9%(256,750 人)、タイ 8.8%(207,169 人)、米国 7.2%(169,653 人)、ウズベキスタン 3.5%(81,972 人) などの順である。

● 외국인 입국자 국적(지역)별 구성 현황

2023년 4월 외국인입국자 구성현황

일본 14.1%
중국 12.8%
미국 12.5%
타이완 8.5%
태국 6.0%
베트남 5.1%
홍콩 4.1%
기타 36.7%

● 체류외국인 연령별 분포도(2023.4.30. 현재, 단위 : 명)

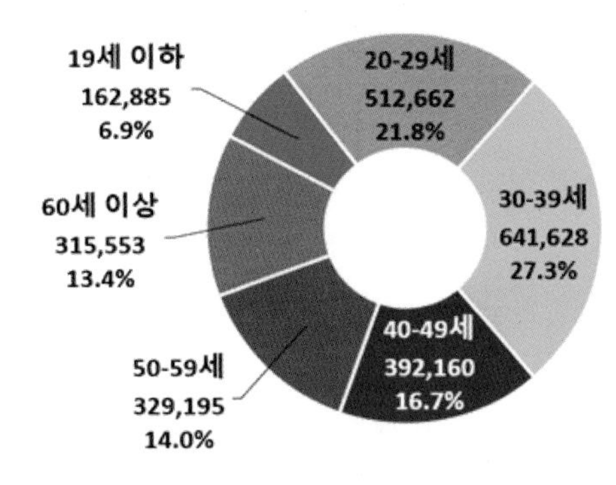

法務部が発刊した「23.4 月出入国・外国人政策統計月報」のうち、外国人入国者構成現況および採流外国人年齢別分布図

법무부가 발간한 "23.4월 출입국·외국인 정책 통계 월보" 중 외국인 입국자 구성 현황 및 채류 외국인 연령별 분포도

'23년 1~4월	18,217,534	9,201,667	6,464,208	2,737,459	9,015,867	6,488,692	2,527,175
증감률	791%	803%	1,030%	512%	779%	938%	531%

체류외국인 현황

● **체류외국인 증감추이**

● **등록외국인적(지역)별 현황**

(2023.4.30. 현재, 단위 : 명)

국적별	계	중국	베트남	우즈베키스탄	캄보디아	네팔	필리핀	기타
인원	1,237,616	427,102	206,105	51,090	47,855	47,482	45,582	412,400
비율	100%	34.5%	16.7%	4.1%	3.9%	3.8%	3.7%	33.3%

다문화주의(多文化主義 / Multiculturalism)

다문화주의란 다양한 문화나 언어를 하나로 동화시키지 않고, 공존시켜 서로 존중하는 것이 목적인 사상·운동·정책이다. 이는 1970년대부터 미국, 캐나다, 오스트레일리아 등에서 제창되기 시작해 1980년대에 정책으로 굳어졌으며, 유럽에는 비교적 늦게 도입되었다. 세계화가 진행됨에 따라 다양한 문화, 특히 소수 문화를 인정하고 제도권 안으로 수용하자는 견해가 널리 퍼지고 있다.

대한민국에서는 다문화주의를 이민이나 타문화의 유입 정도로만 생각하지만, 자국 소수자의 문화, 하위문화, 서브컬쳐, 지역 문화 등에 대한 존중과 평등한 대우도 다문화주의에 포함된다. 즉 다문화주의는 말 그대로 다양한 문화의 공존을 추구하는 이념이다.

多文化主義（Multiculturalism）

多文化主義とは多様な文化や言語を一つに同化させず、共存させ互いに尊重し合うことが目的の思想・運動・政策である。これは1970年代から米国、カナダ、オーストラリアなどで提唱され始め、1980年代に政策として定着し、ヨーロッパには比較的遅く導入された。グローバル化が進むにつれ、多様な文化、特に少数文化を認めて制度圏内に受け入れようという見解が広がっている。

韓国では多文化主義を移民や他文化の流入程度と考えているが、自国少数者の文化、サブカルチャー、地域文化などに対する尊重と平等な待遇も多文化主義に含まれる。すなわち、多文化主義は文字通り多様な文化の共存を追求する理念である。

多文化社会 (Multicultural society)

ある社会の中で他の人種、民族、宗教、階級、性などによる多様な文化が共存する社会。グローバル化によって国家間の人口移動が増加し、多文化時代に突入するようになった。韓国も外国人労働者、国際結婚女性、外国人家庭の子供に至るまで国内滞在外国人の構成が多様化しており、その数も増加している

多文化世帯員数は2018年に100万人を超え、2021年には112万人に増加し、多文化児童・青少年は2018年23万7000人から2021年29万人に増加した。

多文化社会の原因

「多文化社会」とは民族や人種、文化的に多元化されている社会で、一つの国家や社会の中に様々な生活様式が存在することを意味する。韓国が多文化社会になった主な原因は外国人労働者の増加だ。国内労働者の人件費上昇、3D業種に対する忌避などにより実質的な労働力が非常に不足し、政府では不足した労働力を補充しようと「外国人雇用許可制」、「訪問就業制」等のような政策を展開し多くの東南アジア人が我が国に渡って外国人労働者になった。

多文化社会を築いたもう一つの原因の一つは国際結婚で1970年代以降、産業化が進み、韓国の農村人口は急激に減少し、農村の男性は女性が不足して結婚できない場合が多くなった。

これに伴い、1990年代末から農漁村独身結婚事業推進を通じて東南アジア女性との国際結婚が急増し、韓国人と外国人夫婦で構成された多文化家庭も増加した。

また、2000年代以後、勉強や事業のために韓国に来る外国人が増え、彼らが韓国で多文化家庭を成す事例も増加している。

다문화 사회(多文化社会/Multicultural society)

한 사회 안에서 다른 인종, 민족, 종교, 계급, 성 등에 따른 다양한 문화가 공존하는 사회를 말하며, 세계화로 인해 국가 간 인구 이동이 증가하면서 다문화 시대에 돌입하게 되었다. 우리나라도 외국인 근로자, 국제결혼 여성, 외국인 가정의 자녀에게 이르기까지 국내 체류 외국인의 구성이 다양해지고 있으며 그 수도 증가하고 있다

다문화 가구원 수는 2018년에 100만 명을 넘고 2021년에는 112만 명으로 증가하였으며, 다문화 아동·청소년은 2018년 23만 7,000명에서 2021년 29만 명으로 증가하였다.

다문화사회의 원인

'다문화사회'란 민족이나 인종, 문화적으로 다원화되어 있는 사회로 한 국가나 사회 속에 여러 다른 생활양식이 존재한다는 것을 의미한다. 한국이 다문화사회가 된 주요 원인은 외국인 노동자의 증가이다. 국내 노동자들의 인건비 상승, 3D업종에 대한 기피 등으로 인해 실질적인 노동력이 턱없이 부족해지면서 정부에서는 부족한 노동력을 보충하고자 "외국인 고용 허가제", "방문 취업제" 등과 같은 정책을 펼쳤고 많은 동남아시아 사람이 우리나라로 건너와 외국인 노동자가 되었다.

다문화사회를 이룬 또 다른 원인 중의 하나는 국제결혼이다. 1970년대 이후 산업화가 진행되면서 대한민국은 농촌인구는 급격히 줄어들었고 농촌의 남성들은 여성이 부족하여 결혼하지 못하는 경우가 많아졌다. 이에 따라, 1990년대 말부터 농어촌 총각 장가보내기 사업 추진을 통해 동남아 여성과의 국제결혼이 급증했으며 한국인과 외국인 부부로 구성된 다문화 가정도 증가하였다.

또한, 2000년대 이후 공부나 사업을 위해 우리나라로 오는 외국인들이 늘어나면서 이들이 한국에서 다문화 가정을 이루는 사례도 증가하고 있다.

다문화 가족 정책

4차 산업혁명의 본격 가속화로 인한 고도 정보화 시대로의 진입 등 국내외적 환경 변화를 경험하면서 현실적이고 미래지향적인 한국 이민정책 수립의 필요성이 고조되는 시기를 맞이하였다.

한국은 결혼이주여성의 이민으로 인한 다문화가정이 형성되면서 결혼이민자 및 다문화가족을 위한 정책을 추진하게 되었다. 1990년대 후반에는 농촌에서 외국인 신부가 증가하자 몇몇 지자체가 중심이 되어 결혼이주자에 대한 정책을 모색하는 것으로 시작해, 그 후 2000년대 초반부터 사회적 • 정책적 관심이 높아지기 시작하면서 중앙정부의 산발적인 대응이 시작되었다. (이혜경, 2007) 이렇게 정주 외국인이라는 특성을 갖는 결혼 이민자의 증가에 따라 2000년대에 정책적 대응이 시도되기 시작하고, 2000년대 후반에는 다문화가족에 대한 개념과 함께 정책 추진의 기반을 다지게 되었다. (김이선 외, 2011)

多文化家族政策

第 4 次産業革命の本格加速化による高度情報化時代への進入など国内外的環境変化を経験しながら、現実的で未来志向的な韓国移民政策樹立の必要性が高まる時期を迎えた。

韓国は結婚移住女性の移民による多文化家庭が形成され、結婚移民者および多文化家族のための政策を推進することになった。1990 年代後半には農村で外国人新婦が増加すると、いくつかの自治体が中心となって結婚移住者に対する政策を模索することから始まり、その後、2000 年代初めから社会的·政策的関心が高まり始め中央政府の散発的な対応が始まった。(イ·ヘギョン、2007)。このように定住外国人という特性を持つ結婚移民者の増加に伴い、2000 年代に政策的対応が試みられ始め、2000 年代後半には多文化家族に対する概念とともに政策推進の基盤を固めることになった。(キム·イソン 他、2011)

多文化関連法制を見てみると、2005 年に女性家族部、文化観光部、教育人的資源部などを中心に結婚移住女性対象の韓国語教育、生活適応支援事業などが推進され、政府レベルの政策議題として浮上した。その後、2007 年 5 月に制定された在韓外国人処遇基本法が制定され、そして結婚仲介業の管理に関する法律 (女性家族部) が制定され、このような法律を土台に作られた政策が外国人政策と多文化家族政策である。

다문화 관련 법제를 살펴보면 2005년에 여성가족부, 문화관광부, 교육인적자원부 등을 중심으로 결혼 이주 여성 대상의 한국어 교육, 생활 적응 지원사업 등이 추진되면서 정부 차원의 정책의제로 부상하였다. 그 후 2007년 5월에 제정된 재한외국인 처우 기본법이 제정되었으며, 그리고 결혼 중개업의 관리에 관한 법률(여성가족부)이 제정되었으며 이러한 법률들을 바탕으로 만들어진 정책이 외국인 정책과 다문화 가족정책이다.

재한 외국인 처우 기본법에 따라 수립된 외국인 정책은 범정부 차원의 국가계획인 외국인 정책 기본계획은 재한 외국인 처우 기본법 제5조(외국인 정책의 기본계획)에 근거하여 2008년부터 2012년까지 제1차 외국인 정책 기본계획을 수립 시행했고, 2013년부터 2017년까지 제2차 외국인 정책 기본계획, 제3차 외국인 정책 기본계획 (2018~2022), 제4차 외국인 정책 기본계획(2023-2027)을 수립하여 정책 지침서의 역할을 하고 있으며, 제4차 외국인 정책 기본계획 수립 방향을 다음과 같이 제시하고 있다.

국가 정책의 주요 분야로서 외국인 정책의 위상 확립, 이민정책의 광의 개념을 통해 8대 세부 정책 영역을 도출, 활용 관점의 외국인 정책을 넘어 통합 관점의 이민정책으로 본격적 전환, 이민정책 내에서 재외동포의 역할과 의미화를 위한 독립 목표를 설정하였다.

그리고 결혼 이주 여성과 가족을 위한 다문화가족 지원법(2008)이 제정된 이후 다문화 가족 정책위원회가 구성되고 이에 따라 2010년부터 2012년까지 제1차 다문화 가족정책이 수립・추진되었고, 2차(2013-2017), 3차(2018-2022), 4차(2023-2027)가 수립 진행 중이다.

다문화가구 및 가구원

다문화가구는 38.5만 가구로, 전체 가구(2,202만 가구)의 1.8%

다문화가구원은 112만 명으로, 전체 인구(5,174만 명)의 2.2%

(단위 : 명)

계	한국인배우자	결혼이민자	귀화자	자녀	기타동거인
1,119,267	161,395	174,122	196,372	286,848	300,530
구성비	14.40%	15.60%	17.50%	25.60%	26.90%

※ 집단가구(가족이 아닌 남남끼리 사는 6인 이상의 가구)의 다문화대상자·자녀는 미포함

국적별 결혼이민자 및 귀화자 현황

(단위 : 명)

합계	중국 (한국계)	베트남	중국	필리핀	일본	캄보 디아	태국	몽골	기타
385,512	124,213	87,305	73,244	21,187	14,170	9,163	7,316	4,165	44,749

在韓外国人処遇基本法に基づいて策定された外国人政策は、汎政府レベルの国家計画である外国人政策基本計画は、在韓外国人処遇基本法第 5 条 (外国人政策の基本計画) に基づき、2008 年から 2012 年まで第 1 次外国人政策基本計画を樹立施行し、2013 年から 2017 年まで第 2 次外国人政策基本計画、第 3 次外国人政策基本計画 (2018~2022)。第 4 次外国人政策基本計画 (2023-2027) を樹立し、政策指針書としての役割を果たしており、第 4 次外国人政策基本計画樹立方向を次のように提示している。

国家政策の主要分野として外国人政策の地位確立、移民政策の広義概念を通じて 8 大細部政策領域を導き出し、活用観点から外国人政策を越えて統合観点からの移民政策に本格的に転換し、移民政策内での在外同胞の役割と意味化に向けた独立目標を設定した。

そして結婚移住女性と家族のための多文化家族支援法 (2008) が制定された後、多文化家族政策委員会が構成され、これにより 2010 年から 2012 年まで第 1 次多文化家族政策が樹立・推進され、2 次 (2013-2017)、3 次 (2018-2022)、4 次 (2023-2027) が樹立進行中である

多文化世帯および世帯員

多文化世帯は 38.5 万世帯で、全世帯 (2,202 万世帯) の 1.8%

多文化世帯員は 112 万人で、全人口（5174 万人）の 2.2%

(単位 : 人)

計	韓国人配偶者	結婚移民者	帰化者	子供	その他同居人
1,119,267	161,395	174,122	196,372	286,848	300,530
構成比	14.40%	15.60%	17.50%	25.60%	26.90%

※ 集団世帯 (家族ではなく他人同士で暮らす 6 人以上の世帯) の多文化対象者・子供は含まない

国籍別結婚移民者及び帰化者の現況

(単位 : 人)

合計	中国（韓国系）	ベトナム	中国	フィリピン	日本	カンボジア	タイ	モンゴル	その他
385,512	124,213	87,305	73,244	21,187	14,170	9,163	7,316	4,165	44,749

婚姻及び離婚の現状

多文化家族婚姻は 13,926 件で全体婚姻 (19 万 3 千件) の 7.2% であり、多文化家族離婚は 8424 件で全体離婚 (10 万 2 千件) の 8.3%。

혼인 및 이혼 현황

다문화 가족 혼인은 13,926건으로 전체 혼인(19만 3천 건)의 7.2%이며, 다문화 가족 이혼은 8,424건으로 전체 이혼(10만 2천 건)의 8.3%이다.

출생 및 학생(초, 중, 고)현황

다문화 가족 출생은 14,322명으로 전체 출생(26만 1천 명)의 5.5%이며 다문화 학생은 168,645명으로, 전체 학생(527만 5천 명)의 3.2%이다.

출처: 지자체 외국인 주민 현황(행안부), 인구총조사, 다문화 인구동태(통계청, 교육 기본통계(교육부)

世界人の日　세계인의 날
출처 : 世界人の日 website

세계인의 날은 2007년 다양한 민족 · 문화권의 사람들이 서로 이해하고 공존하는 다문화 사회를 만들자는 취지로 국가 기념일로 제정한 날이다. 2007년 '재한외국인처우기본법'에 의해, 국민과 재한외국인이 서로의 문화 · 전통을 존중하며 더불어 살아가는 사회를 조성하기 위하여 매년 5월 20일을 '세계인의 날'로, 세계인의 날부터 1주간을 '세계인 주간'으로 제정하였다(제19조). 이에 따라 2007년에 제정 기념식을 하고, 2008년부터 제1회로 세계인의 날이 시행되었다.

이는 2006년 3월 개최한 이민정책 포럼을 통해 명칭과 일자를 논의한 결과, 차별 요소를 고려하여 '외국인의 날' 대신 '세계인의 날'로 결정된 것이다. 또한 본래 UN에서 정한 '세계 문화 다양성의 날'을 기념하는 5월 21일로 계획하였으나, 이미 '부부의 날'로 지정되어 있어 5월 20일을 최종 선정하였다. 법무부에서 주관하는 기념식은 국민과 외국인 간 소통과 화합의 장을 마련하고, 정부의 다문화 포용 의지를 대외적으로 알리는 계기로 삼아 실시하고 있다. 세계인의 날 행사에 필요한 사항은 법무부 장관 및 시장 · 도지사가 따로 정할 수 있다(제19조 2항)고 규정되어 있다.

出生及び学生 (小、中、高) の現況

多文化家族の出生は 14,322 人で、全体出生 (26 万 1 千人) の 5.5% であり、多文化学生 (2022) は 168,645 人で、全体学生 (527 万 5 千人) の 3.2%

出典 : 自治体外国人住民の現状（行安部）、人口総調査、多文化人口動態（統計庁、教育基本統計（教育部）

世界人の日は 2007 年、多様な民族・文化圏の人々が互いに理解し共存する多文化社会を作ろうという趣旨で国家記念日として制定した日である。

2007 年「在韓外国人処遇基本法」により、国民と在韓外国人が互いの文化・伝統を尊重し共に生きていく社会を作るため、毎年 5 月 20 日を「世界人の日」、世界人の日から 1 週間を「世界人週間」と制定した (第 19 条)。これに伴い、2007 年に制定記念式を行い、2008 年から第 1 回として世界人の日が施行された。

これは 2006 年 3 月に開催した移民政策フォーラムで名称と日付を議論した結果、差別要素を考慮して「外国人の日」ではなく「世界人の日」に決定されたものだ。また、本来国連で定めた「世界文化多様性の日」を記念する 5 月 21 日に計画したが、すでに「夫婦の日」に指定されており、5 月 20 日を最終選定した。法務部が主管する記念式は、国民と外国人間の疎通と和合の場を設け、政府の多文化包容意志を対外的に知らせる契機にして実施している。世界人の日の行事に必要な事項は法務部長官および市長・道知事が別に定めることができる (第 19 条 2 項) と規定されている。

国民の配偶者（結婚移民者）滞在状況

● 年度別増減推移　　(単位 : 人)

年度	2018 年	2019 年	2020 年	2021 年	2022 年	'22 年 4 月	'23 年 4 月
人員	159,206	166,025	168,594	168,611	169,633	169,393	172,254
前年対比増減率	2.4%	4.3%	1.5%	0.01%	0.6%	-	1.7%

考えて話してみましょう。
생각하고 이야기해 봅시다.

1. 多文化社会について長所と短所を話してみよう。
   다문화 사회에 대해서 장단점을 이야기해 보자.

2. 日本の年度別出身国別外国人との婚姻状況を調べてみよう。
   일본의 연도별 출신국별 외국인과의 혼인 현황을 조사해 보자.

3. 韓国と日本の全体結婚のうち、国際結婚の割合を比較してみよう。
   한국과 일본의 전체 결혼 중 국제결혼 비중을 비교해 보자.

4. 日本の多文化政策と支援プログラムについて調べてみよう。
   일본의 다문화 정책과 지원 프로그램에 대해 조사해 보자.

5. 外国人が住みやすい地域社会づくりのための方策は。
   외국인이 살기 좋은 지역사회 만들기를 위한 방안은?

6. 多文化家庭の問題点と解決策は
   다문화가정의 문제점과 해결 방안은?

参考サイトおよび参考文献
참고 사이트 및 참고 문헌

★ ダウム百科 다음백과 https://100.daum.net/encyclopedia/view/v102ha130a1

★ [ネイバー知識百科] 世界人の日（時事常識辞典、pmg知識エンジン研究所）
[네이버 지식백과] 세계인의 날 (시사상식사전, pmg 지식엔진연구소)

★ 行政安全部ホームページ 행정안전부 누리집
https://www.data.go.kr/data/15100036/fileData.do

★ KOSIS国家統計ポータル 국가통계포털 https://kosis.kr/index/index.do

★ 多文化教育ポータル 다문화교육포털 https://www.edu4mc.or.kr/guide/stat.html

★ KESS 教育統計サービス 교육통계서비스 https://kess.kedi.re.kr/index

★ 教育部(2023)、スタートライン平等のための2023年多文化教育支援計画(案)
교육부(2023), 출발선 평등을 위한 2023년 다문화교육 지원계획(안)

★ 女性家族部(2023)、だ文化家族政策基本計画(2023-2027)
여성가족부(2023), 다문화가족정책 기본계획(2023-2027)

★ 出入国外国人政策統計月報(2023年4月号)、法務部出入国外国人政策本部（2023年4月号）
출입국 외국인 정책 통계월보(2023.4), 법무부 출입국 외국인 정책본부(2023.4월호)

「韓国観光マップ 한국 관광맵」 그림

Tip book
日本語

韓国語の勉強に役立つ Application & IT Service

過去には外国語を勉強するためにはほとんどが最初は書店に行って関連した「本」を探して購入することや塾に通いながら勉強をすることをしていた。しかし、今は多様な IT サービスが発達しているため、一人でも自分の部屋の中で様々な方法を通じて外国語を勉強することができる。特に韓国は多様な IT サービスを活用して提供する教育コンテンツが多く発達している。そこで外国で韓国語を学ぶ人々、そして韓国に来て韓国語を学ぶ人々のための多様なサービスを本教材で少しずつ紹介した。

ここ「IT Tool&Service」の Tip-book は、外国語としての日本語を学びながら韓国語を教え始めた筆者にとって大いに役立った様々な IT Tool&Service に関する紹介内容である。教育機関で教えることだけを待つのではなく、直接面白く外国語を学ぼうとするなら多様な方法がある。最も基本となるハングル入力方法、そして情報の探し方、そして面白い K-Drama およびバラエティを見ながら多様な韓国文化を一緒に感じてみよう。

本 Tip-book は大きく以下の 3 つの Group にそれぞれ異なる役に立つ。

1) 韓国語を勉強する学生 : 授業時間に学生たちが使う翻訳サービスを見ると、ほとんど Google 翻訳サービスを活用する。全世界の多様な言語を提供するサービスであるだけに、楽で簡単だが文化と脈絡を考慮して翻訳できない場合がある。韓国語ユーザーと日本語ユーザーが多く使用し、持続的にアップグレードされているサービスを使用することが最も役に立つ。したがって、両国のユーザーが多く使う翻訳アプリを追加で紹介しようと思う。最近の Chat GPT 翻訳サービスも気になることをよく整理した prompt を入力すれば、優秀な翻訳結果を見せてくれる。様々なサービスを経験してみて、自分の勉強目的に合ったサービスを探してみよう。

2) 韓国語は勉強しないが、韓国文化を勉強する学生 : 韓国語を読んだり理解できないが、韓国語テキストを見ながら日本語に翻訳したり、または韓国のウェブサイトなどを見ながら日本語に変換して使用すると、より現地の情報を正確かつ迅速に探索・確認できる。大部分が日本語で作成されている日本国内の情報だけを確認する場合よりは、韓国の現地の観点と最新情報を早く見ることができるため、むしろ情報を理解して活用するのにはるかに役立つ。日本の韓国語教科書には、現在の韓国の 20 代も知らないキーワードがたびたび発見される。毎時間アップデートされる韓国のような国の情報は、現在を確認して見るのがはるかに面白くて有益である。

3) 韓国語と文化を教える先生：先生たちの場合、韓国語文化に関する教材やサービスを探すのにかなりの時間がかかる。そして韓国ドラマを授業に使って練習させたくても、一つ一つセリフを全部聞いて教材にするには限界がある。しかし、ここで紹介される方法を活用すれば、より簡単に学生たちが直接設定して勉強することができるので、先生は重要な表現だけを授業で教え、映像を見ながら楽しく練習させることができ、学生たちは本人が望むだけもっと勉強してみることができる。以前のように先生たちが皆翻訳して作成して教材を作る必要がない世の中のインフラを楽しく経験して使ってみよう。

紹介したい IT Tool & Service

1) 韓国語を入力できてこそ見つけることができる：韓国語 Keyboard(コンピュータ & モバイル) 使用方法
2) 韓国語、日本語ユーザーが多く使う辞書サービス：Naver Papago
3) YouTube に自動字幕を設定して勉強する
4) 韓国語と日本語を一緒に見ながらドラマを楽しもう：クロムブラウザのアプリケーションを活用した多言語テキストスクリプトの表示

Q&A

1. Q: どのブラウザでも、どのモバイル OS でも使用できますか？

A：はい、設定方法が異なりますが、最近はほとんどのウェブブラウザ (chrome, Bing, Whale など) ほとんど提供されます。もし使っているブラウザが難しい場合は、chrome をインストールして使うと楽です。

2. Q: ここで教えてくれるサービスは全部無料ですか？

A：はい、ほとんど無料です。Papago も Language reactor も無料ですが、一部有料機能やサービスもありますので、必ず確認してからご使用ください。

3. Q: 一部 Netflix のような OTT サービスの使用例を挙げるのに使用している学生と使用していない学生がいるため、授業で使用するのは難しいと思います。方法はありますか？

A：この部分は学生や先生が OTT を使わないと方法がありません。ただし、文化と言語教材として使われる価値を考えながら一度検討して判断してみてください。

4. Q: 韓国語関連のパソコンキーボードなどの小物が必要な場合はどうすればいいですか？

A：日本国内の複数のショッピングモールで注文して購入することができます。たまに自分で買わずに文字のシールを買って貼って使う方もいらっしゃいます。

5. Q: ネットフリックス以外のサービスにも Language reactor 使用できますか？

A：たとえば、Amazon プライム サービスでは使用できません。ネットフリックスで使用するアプリケーションです。21 ページで提供される QR コードからページにアクセスし、より詳しい使用方法を確認してください。(YouTube も使用可能）

それではこれから一つずつ設定して使ってみましょう！

1 韓国語を入力できなければ見つけられない。韓国語 Keyboard(パソコン & モバイル) の使い方

韓国のコンピューターキーボードを使う前に、韓国語の組み合わせ方法を知る必要がある。日本語キーよりはそれぞれの発音が一つずつ表記されているので、その文字を入力すれば良いが、韓国語キーボードは韓国語の組み合わせ法則に従って

①「ㅇ + 子音」☞ 아、우 など
②「子音 + 母音」、☞ 가구、도쿄、하나 など
③「子音 + 母音 + 子音」、☞ 말、글、강 など
④「子音 + 母音 + 子音 _ 子音」☞ 닭、몫、삶 など

それでキーボードを見ながら子音、母音を探して順番に入力してこそ韓国語の文字が作られる。次ののキーボードを確認してみよう。

韓国語の子音と母音

コンピュータ接続キーボードの形状

次は携帯電話から入力してみよう。まず、言語設定で韓国語入力ができるように設定を追加または変更する。

そして、図のようなハングルキーボードが生成されれば、コンピューターキーボード入力方式のように順番に子音集を入力すれば良い。

ただし、携帯電話の場合、二重子音 (濃音) は数字が変わった上の「　」を押すと図②のように変化する。

さて、これから韓国語を入力できれば新しい辞書 Application を使ってみよう。

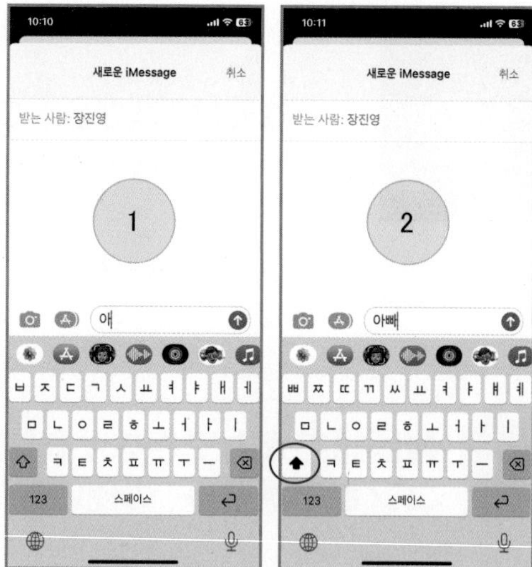

2 韓国語、日本語ユーザーが多く使う辞書サービス : Naver Papago

一般的に外国語を勉強する時、最も多く使う翻訳サービスは Google 翻訳サービスである。

その部分に慣れているため、ほとんどが韓国語の授業を進める時も学生たちが Google 翻訳サービスを使用する。英語中心の言語では当然 Google が良い翻訳サービスを提供してくれるが、韓国語と日本語の場合は中級以上に上がると Google 翻訳サービスが微妙な各言語の特性を反映して翻訳できないことが確認できる。しかし、韓国語と日本語ユーザーが多く使う「Papago」というアプリケーションを使ってみると、より精巧な翻訳結果を確認することができる。

実際、日本語が母国語である韓国語学習者が持つ文法的誤りは「~ て」の使用結果から確認できる。日本語では区分がないが、韓国語では「~ て」の表現は「~ 고」という単純接続の意味で使われることもあれば、「~ 아서 / 어서」の理由または順序の表現として使われることもある。

このような繊細な意味の違いを Google 翻訳では見逃す場合があるが、Papago サービスは正確に翻訳されるので高度化しているため、むしろ韓国語の勉強をする場合は Papago アプリケーションを使えばより正確な意味の表現が確認できる。

それでは以下の QR で「Papago」を検索してインストールしてみよう。

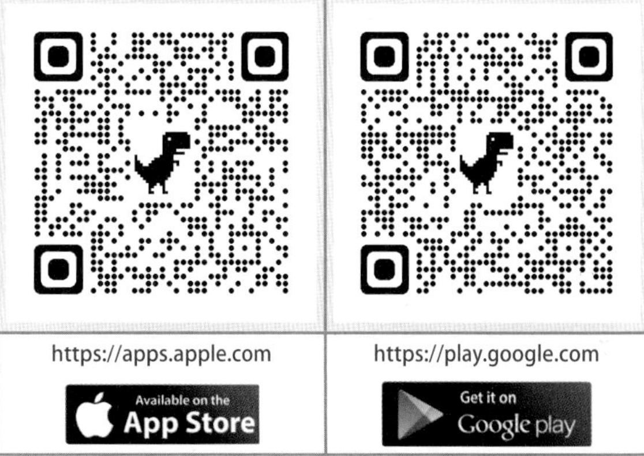

この他にも「Naver 辞書」などを検索してインストールして使用すると韓国語の勉強に役立つ。また、ウェブサイトでも韓国語辞書を使うことができる。

** Tip Plus !!

また、NAVER で提供する「Whale Browser」をインストールし、左側にある「機能 Key」に「Papago」を設定すれば、すぐに開いて必要な単語を検索して使用することができる。

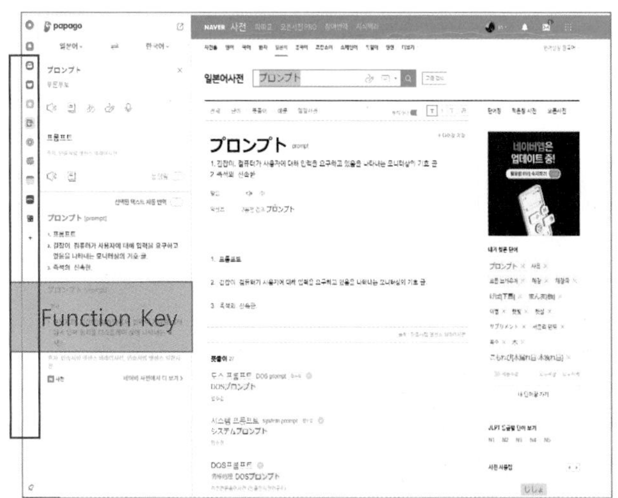

③ YouTube に自動字幕を設定して勉強する。

上記の情報入力だけでは会話のレベルを設定することが難しい場合がある。では、もう少し詳しく自分のレベルと要求事項を入力してみよう。まだ使ったことがないなら、下記の説明に従って設定して使ってみよう。

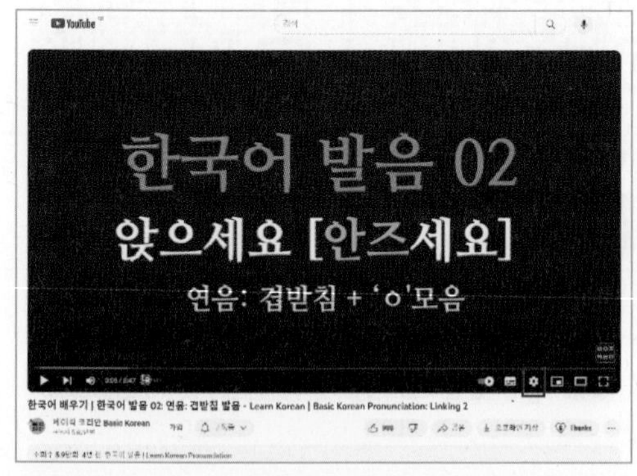

設定ボタンを押して言語設定をする

❶ 横の画面のように下段の”設定”アイコンを押すと詳細な設定項目が見える。

字幕メニューを選択すると、次の画面に移動する。

❷ 「字幕」リストの中から好きな言語を選択する。

** 本映像は字幕が提供されるが、日本語自動字幕が提供されない場合もある。設定が間違っているわけではないから誤解しないでおこう。グローバル顧客が利用できるようにする韓国語関連団体または有名人コンテンツは提供される場合が多いので、よく活用してみよう。

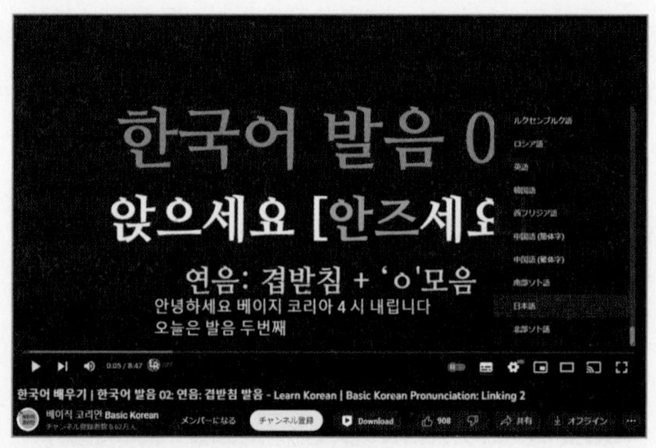

様々な言語の中から日本語を選択する

韓国語字幕と日本語自動字幕設定された画面

❸ それではこれから日本語字幕を見ながら直接ユーチューブを使ってみよう。

様々な韓国コンテンツをユーチューブで気軽に探して楽しもう。

※資料画面 [ベーシックコリアン] 提供 : https://www.youtube.com/@basickoreanbk

韓国語と日本語を一緒に見ながらドラマを楽しもう：Chrome ブラウザのアプリケーションを活用した多言語テキストスクリプトを見る

ネットフリックスの場合、見たい字幕を直接設定して見ることができる長所がある。以前に言語の勉強をする時は、ほとんどの先生がドラマを見ながら勉強する場合、次のような順序を推薦した。

- 一つ目：韓国語、日本語字幕なしで見る
- 二つ目：韓国語字幕を見ながらもう一度見る
- 三つ目：日本語字幕を見ながら三つ目を見る
- 四つ目：もう一度韓国語、日本語字幕なしで見ながら一緒に読んで練習する

しかし、今は Google ブラウザにインストールする「LanguageLearningWithNetflix」アプリケーションを通じて 2 つの字幕を一緒に設定して見ることができる。したがって、順序を考慮せずにまず字幕なしで聞いてみて分からない表現だけを簡単に「On/Off」ボタンを通じて活性化させて確認することができる。楽で面白く外国語の勉強をしながらドラマとバラエティーを楽しもう。

❶ “Language Learning With Netflix” Google Browser にインストールする

- Google に追加ボタンを押してブラウザにアプリケーションをインストールする
- インストールしたらブラウザの上段に LR 模様のアイコンができる。
- インストールが完了すれば、ネットフリックス画面にも新しいアイコンができる。

Language Learning With Netflix Download
www.languagereactor.com
Nflx multi Subs2021
https://www.languagereactor.com/

❷ ネットフリックス画面で字幕環境を設定する

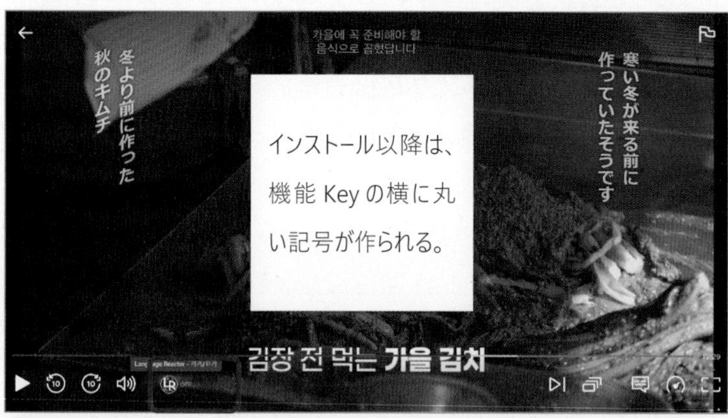

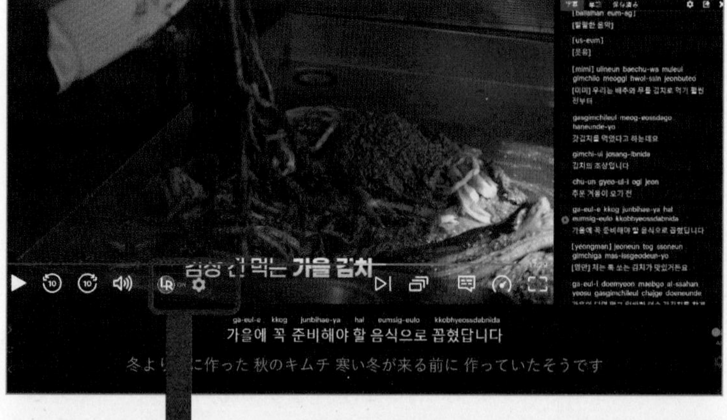

段の「環境設定アイコン」をクリックすると 下段の設定画面が見える。

- 希望する二つの言語を設定しよう。
- 下段に言語 2 つが一緒に見える。
- 側面には英語で読む方法を見せてくれる。もし韓国語が読めないなら、アルファベット表記法に従って読むことができる。

3 このように設定が終われば、多様な言語を設定して使ってみよう。各画面に表示される多様な機能 Key を押してみると、もう少し多様な機能で言語勉強を進めることができる。

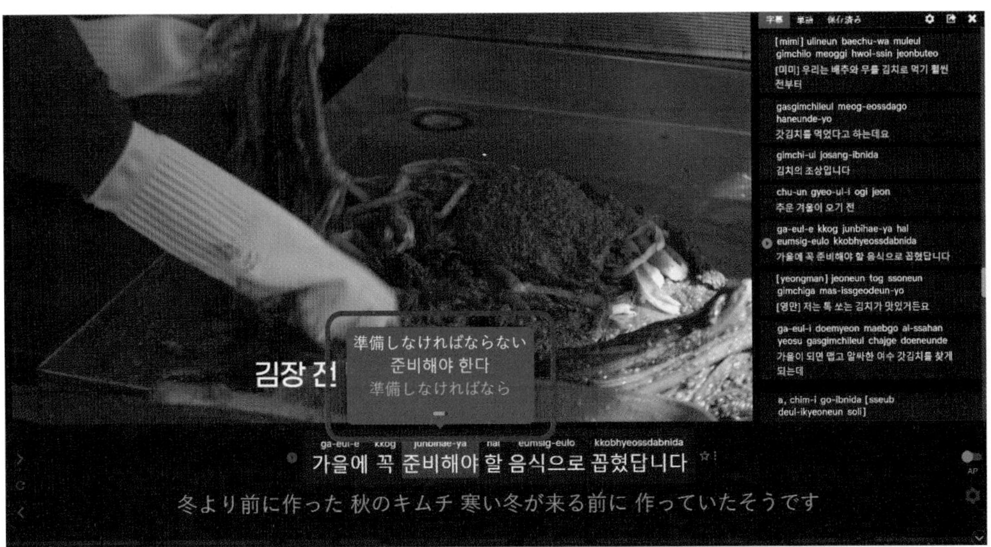

- 単語の上にマウスを Roll-over すると、該当する日本語単語が見える。

- 重要な表現の上にマウスを Roll-over すると、日本語表現の意味をもう一度説明してくれる。

- 下段の「AP」ボタンを活性化すれば、希望する台詞で止めて確認することができ、「設定」ボタンを押せばいつでも言語設定を変更できる。

** Tip Plus !!

その他にも Language reactor で有料で提供する「表現クリッピング」機能などがあるので、もう少し詳しい機能は前の QR コードから Language reactor サイトで詳しく見てみよう。(日本語提供)

④ 本当に良い付加機能：字幕すべてをファイルでダウンロードして表現の勉強をする。

この機能は韓国語を教える先生にとって本当に便利な機能である。ドラマのセリフ全てをエクセルまたは HTML ファイルでダウンロードして教材を作成するのに使用できる。

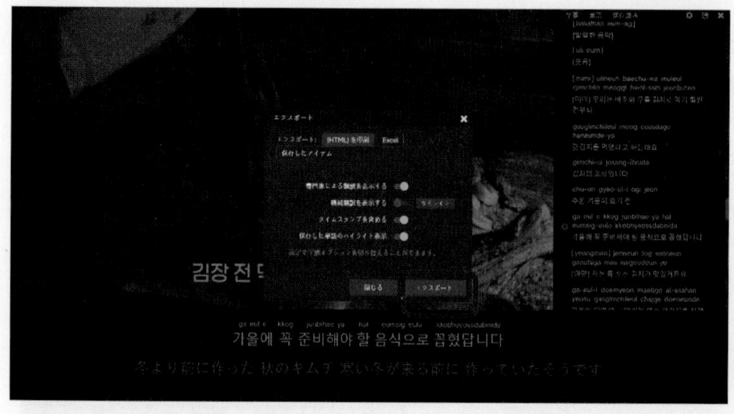

また、韓国語を勉強する学生たちの場合はドラマ字幕を直接確認しながら生きている表現を勉強できる

“エクスポート” 記号をクリックすると②のボックスが生成される。

김치의 나라 1화 1부 김치는 계절이다

Time	Subtitle	Translation
29s	[su-yeong] jigeum jal ig-eun baechugimchiga iss-seubnida [수영] 지금 잘 익은 배추김치가 있습니다	よく熟成した白菜キムチは
31s	maekomhan mas, jjabjjalhan mas 매콤한 맛, 짭짤한 맛	俳優　リュ・スヨン 辛いだけでなく 酸味や甘みもあります
33s	geuligo tog ssoneun si-wonhan mas-e danmaskkaji 그리고 톡 쏘는 시원한 맛에 단맛까지	辛いだけでなく 酸味や甘みもあります 爽やかな味に 甘みまで 辛いだけでなく 酸味や甘みもあります
36s	han gaji eumsig-eseo itolog da-yanghan mas-i na-oneun ge 한 가지 음식에서 이토록 다양한 맛이 나오는 게	こんな食べ物が 他にあるでしょうか 1つの食べ物から 多様な味が感じられる こんな食べ物が 他にあるでしょうか
38s	gimchi malgo tto iss-euikka-yo? 김치 말고 또 있을까요?	1つの食べ物から 多様な味が感じられる こんな食べ物が 他にあるでしょうか
41s	[yeongman] gas ji-eun yungi jwaljwal heuleuneun ssalbab-e jal ig-eun baechugimchi han jogag [영만] 갓 지은 윤기 좔좔 흐르는 쌀밥에 잘 익은 배추김치 한 조각	炊きたてのご飯に 熟したキムチをのせる
47s	i mas-e ppajyeoseo hangug-indeul-eun 이 맛에 빠져서 한국인들은	韓国人はこの味が好きで どこでもキムチを求める
50s	jeon segye eodileul gadeun gimchileul chajseubnida 전 세계 어디를 가든 김치를 찾습니다	韓国人のソウルノード キムチ 韓国人はこの味が好きで どこでもキムチを求める
53s	♪ gimchi eobs-in mos sal-a jeongmal mos sal-a ♪ ♪ 김치 없인 못 살아 정말 못 살아 ♪	キムチがなくては　　　生きられない キムチがなくては　　　生きられない 歌手　ミミ
56s	- ulineun 'gimchi-ui nala'! - [sinnaneun eum-ag] - 우리는 '김치의 나라'! - [신나는 음악]	ここはキムチの国です 歌手　ミミ ここはキムチの国です
1:18	[yeongman] jangsando uliga jangsando ganeunde ige jangsan ganeun geone [영만] 장산도 우리가 장산도 가는데 이게 장산 가는 거네	この船で長山(チャンサン)島に行くのか
1:23	u-wa, daebag! 우와, 대박!	信じられない 歌手　ミミ 信じられない
1:26	eomcheong ungjanghane 엄청 웅장하네	歌手　ミミ すごく大きい
1:31	a-yu, nal-ssi johda 아유, 날씨 좋다	俳優　リュ・スヨン 俳優　リュ・スヨン いい天気だ

❺ 図のようにテキストファイルでダウンロードして重要な表現、そして最近多く使われている表現などを活用して教案を作成することができる。

特に「直訳」と「意訳」を一つの部分を見ながら勉強したり説明しながら韓国文化などの特徴を一緒に説明すれば、より興味深い授業を作ることができる。

今まで筆者が日本語を勉強しながら韓国語を教える時に使った様々な方法を紹介してみた。実際に設置および活用難易度の高いサービスもあり、非常に簡単に設置して使用できるサービスもある。一部のサービスはモバイルでは提供せず、ウェブサービスだけを提供している場合もあるが、ほとんどはアプリケーションとウェブで同じように提供される。非常に細かい機能まで紹介しなかったが、ユーチューブ使用が可能な程度のユーザーなら説明を見ながらゆっくり設置し、色々な機能 Key などを押しながら使っていると、いつのまにか見慣れたプロユーザーになっているはずだ。

本書籍は多様な韓国文化と社会に対する基本情報を提供するが、実際に最も重要なことは基本的に提供された情報を基盤に本 Tip-Book で提示された方法などを活用して本人が情報を探して考える過程を通じて韓国を知ることだ。誰かが定義して記憶する、または書籍を通じてのみ存在する「韓国の定義」は忘れた方が良い。皆さんが直接探してみて、変化と挑戦を通じて変わる隣国の韓国を見てみよう。

今日も日々変化している「今」の韓国を見たいなら、いつでもここに紹介された様々なプラットフォームと IT ツール & サービスを通じて探して確認してみよう。直接探して考えてみる過程こそが真の交流の出発点ではないだろうか？

皆さん頑張ってください！💪

Tip book

한국어

한국어 공부에 도움이 되는 Application & IT Service

과거에는 외국어를 공부하려면 대부분 처음에는 서점에 가서 관련된 “책”을 찾아서 사거나 또는 학원을 찾아다니면서 공부했다. 그러나 지금은 다양한 IT 서비스가 발달해 있어서 혼자서도 자신의 방 안에서 여러가지 방법을 통해 외국어를 공부할 수 있다. 특히 한국은 다양한 IT 서비스를 활용하여 제공하는 교육 콘텐츠가 많이 발달해 있다. 그러므로 외국에서 한국어를 배우는 사람들, 그리고 한국에 와서 한국어를 배우는 사람들을 위한 다양한 서비스들을 본 교재에서 조금씩 소개하였다.

여기 “IT Tool&Service”의 Tip-book은 외국어로서의 일본어를 배우면서 한국어를 가르치기 시작한 필자에게 있어서 많이 도움이 되었던 여러 IT Tool&Service에 대한 소개 내용이다. 교육 기관에서 가르쳐 주는 것만 기다리는 것이 아니고 직접 재미있게 외국어를 배우려고 한다면 다양한 방법이 있다. 가장 기본이 되는 한글 입력 방법, 그리고 정보를 찾는 방법, 그리고 재미있는 K-Drama 및 버라이어티를 보면서 다양한 한국의 문화를 함께 느껴보자.

본 Tip-book은 크게 아래의 3개의 Group에게 각각 다른 도움이 될 수 있다.

1) 한국어를 공부하는 학생 : 수업 시간에 학생들이 사용하는 번역 서비스를 보면 대부분 Google 번역 서비스를 활용한다. 전 세계의 다양한 언어를 제공하는 서비스인 만큼 편하고 간단하지만 문화와 맥락을 고려하여 번역하지 못하는 경우가 있다. 한국어 사용자와 일본어 사용자가 많이 사용하여 지속적으로 업그레이드 되고 있는 서비스를 사용하는 것이 가장 도움이 된다. 그러므로 양국의 사용자들이 많이 사용하는 번역 App을 추가로 소개하고자 한다. 최근 Chat GPT 번역 서비스도 궁금한 것을 잘 정리한 prompt를 입력하면 우수한 번역 결과를 보여준다. 여러 가지 서비스를 경험하여 보고 본인의 공부 목적에 맞는 서비스를 찾아보자.

2) 한국어는 공부하지 않으나 한국문화를 공부하는 학생 : 한국어를 읽거나 이해할 수 없지만 한국어 텍스트들을 보면서 일본어로 번역하거나 또는 한국의 웹사이트 등을 보면서 일본어로 변환하여 사용하게 되면 보다 현지의 정보를 정확하고 빠르게 탐색하고 확인할 수 있다. 대부분 일본어로 작성되어 있는 일본 내의 정보들만 확인하는 경우보다는 한국의 현지 관점과 최신 정보들을 빠르게 볼 수 있기 때문에 오히려 정보를 이해하고 활용하는 것에 훨씬 도움이 된다. 일본의 한국어 교과서에는 현재의 한국의 20

대들도 모르는 키워드들이 종종 발견된다. 매시간 업데이트되는 한국과 같은 나라의 정보는 현재를 확인하고 보는 것이 훨씬 재미있고 유익하다.

3) 한국어와 문화를 가르치는 선생님 : 선생님들의 경우 한국어 문화에 관련된 교재나 서비스를 찾는 것에 상당히 많은 시간이 들어간다. 그리고 한국 드라마를 수업에 사용하여 연습시키고 싶어도 하나하나 대사를 다 듣고 교재로 만들기에는 한계가 있다. 그렇지만 여기서 소개되는 방법을 활용하면 더 쉽게 학생들이 직접 설정하여 공부해 볼 수 있으므로 선생님은 중요한 표현만 수업에서 알려주고, 영상을 보면서 재미있게 연습을 시켜볼 수 있고, 학생들은 본인이 원하는 만큼 더 공부해 볼 수 있다. 예전처럼 선생님들이 모두 다 번역하고 작성하여 교재를 만들 필요가 없는 세상의 인프라를 즐겁게 경험하고 사용해 보자.

소개하고 싶은 IT Tool & Service

1) 한국어를 입력할 수 있어야 찾을 수 있다 : 한국어 Keyboard (컴퓨터 & 모바일) 사용 방법
2) 한국어 일본어 사용자들이 많이 사용하는 사전 서비스 : Naver Papago
3) 유튜브에 자동 자막 설정하여 공부하기
4) 한국어와 일본어를 같이 보면서 드라마를 즐기자 : 크롬 브라우저의 애플리케이션을 활용한 다국어 텍스트 스크립트 보기

Q&A

1. Q : 어떤 브라우저에서도, 어떤 모바일 OS에서도 다 사용할 수 있습니까?

A : 네, 설정하는 방법을 다르지만, 요즘은 대부분의 웹 브라우저(chrome, Bing, Whale 등) 대부분 제공됩니다. 만약 사용하고 있는 브라우저가 어렵다면 chrome을 설치하고 사용하시면 편합니다.

2. Q : 여기서 알려주는 서비스는 전부 무료입니까?

A : 네, 대부분 무료입니다. Papago도 Language reactor도 무료입니다만 일부 유료 기능과 서비스도 있으니 반드시 확인하고 사용하여 주세요.

3. Q : 일부 Netflix 같은 OTT 서비스 사용 예를 들어주는 데 사용하고 있는 학생과 사용하지 않는 학생이 있어 수업에서 사용하기 어려울 것 같습니다. 방법이 있을까요?

A : 이 부분은 학생이나 선생님이 OTT를 사용하시지 않으시면 방법이 없습니다. 다만 문화와 언어 교재로 사용되는 가치를 생각하시면서 한번 검토하여 판단해 보세요.

4. Q : 한국어 관련 컴퓨터 키보드 등 소품이 필요하면 어떻게 할 수 있나요?

A : 일본 내 여러 쇼핑몰에서 주문해서 구매하실 수 있습니다. 가끔 직접 구매하지 않고 글자 스티커를 구매해서 붙여서 사용하는 분들도 계십니다.

5. Q : 넷플릭스 외의 서비스에도 Language reactor를 사용할 수 있습니까?

A : 예를 들면 아마존 프라임 서비스에서는 사용할 수 없습니다. 넷플릭스에서 사용하는 애플리케이션 입니다. 21페이지에서 제공되는 QR 코드를 통해 페이지에 접속하여 보다 자세한 사용 방법을 확인하시기를 바랍니다. (유튜브도 사용 가능)

자 그럼 이제부터 하나 하나씩 설정하고 사용해 볼까요?

1 한국어를 입력할 수 있어야 찾을 수 있다. 한국어 Keyboard (컴퓨터 & 모바일) 사용 방법

한국의 컴퓨터 키보드를 사용하기 전에 한국어의 조합 방법을 알아야 할 필요가 있다. 일본어 키보다는 각각의 발음이 하나씩 표기되어 있어 그 문자를 입력하면 되지만 한국어 키보드는 한국어의 조합 법칙에 따라

①"ㅇ+자음" ➡ 아, 우 등
② "자음+모음", ➡ 가구, 도쿄. 하나 등
③ "자음+모음+자음", ➡ 말, 글, 강 등
④ "자음+모음+자음_자음" ➡ 닭, 몫, 삶 등

그래서 키보드를 보며 자음, 모음을 찾아서 순서대로 입력해야 한국어의 글자가 만들어진다. 다음의 키보드를 확인해 보자.

한국어의 자금과 모음

컴퓨터 연결형 키보드 모양

다음은 휴대폰에서 입력해 보자. 우선 언어 설정에서 한국어 입력이 가능하도록 설정을 추가 또는 변경한다.

그리고 그림과 같은 한글 키보드가 생성되면 컴퓨터 키보드 입력방식처럼 순서대로 자음과 모음을 입력하면 된다.

단, 핸드폰의 경우 겹자음((농음 濃音)은 숫자 변한 위의 "⬆"를 누르면 그림 ②번처럼 변화한다

자 이제 한국어를 입력할 수 있다면. 새로운 사전 Application을 사용해 보자.

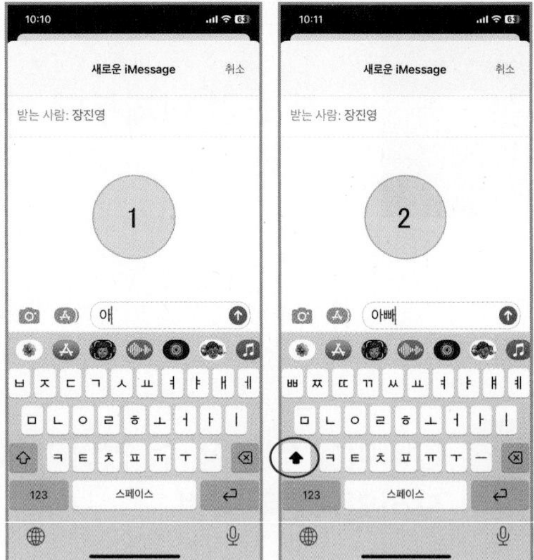

한국어 일본어 사용자들이 많이 사용하는 사전 서비스 : Naver Papago

일반적으로 외국어를 공부할 때 가장 많이 사용하는 번역 서비스는 Google 번역 서비스이다.

그 부분이 익숙하다 보니 대부분 한국어 수업을 진행할 때도 학생들이 Google 번역 서비스를 사용한다. 영어 중심의 언어에서는 당연히 Google이 좋은 번역 서비스를 제공해 주지만 한국어와 일본어의 경우는 중급 이상으로 올라가게 되면 Google 번역 서비스가 미묘한 각 언어의 특성들을 반영하여 번역하여 주지 못하는 것을 확인할 수 있다. 그러나 한국어와 일본어 사용자들이 많이 사용하는 "Papago"라는 애플리케이션을 사용해 보면 보다 정교한 번역 결과를 확인할 수 있다.

실제로 일본어가 모국어인 한국어 학습자가 가지는 문법적 오류는 "~て"의 사용 결과에서 확인할 수 있다. 일본어에서는 구분이 없지만 한국어에서는 "~て"의 표현은 "~고" 라는 단순 접속의 의미로 사용될 때도 있고, "~아서/어서"의 이유 또는 순서의 표현으로 사용될 때도 있다.

이러한 섬세한 의미의 차이를 Google 번역에서는 놓치는 경우가 있지만 Papago 서비스는 이러한 부분까지 정확하게 번역하기 때문에 오히려 한국어 공부를 하는 경우는 Papago 애플리케이션을 사용하면 더 정확한 의미의 표현을 확인 할 수 있다.

그렇다면 아래의 QR을 통해 "Papago"를 검색하여 설치하여 보자.

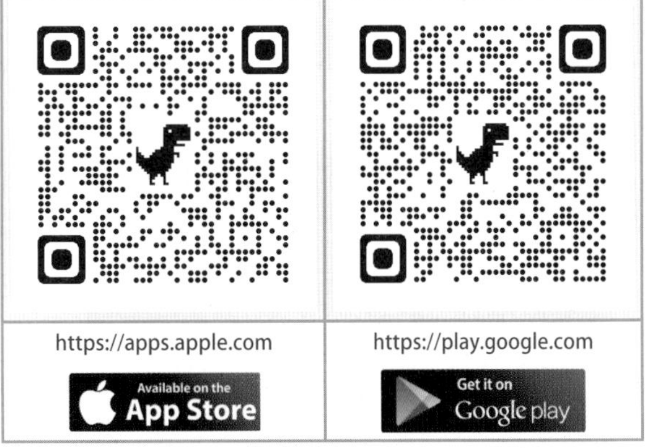

이 외에도 "Naver 사전(辞書) 등을 검색하여 설치하고 사용하면 한국어 공부에 도움이 된다. 또한 웹사이트에서도 한국어 사전을 사용할 수 있다.

** Tip Plus !!

또한 NAVER에서 제공하는 "Whale Browser"를 설치하고 왼쪽에 있는 "기능 Key"에 "Papago"를 설정하면 바로바로 열어서 필요한 단어를 검색하고 사용할 수 있다.

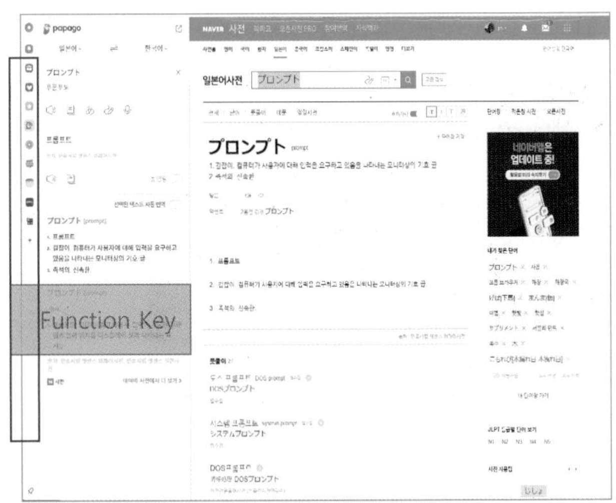

 유튜브에 자동자막 설정하여 공부하기

아직 사용해 본 적이 없다면 아래의 설명에 따라서 설정하고 사용해 보자.

설정 버튼 눌러서 언어 설정하기

1 옆의 화면과 같이 하단에 "설정" 아이콘을 누르면 상세한 설정 항목이 보인다. 자막 메뉴를 선택하면 다음 화면으로 이동한다.

2 "자막" 리스트 중에 원하는 언어를 선택한다.

** 본영상은 자막이 제공되나 일본어 자동 자막이 제공되지 않는 경우도 있다. 설정이 잘못된 것은 아니니 오해하지 말자. 글로벌 고객이 사용할 수 있도록 하는 한국어 관련 단체 또는 유명인 콘텐츠는 제공되는 경우가 많으니 잘 활용해 보자.

다양한 언어중 일본어 선택하기

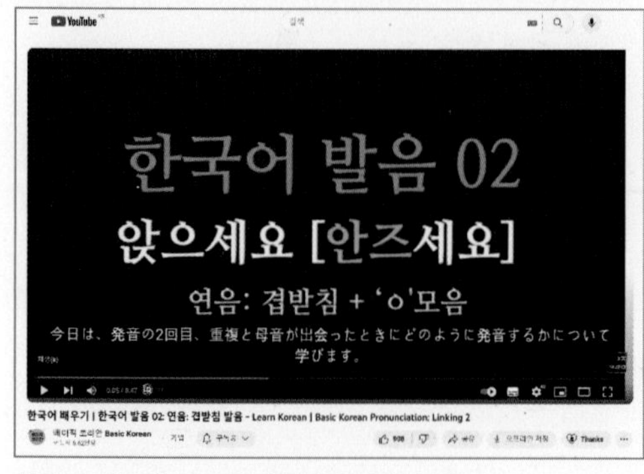

한국어 자막과 일본어 자동자막 설정된 화면

3 그럼 이제부터 일본어 자막을 보면서 직접 유튜브를 사용해 보자.

다양한 한국콘텐츠를 유튜브에서 편하게 찾아보고 즐겨보자.

※자료 화면 [베이직 코리안] 제공 :

https://www.youtube.com/@basickoreanbk

한국어와 일본어를 같이 보면서 드라마를 즐기자 : 크롬 브라우저의 어플리케이션을 활용한 다국어 텍스트 스크립트 보기

넷플릭스의 경우 보고 싶은 자막을 직접 설정하여 볼 수 있는 장점이 있다. 예전에 언어 공부를 할 때는 대부분 선생님들이 드라마를 보면서 공부할 경우 다음과 같은 순서를 추천하였다.

- 첫 번째 : 한국어, 일본어 자막 없이 보기
- 두 번째 : 한국어 자막 보면서 다시 보기
- 세 번째 : 일본어 자막 보면서 세 번째 보기
- 네 번째 : 다시 한국어, 일본어 자막 없이 보면서 따라 읽고 연습하기

그러나 지금은 Google 브라우저에 설치하는 "Language Learning With Netflix" 애플리케이션을 통해 2개의 자막을 함께 설정하여 볼 수 있다. 그러므로 순서를 고려하지 않고 먼저 자막 없이 들어보고 모르는 표현만 간단히 "On/Off" 버튼을 통해 활성화 해서 확인할 수 있다. 편하고 재미있게 외국어 공부를 하면서 드라마와 버라이어티를 즐겨보자.

① "Language Learning With Netflix" Google Browser에 설치하기

- Google에 추가 버튼을 눌러 브라우저에 애플리케이션 설치하기
- 설치하고 나면 브라우저 상단에 LR 모양의 아이콘이 생긴다.
- 설치가 완료되면 넷플릭스 화면에도 새로운 아이콘이 생긴다.

Language Learning With Netflix Download
www.languagereactor.com
Nflx multi Subs2021
https://www.languagereactor.com/

2 넷플릭스 화면에서 자막 환경 세팅하기

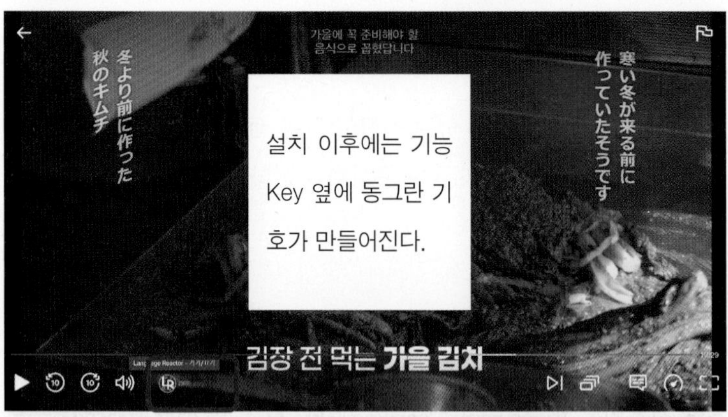

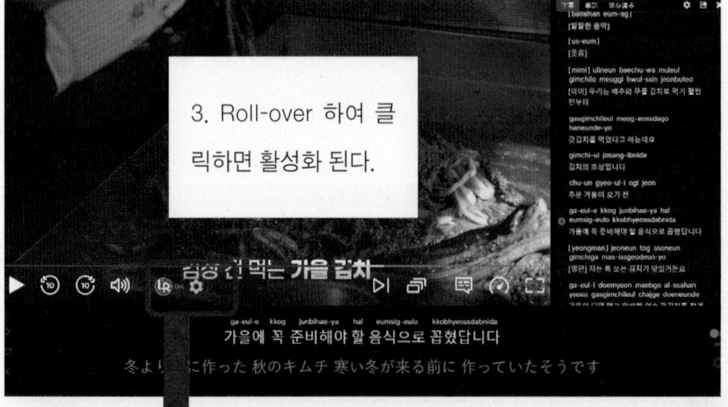

하단에 “환경설정 아이콘”을 클릭하면 하단의 설정 화면이 보인다.

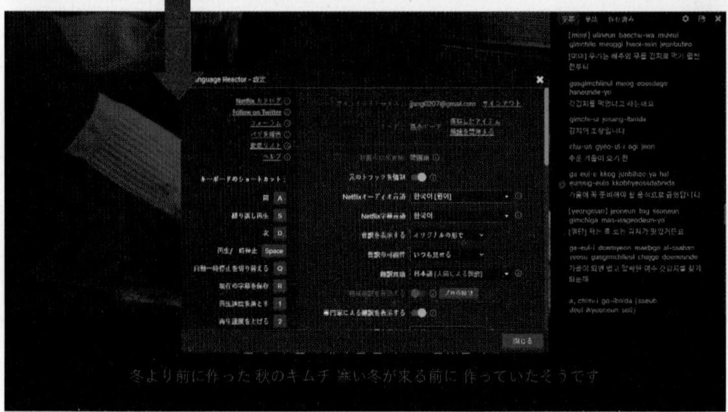

-원하는 두 개의 언어를 설정하자.

-하단에 언어 2가지가 함께 보인다.

-옆면에는 영어로 읽는 방법을 보여준다. 혹시 한국어를 읽을 수 없다면 알파벳 표기법에 따라 읽어 볼 수 있다.

③ 이렇게 설정이 끝나면 다양한 언어를 설정하여 사용하여 보자. 각 화면에 보이는 다양한 기능 Key 들을 눌러보면 조금 더 다양한 기능으로 언어 공부를 진행할 수 있다.

- 단어 위에 마우스를 Roll-over 하면 해당하는 일본어 단어가 보인다.

- 중요한 표현 위에 마우스를 Roll-over 하면 일본어 표현의 의미를 다시 한번 설명해 준다.

- 하단에 "AP" 버튼을 활성화하면 원하는 대사에서 멈추고 확인할 수 있으며 "설정" 버튼을 누르면 언제든지 언어 설정을 변경할 수 있다.

** Tip Plus !!

그 외도 Language reactor에서 유료로 제공하는 “표현 클리핑” 기능 등이 있으니 조금 더 자세한 기능은 앞의 QR코드를 통해 Language reactor 사이트서 자세히 살펴보자(일본어 제공)

④ 정말 좋은 부가 기능 : 자막 전부를 파일로 다운로드 받아서 표현 공부하기

이 기능은 한국어를 가르치는 교사에게 정말 편리한 기능이다. 드라마 대사 전부를 엑셀 또는 HTML 파일로 다운로드 받아서 교재를 작성하는데 사용할 수 있다. 또한 한국어를 공부하는 학생들의 경우는 드라마 자막을 직접 확인하면서 살아 있는 표현을 공부할 수 있다.

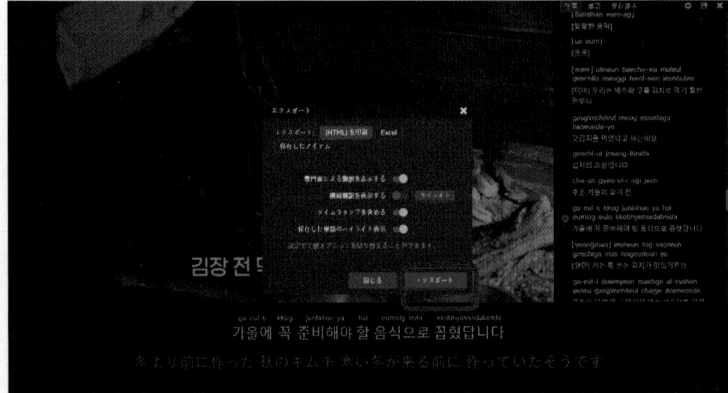

“내보내기” 기호를 클릭하면 아래의 페이지가 생성된다.

김치의 나라 1화 1부 김치는 계절이다

Time	Subtitle	Translation
29s	[su-yeong] jigeum jal ig-eun baechugimchiga iss-seubnida [수영] 지금 잘 익은 배추김치가 있습니다	よく熟成した白菜キムチは
31s	maekomhan mas, jjabjjalhan mas 매콤한 맛, 짭짤한 맛	俳優 リュ·スヨン 辛いだけでなく酸味や甘みもあります
33s	geuligo tog ssoneun si-wonhan mas-e danmaskkaji 그리고 톡 쏘는 시원한 맛에 단맛까지	辛いだけでなく 酸味や甘みもあります 爽やかな味に 甘みまで 辛いだけでなく 酸味や甘みもあります
36s	han gaji eumsig-eseo itolog da-yanghan mas-i na-oneun ge 한 가지 음식에서 이토록 다양한 맛이 나오는 게	こんな食べ物が 他にあるでしょうか 1つの食べ物から 多様な味が感じられる こんな食べ物が 他にあるでしょうか
38s	gimchi malgo tto iss-eulkka-yo? 김치 말고 또 있을까요?	1つの食べ物から 多様な味が感じられる こんな食べ物が 他にあるでしょうか
41s	[yeongman] gas ji-eun yungi jwaljwal heuleuneun ssalbab-e jal ig-eun baechugimchi han jogag [영만] 갓 지은 윤기 좔좔 흐르는 쌀밥에 잘 익은 배추김치 한 조각	炊きたてのご飯に 熟したキムチをのせる
47s	i mas-e ppajyeoseo hangug-indeul-eun 이 맛에 빠져서 한국인들은	韓国人はこの味が好きで どこでもキムチを求める
50s	jeon segye eodileul gadeun gimchileul chajseubnida 전 세계 어디를 가든 김치를 찾습니다	韓国人のソウルノード キムブ 韓国人はこの味が好きで どこでもキムチを求める
53s	♪ gimchi eobs-in mos sal-a jeongmal mos sal-a ♪ ♪ 김치 없인 못 살아 정말 못 살아 ♪	キムチがなくては 生きられない キムチがなくては 生きられない 歌手 ミミ
56s	- ulineun 'gimchi-ui nala'! - [sinnaneun eum-ag] - 우리는 '김치의 나라'! - [신나는 음악]	ここはキムチの国です 歌手 ミミ ここはキムチの国です
1:18	[yeongman] jangsando uliga jangsando ganeunde ige jangsan ganeun geone [영만] 장산도 우리가 장산도 가는데 이게 장산 가는 거네	この船で長山(チャンサン)島に行くのか
1:23	u-wa, daebag! 우와, 대박!	信じられない 歌手 ミミ 信じられない
1:26	eomcheong ungjanghane 엄청 웅장하네	歌手 ミミ すごく大きい
1:31	a-yu, nal-ssi johda 아유, 날씨 좋다	俳優 リュ·スヨン 俳優 リュ·スヨン いい天気だ

5 그림과 같이 텍스트 파일로 다운로드 받아서 중요한 표현, 그리고 요즘 많이 사용하는 표현 등을 활용하여 교안을 작성할 수 있다.

특히 "직역"과 "의역"를 한 부분을 보면서 공부하거나 설명하면서 한국문화 등의 특징을 함께 설명하면 더 흥미로운 수업을 만들 수 있다.

(옆의 숫자는 시간의 표시이므로 목표 표현을 찾을 때 편리하게 사용할 수 있다.)

지금까지 필자가 일본어를 공부하며 한국어를 가르칠 때 사용했던 여러 가지 방법을 소개하여 보았다. 실제로 설치 및 활용 난이도가 높은 서비스도 있고 아주 간단하게 설치하여 사용할 수 있는 서비스도 있다. 일부 서비스는 모바일에서는 제공하지 않고 웹 서비스만 제공하고 있는 경우도 있으나 대부분은 애플리케이션과 웹에서 동일하게 제공된다. 아주 세세한 기능까지 소개하지 않았으나 유튜브 사용이 가능한 정도의 사용자라면 설명을 보면서 천천히 설치하고 여러 가지 기능 Key 등을 누르며 사용하다 보면 어느새 익숙한 프로 사용자가 되어 있을 것이다.

본 서적은 다양한 한국문화와 사회에 대한 기본 정보를 제공하지만 사실 가장 중요한 것은 기본적으로 제공된 정보를 기반으로 본 Tip-Book에서 제시된 방법 등을 활용하여 본인이 정보를 찾아보고 생각해 보는 과정을 통해 한국을 알아가는 것이다. 누군가가 정의하고 기억하는, 또는 서적을 통해서만 존재하는 "한국의 정의"는 잊는 것이 좋다. 여러분이 직접 찾아보며 변화와 도전을 통해 달라지는 이웃 나라 한국을 알아보자.

오늘도 매일 매일이 변화하고 있는 "지금"의 한국을 보고 싶다면 이제 언제든 여기에 소개된 다양한 플랫폼과 IT Tool & Service를 통해 찾고 확인해 보자. 직접 찾아보고 생각해 보는 과정이야말로 진정한 교류의 출발점이 아닐까? 여러분 모두 힘내세요! 💪

著者紹介
저자 소개

김 영종 (金 永鍾) 교육학박사

서울과학기술대학교 졸업. 경희사이버대학교 한국어문화학과 졸업. 문화창조대학원 석사과정 글로벌한국학 전공 수료. 동경학예대학 대학원 교육학연구과 석사과정 수료. 충남대학교 대학원 박사과정 졸업. 현재 가나자와공업대학 기초교육부 교수

김 영종 (金 永鍾) 教育学博士

ソウル科学技術大学校卒。慶熙サイバー大学校韓国語文化学科卒・同文化創造大学院修士課程グローバル韓国学専攻修了。東京学芸大学大学院教育学研究科修士課程修了。忠南大学校大学院博士課程卒。現在、金沢工業大学基礎教育部准教授

장 진영 (張 眞英) O2O & Contents 마케팅 전문가 / 한국어 & 한국 문화 강사

홍익대학교 역사교육학과 졸업. 중앙대학교 MBA (경영 & 엔터테인먼트 경영 복수전공). ㈜유니원커뮤니케이션즈 상무 이사 역임. O2O Marketing전문가로 약 20년 이상 활동, 이후 "외국어로서의 한국어 교사"로서 이와테대학 등의 한국어 교육 현장에서 한국어 및 한국 문화 교육

장 진영 (張 眞英) O2O & Contents マーケティングの専門家 / 韓国語 & 韓国文化講師

弘益大学校の歴史教育学科卒業。中央大学校 MBA/ 経営 & エンターテインメントの経営への複数専攻。(株) ユニウォンコミュニケーションズ常務取締役歴任。O2O Marketing の専門家として約 20 年以上活動、以後「外国語としての韓国語教師」として岩手大学などの韓国語教育現場で韓国語および韓国文化教育。

直接、探してみる韓国文化

発行日　2024年 3月 29日

著　者　金 永鍾・張 眞英

発行人　中嶋　啓太

編　集　金善敬

発行所　博英社
〒370-0006 群馬県 高崎市 問屋町 4-5-9 SKYMAX-WEST
TEL 027-381-8453 / FAX 027-381-8457
E · MAIL hakueisha@hakueishabook.com
HOMEPAGE www.hakueishabook.com

ISBN　978-4-910132-45-7

定　価　2,640円（本体 2,400円）